自己と社会

現象学の社会理論と〈発生社会学〉

西原和久［著］

新泉社

装幀　勝木雄二

自己と社会——現象学の社会理論と〈発生社会学〉

目次

序章　自己への問いと社会への問い——本書の視角

「自己と社会」という主題をもつ本書は、二つの目的をもつ。まず第一に、「自己への問い」が現在でも人びとの大きな関心の的であるが、この「自己への問い」は実は間違いなく「社会への問い」、つまり〈他者〉ないしは〈社会的世界〉への問いに通じているので、この関係を徹底的に考え抜くこと。そして第二に、この論点は、今日のわれわれの社会がいかにして現在あるように存在しているのか——その行為論的な論理構成の側面を、本書では社会の「存立構造」と呼ぶ——という論点と通じているので、現代社会の存立をその「発生の現場」に即して徹底的に考え抜くこと。この二つである。とくに本書では、これまで著者が「発生論的相互行為論」と呼んできた視点のさらなる展開が目指されている。

要するに本書は、自己・他者をめぐる関係を考察の基層にした社会理論の再検討を試みるものである。とはいえ、社会学における社会理論を全面的に論じることがここでの課題ではない。本書の課題はもっと限定されている。それは、①社会学における社会理論の再検討のための足場を築くこと、②そのために本書が依拠する理論的スタンスを鮮明にすること、③とりわけ、本書の知的源泉はシュッツ現象学的社会学にあるので、その立場を再検討すること、④そしてさらに、シュッツ現象学的社会学に関連する諸理論をも再検討して、⑤最後に、社会理論の根幹にかかわる基本的諸概念、とりわけ権力や制度などに関して論及することによって、現象学的社会学における社会理論の再検討の道筋をつけること、以上である。ただし、以上の各々への立ち入った検討は本論で示していくことになるので、この序章では本書の問いと構図をめぐる基本的視点にふれるにとどめたい。

筆者が依拠するのは、「意味社会学」――これまで筆者は「意味の社会学」という表記を用いてきたが、本書では簡便さのために日本語表記として「意味社会学」という用語を採用する。なおその英文表記はSociology of Meaningとして、これまでと変更はない――、とりわけアルフレッド・シュッツの「現象学的社会学」(phenomenological sociology)であるが、本書が主として立脚するのは、そのうちでも〈発生論〉ないしは〈発生社会学〉(sociology of genesis)という視座である。したがってまず、この発生論的思考(genealogical genetic thinking)に関してこの序章で簡潔に言及しておくことにする。

筆者はいままで、自分の社会学的思考が発生論の立場に立つと強調してきた(西原[1994][1998a])。ここでは、かつても示したことがあるが(西原[2000:2])、筆者の発生論の視座をより明確にするために、心理学でも語られているアプローチの分類を援用したいと思う。心理学者、辻敬一郎[1995]によれば、たとえば「行動」を問うとき、そこには「現象論」「機構論」「機能論」「発生論」の四つのアプローチがあるという。筆者の用語法(現象論・構造論・機能論・発生論)とまったく同一というわけではないが、たいへん示唆的で参考になった。社会学のアプローチにおいても、出来事の特性の記述(現象論)、構造的な機構の探求(構造論)、そして現象や機構の機能を問う視角(機能論)はこの学問の代表的な視座である。しかしながら今日、社会学において「発生」を問う視座(発生論)は必ずしも十分ではないのではないか、と問い尋ねることができる。

ただし、社会学の歴史を紐解けば、発生論的な問いは少なからず問われてきた。いやそれどころか社会学の「古典」において、それは問いの中心にあったとさえ読み直すことができる(西原[1998a]、および本書11章など参照)。だとすれば、上記の批判的な問い尋ねは、現代社会学に関してのみいえることかもしれない。少なくとも現代社会学においては、この問いの大きさを前にしてなのか、発生論的側面への接近はきわめて不十分であるように思われる。あるいは、発生を問うのは歴史学・人類学・心理学・哲学など他の領域の仕事で、社会学の仕事は現実を記述ないし分析することだという平板な実証主義的言説が、発生論への接近を拒んでいるのかもしれない。

もちろん、現状の記述という社会学の仕事の重要性を否定するつもりは筆者には毛頭ない。しかし、いま存立・存在する社会の「現状」「現実」を捉えるには、基層にある事態の探究や過去との比較など、その発生や生成の視点なくしては不可能であることは明らかである。かつてデュルケムが「発生的」(génétique)と呼んだ分析と総合の方法とは、もっとも原基的(rudimentaire)なものから次第に複雑なものになっていく仕方を探求することであった。それは、デュルケムの言葉を使えば、「純然たる記述的なものであることをやめて、……まさに社会学そのものなのだ」(Durkheim [1895＝1978：258])。発生的なまなざしを等閑視すれば、単なる「記述学」(フッサール)となり、一種の現状維持的言説に陥るだけとなろう。発生論の視座を欠くならば、社会学は不完全なものとならざるをえない。発生を問うことの意味は、社会学にあっても重要なインプリケーションをもつはずである。

このような発生論的な視点から、社会学の古典にも立ち返り、なおかつ必ずしも狭い意味での社会学的業績だけに閉じこもることはせずに、関連諸学の参照可能な視点からも大いに学びながら、社会学における社会理論の再検討の土台作りを本書ではおこないたいと考えている。ただし、筆者自身の狙いや読みのうちでは、冒頭に述べた二つの論点に可能なかぎり目を配っていきたいと思っている。それは第一に、現代社会における自己をめぐる言説が、その〈自己〉のもつ〈社会性〉を忘却するなかで展開されていることへの危惧から生じている。それは何も、巷に流布するいわゆる個人主義的な利己的言説のことを直接に指しているわけではない。むしろ〈社会性〉を問う学問領域のなかで、自己や他者が自明なものとして語られている現状に対する危惧である。社会理論を基層から問い直そうという試みは、この〈自明性への問い〉という問題意識からなされる。筆者が間主観性

(intersubjektivität) という現象学の概念に着目するのは、このためである。

第二に留意したいのは、拙著『意味の社会学——現象学的社会学の冒険』(弘文堂、一九九八年)で示唆したことだが、人文社会科学におけるラディカルな〈六〇年代の問い〉が、つまり主観・言語・現実・科学・方法などから近代・生命・身体などへの多岐にわたる根底的な「問いかけ」が、その後の諸学の展開のなかで忘却されがちとなり、変質させられてきているように思われることに対する危惧である。一九八〇、九〇年代の表層の論理性への着目に足下をすくわれ、われわれ自身の生身の〈生〉(Leben＝生命・生体・生存・生活、そして人生)にかかわる原問題が、そうした論理的な言説のなかで貶められてはいないであろうか。筆者が生(活)世界(Lebenswelt)という、これまた現象学の重要な概念に着目するのも、このためである。

要するに、筆者としては、生きられる経験の視点から、〈自己〉の問題を〈社会〉との関係のなかで考えていくための筆者なりの作業が本書でなされていると考えている。それを端的な表現で示すならば、〈自己―他者〉を原基とする〈関係〉ないし〈間《あいだ》〉の探究と表現することができると同時に、それが自らの生き方にかかわる社会の理論に半ば必然的につながるのであるから、ここではその全体を「自己と社会」に関する社会理論の研究と考えている。

最後に、もうひとつの基幹となる本書の用語法とその含意に言及しておきたい。本書は副題にもあるように現象学および現象学的社会学の系譜を参照して書かれているが、現象学的「社会学」はあくまでも「社会学」のなかでのひとつの考え方であると了解していただきたい。ただし、ここでは「社会学」を狭く限定するつもりはない。少なくとも本書では、いままで多くの社会学者がおこなってきた社会学研究とその研究のために陶冶してきた社会学の諸概念とを豊饒な知的遺産・知的伝統として捉え返しながら、社会の変化とともにその研究課題も変わらざるをえない社会学の特性も活かして、社会学研究を試みていくものである。筆者としてはこれまで、その研究内容を〈意味〉という言語シンボルに仮託して語ってきたつもりである。ここで〈意味〉とは、さまざまな行為者（自己、他者、第三者、観察者、研究者など）のおこなう何らかの「世界把握」（あるいは「社会意識」とここでは一般化して述べてもよい）に重きをおくためのシンボルである。

そうした現象学的社会学は——本論で述べるべきことだが、あらかじめ誤解のないように言及しておけば——「意味学派」とも呼ばれる系譜のなかで語られることがあるし、筆者自身もそこに出発点のひとつを求めている。しかしながら、「意味学派」と称される（日本の社会学内部での）潮流については誤解も多く、またその共通基盤と考えられているパラダイムも必ずしも一様ではない。それゆえ、筆者の考える当面の社会学研究の側面は、「意味学派」とは別の表記法を用いざるをえない。それは、本書における用語法として、「意味社会学」と呼ばれている。それゆえ筆者としては、シュッツに知的刺激を与えられた社会学を「現象学的社会学」と呼び、それを中核として筆者が全体として〈意味〉を強調しておく必要があると考えている場合は、現象学的社会学よりも広い領域の社会学として「意味社会学」に言及するつもりである。そしてそのうえで、さらに現在問われなくてはならないと筆者が考えている発生という課題を意識した場合には、「意味社会学」というよりも〈発生〉という語を意識した用語法を使っていく。「発生論」および「発生社会学」である。

では、こうした用語法と「現象学的社会学」ないしは「発生論的相互行為論」との関係はどうなっているのであろうか。筆者は現時点で次のように考えている。旧来の社会学における現象学的社会学の了解を含む「意味学派」とは異なった、筆者なりの視点に立つ「意味社会学」は——さまざまな意味学派的潮流を内に含みながらも——基本的スタンスのひとつとして「発生論的相互行為論」という理論的立場の上に立つ。その立場は、「間生体的諸力」を含む間身体的・間主観的な力の交錯場をも問う。この「発生論的相互行為論」は、これまでに筆者の著書や論文でしばしばその方向性についてふれてきてはいるが、あらためて整理して示すとすれば、次の三つの研究領域からなる。

①歴史社会論的・系統発生的な発生論（的相互行為論）の研究
②行動発達論的・個体発生的な発生論（的相互行為論）の研究
③存立構造論的・関係発生的な発生論（的相互行為論）の研究

ただし、①のより歴史学的、②のより心理学的な領域に対して、間生体性（より生物学的な領域だといえる）を含む③のより社会学的な領域が、本書の中核をなす。もっとも、こうした区分は、いわば理念型的に表されたものであって、具体的な分析・記述においては各領域に重なりがあることはいうまでもない。なお、正確さを期したつもりのこうした表現は、しかしながら、かなりまどろっこしいので、本書での使用にさいしては括弧内を省略するなどして簡潔に表現することがある。

さて、発生論のこの三研究領域を含めて、以上の筆者の用語法について逆にたどり直せば、次のように整理できる。すなわち、（間生体的諸力論を含む）この三研究領域が発生論的相互行為論の内実をなして発生社会学を構成し、その議論の展開をひとつの中心とする現象学的社会学を含む社会学が意味社会学である。詳細な包含関係を示す上下の階層構造としては、社会学―意味社会学―現象学的社会学―発生社会学―発生論的相互行為論―右の三研究領域である個別の発生論（的相互行為論）の研究―間生体的諸力論、という具合になる。したがって、意味社会学が社会学のすべてであるというつもりはないし、同様に意味社会学や現象学的社会学は発生社会学や発生論的相互行為論だけが中身であるというつもりもない。さらに発生論という用語は、発生や生成の局面を強調するキーワードとして、各階層において用いられるものであることも追記しておきたい。なお、発生と生成という言葉は、前者が起源的な意味合いをもち、後者が過程的な意味合いをもつが、その重なり合いも強いので互換的に用いられることを自ら許容しているつもりである。（ただし、意味社会学や発生社会学という言い方はまだ社会学のなかでは定着していない現状を考えて、社会学において比較的一般化している現象学的社会学という用語を筆者なりの以上の視角を念頭におきながら使用することも、自ら許容していることを付け加えておく。）……このようにして、本書は、社会学それ自体のあり方の再検討を図るという企ても含みながら、社会学の内部に発生論的な視点を組み込む努力であると述べておくことができる。

以上の留意を促したうえで、もう一点、本書本論の議論の限定に関して短い注記をおこなっておきたい。たとえば自己を発生論的に問うさいに自己意識（「私」という意識）を取り上げるとすれば、そうした「私」は、歴史社会論的・系統発生的にはどのような生成過程をたどったのかを問うのが右の①の領域であり、その場合はフーコーやエリアスの仕事がすぐに思いつくであろう。しかしながら、本書ではこの領域の研究にまで手を広げることはなるべく禁欲して、前述の②および③に重きがおかれていることをあらかじめ述べておく。本書において、①は、②や③の議論の土台ないしは地平を形成しているが、主題としては論じられていない。記述が膨大になることを恐れてのことでもある。この①の論点自体も広大な研究領域であるので、その検討は別著で試みたいと考えている。

＊　＊　＊

本書は三部構成からなる。

第一部では、「自己への問い」から話を始め、自他関係を中心に検討する。そのさい、この問題に思索を傾けてきた現象学の系譜をたどり直しながら、筆者なりの発生論的視座に立つ「意味社会学」を導出する。

第二部では、意味社会学のこの発生論的視座を、あらためてシュッツ現象学的社会学の再検討から浮き彫りにし、同時にシュッツとの関連も深い廣松社会哲学やエスノメソドロジーやミードなどの知見も参照して、〈発生社会学〉の立場、つまり発生論の立場の深化を試みている。

第三部では、社会理論の展開に向けた現象学的社会学の可能性が検討される。最初に間主観性の社会理論の可能性が検討され、その後に、社会理論にとって柱となる権力や制度や国家といった問題群に対して筆者なりの立場から言及がなされている。いくつかの点にわたって、意味社会学の社会理論の方向性を示すことが狙いである。

以上の検討にあたって、筆者は努めて先人の思索の成果から学ぶよう心がけた。それは、単に学説史的な関心において「系譜」を追うという作業なのではない。そこには、発生／生成を問う一種の〈系譜学〉（フーコー）的な関心が内蔵されている。とはいえもちろん、本書では前述のように歴史社会論的・系統発生的な発生論を正面から論じるわけではないので、系譜を問う本書の主たる作業は、社会理論の再構成を射程に入れた、次の段階に進むための系譜確認作業のひとつだと筆者は考えている。思索の系譜をたどりながら先行者の研究の意義や限界を見定めるという作業は、独りよがりにならないためにも大切な作業であろう。本書で系譜ないしは系譜学という言葉が見られるのは、このような狙いと限定を伴って用いられていることに留意願えれば幸いである。

では、「自己と社会」に関する本書の問いと構図についての「まえがき」的な序論はこれくらいにして、さっそく本論の序論たる本論第I部1章「自己への問い」へと赴きたいと思う。この第I部では、さまざまな主観性を射程に入れた〈意味社会学〉と、そのなかでさまざまな〈発生〉を問う〈発生社会学〉の視点がまず描き出されることになる。

第Ⅰ部　自己への問い——自己・他者・〈間《あいだ》〉の系譜

1章　自己への問いの系譜——現象学的社会学の視線

［0］自己への問い——現代日本の問いから

いま「自己への問い」において、いったい何が問われているのだろうか。まず、本書の本論の議論にかかわる序論的なこの1章で「問い」のパースペクティヴをあらかじめ示しておくことにしたい。

昨今、社会学においても、自我やアイデンティティや個性に関する問いかけが目立つ(1)。社会学に限定しなくとも、青少年の犯罪に関連して、あるいは情報社会を生きる人びとに関連して、あるいは教育の場にいる若い世代に関連して、自己や自我への問いが語られる。さらにパラサイト・シングル、あるいは新興宗教に走る人びとについても多くが語られてきた。「豊かな時代」の〈私探し〉が、〈癒し〉とともに、一九九〇年代以来のキータームであるとさえ言えよう。

自己がどう生きるか。自分とは何か。そして、そもそも人間とは何か。こうした問いは、生きていくのに精一杯であった終戦直後の人びとの問いかけとは、問いの水準が異なっているといえるかもしれない。ごく簡潔にではあるが、戦後日本から現在までの「自己への問い」の経験にふれておこう。

戦後すぐの日本では、日本社会の「近代化」への関心とともに、論壇においては「主体性論争」が繰り広げられ、文学者、哲学者、歴史学者、心理学者、さらにマルクス主義者などがこの論争にかかわった。いうまでもなく、そこでは、人間の「主体性」をどう確保するのかという点をめぐる問いが発せられたのである（西原［1998a］の第Ⅱ章、参照）。

その後、経済復興の兆しのもと六〇年代前後には、確立されはじめた体制のなかで既定のレールの上を歩む生き方を嫌い、自らの生の未来を自らが「主体的」に切り拓いていくことを目指すような「実存主義的」主体性が、学生運動に象徴される若者の叛乱のさなか、しばしば若い世代において論じられた。われわれは紙を切るためという本質を与えられたペーパーナイフとは違って、「〜のため」という本質の定められていない不条理かつ実存的な存在であるからこそ、主体性を獲得して自らの実存を選択し生き抜くべきだ、といった実存主義的言説（たとえばSartre［1946＝1955］、参照）が、「自立」という言葉とともに語られた。実存主義者サルトルの来日も、一九六六年のことであった。

さらに、七〇年代後半のポスト高度成長期には、物質的な豊かさを実感しはじめたなかで、あらためて自らの位置を確認するかのような「アイデンティティ」が人びとの関心を集めた。それは「甘え」ないしは「甘えの構造」にとらわれた若者や「モラトリアム人間」を批判する視点も伴いながら、批判的に若い世代が語られはじめていた。[2] もちろん、この「甘え」の問題は、日本人のアイデンティティにもかかわる問題であり、その視点から種々の日本人論の展開がみられたのもこの時期の特徴である。日本人は、集団主義という言葉に象徴的なように、他国と比較して、特殊かつ同調的であるといった言説がしばしば語られもした。[3]

いずれにせよ、戦前の封建的な前近代社会をささえた人間像を克服し、近代社会のあらたな人間像を求める一連の動きと、高度成長の成果のもとで失われつつある自己像を再構築する動きとがあらわれていたといえよう。その思潮をなるべくコンパクトに表現するならば、自律的・自立的な主体的人格の形成が、家庭内でも、教育の現場でも、若い世代に対しても、また世間一般・日本人においても、あたかも人間の「普遍的」な理想像として語られていたのだ、といえよう。ちなみに、少なからぬ「若者論」が求めている人間類型は、こうした点を的確に反映している。六〇年代（後半）の「団塊の世代」、七〇年代（後半）の「シラケ世代」、八〇年代（後半）の「新人類」あるいは「おたく」、九〇年代（後半）の「団塊ジュニア」、といった各時代の若い世代へのネーミング[4]は、その背後に自律的・自立的な主体的人格の形成の必要性といった主張も見え隠れする。

しかしながら、ポストモダンの思索を経験した今日のわれわれは、主体的で自律的・自立的な人格的存在としての人間とは、一定の歴史的な社会空間のもとで生まれてきた「過去」の「特殊」な考え方（「幻想」）ではないのか、と問うてみることもできる。日本においては八〇年代から本格的に展開されるポストモダンの議論は、最終的にその議論に肯定的であるか否定的であるかを問わず、それまでの人間像を再検討する機会を与えたことは間違いない。主体・自律・自立・人格・人間といった視点それ自体が、実はモダンの知、もっと正確にいえば、十六―十七世紀にその源泉のひとつがあり、かつてジンメルやそれを承けて作田啓一が示したように（Simmel [1917]、作田 [1981]）、十八世紀（啓蒙主義的な理性重視の量的個人主義）、十九世紀（ロマン主義的な個性重視の質的個人主義）には一般化され、その後、自明視されてきた比較的新しい西欧近代の知の産物ではないのか、という問いが（六〇年代につぐ形で）再び問われはじめた（なお、二十世紀に関して、作田は「欲望の個人主義」と呼んでいた）。

この問いかけの背後には、性差別に基づくジェンダー構成下での女性の問題はいうまでもなく、「未開人」「逸脱者」「幼児」「痴呆老人」「精神障害者」「知的障害者」など（さらに、サイードのいうような「オリエント」人を加えてもよいかもしれない）、必ずしもこの〈主体的で自律的・自立的な人格的存在としての人間〉という範疇＝近代的自我に入れられてこなかった人びとの存在があり、この時期に至って、それまでの「普遍的」な人間像が本格的に問い直されはじめた、といってよい。では次に、この近代的人間像への批判の論理を、もう少し立ち入って考えてみよう。

［1］近代的自我への問い――モダンの知・ポストモダンの知

こうした〈主体的で自律的・自立的な人格的存在としての人間〉は「近代的自我」という言い方で括ることができるであろう。そして、その点とかかわる象徴的な哲学的言説が、「主客二元論」「主客図式」、あるいは「心身二元論」などという言葉で表されてきたことは比較的よく知られている。いうまでもなく、その〝元凶〟は哲学者デカルトに帰せられている。

たしかにデカルトは、議論の確実な出発点（第一原理）を求めて、「方法的懐疑」と呼ばれる思索をおこない、あらゆるものの否定ののちにも懐疑＝否定できない存在、すなわち懐疑する主観の存在を〝発見〟した。「我思う、ゆえに我在り（Cogito ergo sum）」。つまり、略して「コギト」とも称される「主観」の〝発見〟である(Descartes［1637＝1967］)。

だが、この「主観」への着目は、同時に主観ならざる対象、すなわち「客観」をも見いだすことになる。いわゆるデカルト的な主客二元論ないしは主客図式と称される考え方の登場である。事実、その頃を境とする近代科学の進展は、客観である自然を対象にし、ガリレオに象徴的なように、〝自然には数学の言語が書き込まれている〟と考えて、その言語の解読、つまりそこにある客観的な規則性＝法則性を探究する科学という営みが進展した。知性や理性を用いた論理的思考は、そのための道を切り拓く強力な武器となった。

さらにまた、デカルトによるこの主観＝心への着目は、対象である客観・客体としての身体をも問題にする。身体もまた客観＝客体＝物体として、われわれの心＝主観＝主体＝精神の、しかも科学的な精神の、その対象として客観視＝客体視されるようになる。心身二元論の成立、あるいは知性・理性による身体・情動のコントロールという思想。デカルト以降、〈理性〉を重んじること、このこともまた〈近代〉の大きな目標となったのである。もっとも、すべての「元凶」をデカルトのせいにするのは正確ではない。彼は『省察』などにおいてきちんと「情念」を論じていたのだから。また、彼の他の側面、たとえば神の存在証明（神は無限であり、有限な知性では捉えられないという背理法的な証明）の遂行や、心身（精神と身体）を媒介する脳内の「松果腺」なるものの存在の想定、といった論点もあまり語られずに、その後の歴史は彼をして〈近代〉の知の出発点に立つ象徴的な人物とみなしてきた、と了解されがちである。(5)

だがわれわれは、先に少しふれたように、すでに「ポストモダン」の議論を体験した。多様な展開を示してはいたが、またその当否は別として、この、一種の流行思想の様相を呈していたポストモダンの議論の核心のひとつは、主客二元論に立脚するモダン＝近代の知のあり方の批判とその乗り越えにあったことは確かだ。理性的・個性的で〈主体的で自律的・自立的な人格的主体としての人間〉がモダンの人間像の典型であり、そしてそれがポストモダン思想において批判的「乗り越え」の対象となったのである。

かつて浅田彰がドゥルーズ＝ガタリの言葉を織り込みながらうまく表現したように、モダンの「パラノ型」（ある定点の原理に執着してしっかりと大地に根を下ろしたツリー状の思考を行い、執拗なまでに目標を追い求めて積分＝統合する（integrate）人間という類型）は、ポストモダンの「スキゾ型」（時点ゼロにおいて自由に浮遊し、四方八方に伸びてゆくリゾーム状の思考と活動を行う、軽やかさやノリを重視して微分＝差異化する（differentiate）人間という類型）に変化しはじめている（浅田［1984］）。社会学者・宮台真司は、九〇年代初頭の「ブルセラ少女」にポストモダンをみた（宮台［1994］）。あるいは、そこにモダンを批判する傾動をみたといった方が正確であろうか。一般的にいえば、旧来のジェンダー構成的な性別意識の揺らぎを包含しながら、主体性がないということ、あるいは「あいまいな私」の存在は、必ずしもネガティヴな意味合いではなく、場合においてはそこに積極的な価値が付与されることになる。

また、後にふれる九〇年代の哲学的な言説は、われわれの存在に根拠がないこと、つまり「無根拠性」を称揚した。その論拠としては、「クレタ島人のパラドクス」（あるクレタ島人が「すべてのクレタ島人は嘘つきである」と言明したとすると、この命題は成り立つのかどうか。それは、結局のところ、ウソなのかホントなのか。……最終的に、それは決定不能である、と言わざるをえない）のような決定不能性という論理にみられるような、決定のための前もっての根拠の存在しない状態が見いだせる、という点が示された。ここには明らかに、主体性重視のサルトル流の実存主義的な言説とは逆のベクトルが作用している。いま、この視点の相違のどちらか一方に軍配を上げるようなことはしない。論点の所在を示すことができれば、ここでは十分だからである。そして、その論点とは、要するに〈主体的で自律的・自立的な人格的存在としての人間〉という近代的自我とは何であったのかという点である。場合によって、それはいまもって理想ではないか。あるいは、それはもはや単純に批判の対象にすぎないのか。だが即断は禁物である。筆者のとる立場は、こうした問いを立てる以前に、まずもって問われなければならない問いがあるのではないかという立場である。すなわちそれは、〈近代〉において、そもそも自我＝自己＝私とはいったい〈誰〉なのか、である。フーコーやエリアスは、この問いに歴史的・系譜学的に答えようとした（たとえば、Foucault［1982］、Elias［1939］参照）。

しかしながら、われわれの問いの立て方は多少異なる。われわれのここでの焦点は、まだ必ずしも十分に問われていないと思われる論点がさらにもうひとつ存在するという点にある。それは、「自己」ならぬ「他者」の問題である。そもそも、「自」とは「他」を論理的に要請している。「他」がなくては「自」もありえないし、語りえない。それは反転図形のような関係、すなわち向かい合う顔がそこに見えるのか、それともきれいな花瓶のような図柄が見えるのかというよく知られた「ルービンの杯」のような「図」と「地」の反転図形の関係といってもよい。図は地を背景にしてこそ、図化される。まさに、自己＝自分とは他者の分ではない、自「分」なのである。自他を切り離して考えることは難しい。したがって、自己の問題とは、実は他者の問題でもあるのだ。アレントは、「私的」(private)という用語は「欠如している」(privative)という観念を含む、あるいは「完全に私的な生活を送るということは、何よりもまず、真に人間的な生活に不可欠なものが『奪われている』(de-prived)ということを意味する。……私生活に欠けているのは他者である」と語る(Arendt [1958＝1994：87–88])。ともかくいろいろな思いを込めて、「自己問題とは他者問題である」という強調をまずおこなっておきたい。そして、この〈自己—他者〉問題とは、まさしく社会学のテーマ、それも社会学の根本的な問いの系譜のひとつ、しかも社会学の重要な知的遺産のひとつなのである。

［2］自己の二重性——自己と他者という問題圏

少し唐突のようだが、「自己分裂的自己統一」という用語のことを考えてみよう。西田哲学の用語法(たとえば「絶対矛盾の自己統一」という難解な用語がある)を思わせるような社会哲学者・廣松渉のこの表現(たとえば廣松 [1982])は、しかしながら社会学においても、かねてからいくつもの興味深い同様な指摘・知見の蓄積がある。クーリーの「鏡に映った自己」やミードの「Iとme」の議論はいうまでもなく、ジンメルなどをはじめとする社会関係を論じてきた多くの社会学者の眼に映じたのも、〈自己—他者〉関係とかかわる「関係」つまり〈間〉のあり方であったのである。

さらに、現象学的社会学を切り拓いたとされるアルフレッド・シュッツもまた、この関係の問題に深く関与している。シュッツは、『社会的世界の意味構成』において、理解社会学における他者理解(他者の主観的意味の理解)を論じはじめるさいに、「意味問題とは時間問題である」とした。現在の自我が過去の自我に反省のまなざしを向けることに「意味」(とくに「行為の意味」の成立)を定位させた。ここにおいても、現在の自分が過去の自分を見るという「自己分裂的自己統一」という事態をみてとることができる。しかし、そうして見られた過去の自分は、ひょっとすると現在の「自分」ではない「他者」ではないだろうか。内的他者といってもよい。それを、ここでは大澤真幸にならって、〈他者〉と表現することもできる（大澤［1994］）。しかし、そのさいの見る自己も他者とかかわらないわけではない。見る自己の見方も実在の他者や内的な〈他者〉に左右されるからである。いずれにせよ、自己とは、自らの内部にも他者を内包する存在である。理性的であること、自律的であること、こうしたことのためには、しばしば「自己との対話」（ミードならば、「内的会話」と言うだろう）が必要だといわれるが、対話とは本来、少なくとも自己と他者との二人以上の間でなされる。自己との対話とは、自己のうちの内的他者、つまり〈他者〉との対話でもあるわけだ。主体的に自律的に立ち居振る舞うことは、自己が他者を（あるいは他者が自己を）制御すること、と表現した方が分かりやすいかもしれない[6]。

自己のなかに少なくとも二人の存在（者）がいる。問う自己と、問われる自己。そのさい「自己」とは誰のことなのか。そして「他者」とは誰のことなのか。……おそらく、こうした問いを解く鍵は実在の「他者」にある、と筆者は考えている。たとえば、子供の〈発達〉の場面を考えてみるとよい。「しっかりしなければ」とか、「よい子になろう」といった自分の内的な〝声〟とは、養育者である母のような存在者の声なのかもしれない。あるいは、家父長制的システム下での権威の象徴としての父の声なのかもしれない。いずれにせよ、その内的な声は、〈他者〉の声であると同時に、そもそもそれは「他者」の声でもある。ここにおいて、〈自己―他者〉関係が重要な問題として問われてくるのである。この問題は、「役割」概念ともかかわる点でも、間違いなく社会学の問題である。と同時に、この問題の考察は、現象学に影響を受けた社会学＝現象学的社会学の成果をふまえることで、よりいっそう、社会学研究にとっても進んだ段階にわれわれを導いてくれるように思われる。

〈自己―他者〉問題が、社会学やそれにかかわる関連領域の知的系譜や知見から学ぶ意義があると同時に、社会学研究は、それがまさに人間社会の学であるかぎり、こうした基層の〈自己―他者〉問題を問うことなく進めることはできないのではないか。少なくとも、社会学を研究する者自身もまた「人間」であるからだ。以下では、こうした点に留意しながら、社会学およびそれに関連する領域の成果を一瞥し、新たな社会学への旅立ちを試みてみたい。

［3］現象学の問い――フッサールの視線

さて、自己を他者との関係のなかで見ていこうとすると、かつて〝形式社会学者〟ジンメルが行ったように、その関係には「結合と分離」という両極の関係がありうる（とりあえずここでは、社会関係の基本は、結合と分離、そして上下関係であるといっておく）[7]。この「結合と分離」という二つの関係は、自他関係を考えていくさいの基本となるので、われわれも当面はこの論点に沿って議論をしてみよう。だがここでの議論としては、はじめから二つの「主体」を立てて、その間の関係を論じるという方法はとらない。なぜなら、われわれにとっては、自己とは何か、他者とは何か、といった自己・他者という「主体」に関する語りこそを問い直したいと考えているからだ。論点の先取りを犯さないように、ここでは、はじめから主体的存在としての自己ないしは他者を前提にするようなことはしないでおこう。

このような発想をとると、フッサール以降の現象学的思潮の系譜は、われわれにとって興味深い知見を与えてくれるように思われる。その現象学の思潮にとっては、「還元」（reduction）という現象学的方法が導きの糸になったことは確かだ[8]。もちろんメルロ＝ポンティがかつていったように、「還元の最も偉大な教訓とは、完全な還元は不可能だということである」（Merleau=Ponty ［1945＝1967：13］）という言葉には注意を要する。しかし、われわれとしてはこの還元という現象学の方法に社会学にとっての意義も見いだす。すなわち還元とは、自明視されてきたものの見方や考え方を、いったん括弧に入れる手法だからである。フッサールはそれについてさらに、「スイッチを切る」とか、「エポケー」を遂行する、つまり「判断停止」をおこなう、というような表現を用いた。彼は、それらはともに哲学するさいの一種の「教育的な措置」であるとすら述べる場面もあるが、実は社会学するさいにも、この方法的手続きは有用である。社会学の営みは、バーガーもいうように、われわれの常識を疑うことから始まるからだ（Berger［1963］）。疑うことなく常識に従っていれば、常識を問うことはない（シュッツはそれを「自然的態度のエポケー」という）。そこには学的探究の動機は存在しえない。あるいは、ミードが述べたように、われわれの思考はまず「問題状況」への気づきから始まる、と言うこともできる（本書8章参照）。

常識や日常的状況が何らかの理由で疑うに値するとき、そのときにはそれまでの「自明性」が問われる。皆が社会は良くなればいいと思っているのに、なぜ良くならないのか。戦争などなければいいと思っているのに、なぜ戦争はなくならないのか。こうした疑問は、社会学探究の出発点の一例である。そして、本章冒頭でふれたように、きわめて当たり前のように思われる現代先進社会の自己や他者やその関係も、多くの問題を抱えていると語られてきている。そこで問いが生まれてきた。そうだとすれば、いやそうだからこそ、自己や他者という自明視された論点は、いったん「還元」されて「始原」から問い直されなくてはならない。序章でふれたように、こうした「発生論」的な思考は、現象論、構造論、機能論とともに、社会学的探究のひとつの、しかも不可欠なアプローチであると筆者は考えている。現象学とは、とりわけ超越論的現象学とは、そしてとくに「超越論的」（transzendental）とは、後期のフッサールにあっては、「始原へと立ち返って問う」学や動機のことであった（Husserl［1954a＝1974：137］）。

では、こうした自他問題にとって、「始原」とは何か。この問題も実はたいへん難問なのだが、とりあえずここでは、すでに述べたように単なる歴史的・系譜学的な始原ではなく、どこにおいても自己や他者や関係が存立する事態の「生まれいずる現場」（メルロ＝ポンティ）に立ち返ることだといっておこう。この点で、フッサール以降の現象学的潮流にあって、次の二人の（現象学に影響を受けた）思索者の立場は、対照的でかつ示唆に富むものである。ひとりはモーリス・メルロ＝ポンティ、もうひとりはエマニュエル・レヴィナスである。ただし、この二人の立場を理解するためにも、まずここではこの問題に関するフッサールの視座についてもう少しふれておくことにしよう。

筆者がかつて論じたように、フッサールの現象学には少なくとも三つの文脈がある（西原［1994］［1998a］）。それらは、初期の『算術の哲学』の心理学主義を別にすれば、①〈意識経験の文脈〉、②〈危機認識の文脈〉、そして③〈意味生成の文脈〉である。なお、③の文脈、それは未完の草稿群に埋もれていたものであるが、そうした詳細な点には立ち入らず以下では簡潔にこれらの「文脈」全体に関して言及しておこう。まず、①の〈意識経験の文脈〉においては、意識の仕組みと働きが問われた。「意識はつねに何ものかについての意識である」というフッサールの有名な表現において問われたのは、意識の志向作用（ノエシス）と志向対象（ノエマ）からなる意識の「志向性」（Intentionalität）という概念であった（Husserl［1950＝1979］）。ちなみに、サルトルはこの文脈の現象学におおいに学んだと思われる。しかし、この論点は、（意識）主体による「世界」把握だけを強調するかのような、いわば独我論（的な主体主義）に陥りやすいという批判がある（たとえば廣松［1994］）。現象学は「主観主義」であるとか「意識主義」であるという批判も、同じ側面に向けられた批判である。ハーバーマスも『コミュニケイション的行為の理論』のなかで、現象学の「意識哲学」性を強く批判している（Habermas［1981＝1986］）。

しかしながら、その後、フッサールは政治社会上および研究生活上でも、深刻な「危機」を経験する。それはナチズム体験であり、そしてそれが、②の〈危機認識の文脈〉と重なり合う。すでに発想の違いから仲違いしていたとはいえ、フッサールの有能な弟子のひとりハイデガーは、フライブルク大学総長としてヒットラー政権下でナチス賛美の演説をおこなった（Farias［1987＝1990］）。フッサールがそれを快く思っていなかったのは当然であるが、研究生活上でもハイデガーらによって、図書館の出入り・研究室への出入りも禁じられ、フッサールは事実上研究のおこなえない状態におかれた。ユダヤ系の彼がおかれた状態を、われわれは想像するに難くないであろう。フッサールはここにおいて、「人間性の危機」さえ自覚し、その危機の由来（＝「始原」）がそもそもヨーロッパの諸学問のあり方にあったのではないかと問うたのである（Husserl [1954b＝1983]）。

近代の学問・科学・技術の進展においては、〈意味〉の問題が忘却されてしまった。その由来も、その意義も、その成果を活かす先も、われわれ人間が営む日常的な「生活世界」（Lebenswelt, life-world）であるのに、その「生活世界」が忘れられている。「意味基底としての生活世界の忘却」とは、彼の書のうちに見られる見出し語である（Husserl [1954a＝1974：69]）。〈意識経験の文脈〉における「自然的態度」の批判ではなく、「自然主義的態度」の批判が語られるのは、この文脈であった。先のガリレオの言葉、〝自然には数学の言語が書き込まれている〟という趣旨を自著に引いていたのもこのフッサールであるし、数学的物理学（自然科学）はその科学的な「理念の衣」でもって、ありのままの生きられた世界を蔽い隠してしまった、と語ったのもフッサールである。「ガリレイは、発見の天才であると同時に、隠蔽の天才でもあった」（Husserl [1954a＝1974：74]）。

こうしたフッサールの後期の思索の多くは、右の内容が語られたいわゆる『危機書』（Husserl [1954a]のこと）など若干の部分を除いて、膨大な速記ノートとして人目にあまりふれずに蓄積されていた。そしてそこにみられる鉱脈が、③の〈意味生成の文脈〉である。フッサール没後、かろうじて第二次世界大戦の戦火と弾圧状況から救出された未完の草稿類は、ベルギーのルーヴァンにある「フッサール文庫」に保管され、整理を待っていた。その未刊の草稿類を、ルーヴァンに赴き、早い段階で閲覧して自らの思索の糧にしたのが、メルロ＝ポンティであった。そして、そこでは「他者」が問題として立ち現れてくる。それゆえ次に、「他者」をめぐる現象学的思潮として興味深い議論を展開したレヴィナスの思索にも言及して、「他者の現象学」の問いを押さえておきたい。

［4］他者の現象学――メルロ＝ポンティとレヴィナスの問い

一般に、メルロ＝ポンティは後期フッサールの考え方を受け継ぐ現象学者として知られている。ここでは、現在のわれわれの問題、すなわち〈自己―他者〉問題に関するかぎりで、メルロ＝ポンティの仕事に言及するにとどめざるをえないが、フッサールとの関係でいえば、メルロ＝ポンティは、フッサールのいう「超越論的主観性」――この「超越論的主観性」とは、始原を問うてフッサールが見いだしたという独我論的な主観性の核のことだと了解され、その実態は分かりにくいと批判されてきた――が、実のところ（超越論的な）「間主観性」であるという（草稿の）くだりを〝発見〟した。もっとも、フッサールが本当に草稿でそう書いていたかどうかについては、専門家の判断は否定的であるが、少なくともメルロ＝ポンティは、そう主張して――だからこの点は彼の「創造的な曲解」などといわれているが――自己の思索を語りだす。要するに、主観性とは、その始原においては間主観的なあり方に基づいているのだ、と。この間主観的なあり方とは、メルロ＝ポンティの思考過程をふまえて社会学的な用語で言い直せば、「相互行為状況」と重なり合うといってよい。つまりその基本形は、自己―他者の関係行為（Verhalten）の場にある。

間主観性の詳細な議論は後に譲らざるをえないが、「他者の存在は、客観的思考にとっては難題であり憤懣の種なのである」（Merleau-Ponty［1945＝1974：221］）と語るメルロ＝ポンティが見たのは、意識や主観性の生成の出発点である身体論的な相互行為の場面であった。だからこそ、メルロ＝ポンティは中期から本格的に「発達心理学」の知見を取り入れていった。そのことで、メルロ＝ポンティの発生論の視線がどこに向かっていたかがわかるであろう。なおメルロ＝ポンティ自身は晩年近くに、初期の著作『行動の構造』（1942）や『知覚の現象学』

(1945)に残っていた独我論的視点を自己批判しているが、それらの初期の著作においても、実はすでに同様な行動発達論や幼児の知覚への着目の記述があるのであって(Merleau-Ponty [1942=1964:247ff.])、このかぎりでは彼の視線は一貫していたということもできる。いずれにせよ、「あらゆる対象化に先立ってわれわれが自分に結びついたものとして身に帯びている社会的なものにまで立ち帰らねばならないのだ」(Merleau-Ponty [1945-1974:231])。

そこで、メルロ=ポンティの主張をわかりやすい例でパラフレーズしてみよう。母子関係において乳幼児は、まさに母子一体の「自他未分」状況ともいいうるような関係性のなかにある。自我や主観性は、そうした関係性のなかでの相互行為過程において生まれてくる。主客が分離するのは、むしろそのような段階を経てからであって、はじめにあるのは、自他融合(主客二元論との対比において、あえて「主客合一」といってもよい)の段階である。メルロ=ポンティは、まず自他が結合している場面を出発点におき(彼はその場面に「前交通」や「癒合」といった表現を与えている)、そこに光を当てた。それは、自己中心性から脱中心化へと発達段階を歩むとする発達心理学者ピアジェに反対した発達心理学者ワロン[1983]のまなざしと同様なものであった。まず孤立した個人や主体が存在するのではなく、最初にあるのはむしろ〈社会性〉であるとメルロ=ポンティは考えたのだ。

つぎに、レヴィナスである。(9) ユダヤ系であるにもかかわらず、ハイデガーに影響を受けた彼は、終生ハイデガーへの複雑でアンビバレンツな思いを隠さずに示している。ハイデガーに導かれながら、しかしナチに「加担した」ハイデガーを批判するためには、われわれは何を語るべきなのか、とレヴィナスは自らに問うたかのように思える。一時期のハイデガーは、ナチズムに民族統一の「故郷」をみた。それは、「近代」の機械文明や科学が忘れてしまった心休まる「故郷」であった。だが安易な主客合一論や母子一体論のまどろみへの誘いが、無批判な主体像を、それゆえ無批判な他者像を描くとすれば、それはおおいに問題であろう。レヴィナスは、自らの強制収容所体験にも基づきながら、他者の「超越」を語りだす。他者とは、自己ではないがゆえに他者なのであり、自己を超越する存在である。自己にとって他者とは、絶対的な「他性」をもった存在（「絶対的他者」）なのだ。こうレヴィナスは強調する（Levinas［1948］［1984］）。

念のために、レヴィナス自身の刺激的な表現を用いて、こうした主張を押さえ直しておく。彼はいう。「間主観性とは、単に多数性のカテゴリーを精神の領域に適用したものではない。それは〈エロス〉によって私たちに与えられる」（Levinas［1984＝1996：186］）。ここでいうエロスをさらに問うことは控えたい。しかし、少なくともレヴィナスがエロスという表現で捉えたい位相の一端は、つぎの表現で押さえることができる。「それ［＝エロス］は、他者性との関係、神秘との関係、すなわち未来との関係、すべてがそこにある世界のなかで決してそこにはないものとの関係、すべてがそこにあるときにはあり得ないものとの関係である」（Levinas［1984＝1986：89f.］）。この位相は、「他者を所有し、把握し、認識し得るなどというのであれば、それは他者というものではないのだ」（Levinas［1984＝1986：92］）という彼の言明と重なる。そうした「絶対的他者」に関しても、われわれは問い続けなければならない。だが、ここで筆者がまずもって問題にしたいのは、少なくとも、「イリヤ［レヴィナスによれば、il y a＝「ある」は、非人称の本質的な無名性である］という匿名的な覚醒状態の中断」（Levinas［1948＝1986：20］）である「意識」を問うことであり、同時に、「ある」という匿名的な覚醒状態を問うことでもある。レヴィナスは、「世界は道具の体系である以前に糧の総体である」（Levinas［1948＝1986：43］）ともいう。この世界に住まう「意識」以前の「実存」の「ある」を問うこと、それが本書で努力して接近したいと考えている位相であるし、他者の現象学が新たな社会学的思考に寄与するひとつの回路だと筆者は考えている。

なお、ここでは深く立ち入らないが、レヴィナスが他者と時間との関係にも大きな関心を向けていたことは注記しておきたい。「向かい合いの状況［対面的状況］は、時間の実現そのものである。現在による未来に対する侵蝕は、単独の主体の所業ではなくて、間主観的関係なのである。時間の条件は、人間同士の関係のうちに、ないし歴史のうちに存在するのだ」（Levinas［1948＝1986：73］）。時間の問題が本書では、シュッツとの関係でクローズアップされることは後に見るであろう。いずれにせよ、要するにレヴィナスは「他者は、どんなかたちであれ、ある共通の実存に私と共に関与するもうひとりの私自身ではない」のであって、「他者の存在全体を構成しているのは、その外在性というよりもむしろ、その他者性［他性］である」と述べる（Levinas［1948＝1986：66］）。

ということは、レヴィナスは「自己」の徹底的な「孤立」を主張したのであろうか。いや必ずしも、そうではない。それは次のように考えられるからだ。レヴィナスが強調したように、われわれは「顔」である。大著『全体性と無限』においては、「顔」という概念が多用される。「顔」とは何か。レヴィナスは「顔は自分を表出する」とか「他者は顔に公現する」といったように述べる（Levinas［1961＝1989：60, 282ff.］）。そこにはいくつもの含意が込められている。ここでは、そのうちの一点にだけ照準してみたい。顔、それは絶対的な他者に向けられた「手」のようなものかもしれない。レヴィナスは「贈与」という用語も使う。それは、他者への一種の回路だといった方が分かりやすいだろう。動物においてさえ顕著なように、われわれは他（者）の顔や目に敏感に反応する。廣松渉ならば、もっと広い意味でそれを「表情性」というだろう。われわれは「表情的世界」に生きている（廣松［1987］）。そして何よりも、顔は、他者に反応を呼び起こす。あるいは、他者の顔は、自己に反応を強要するものでさえある、と言い換えてもよい。他者の顔への自己の「反応」（response）は、不可避であり、義務であり、そうした他者の「呼びかけ」に応えざるをえないのは、むしろ自己の「責任」（responsibility）なのである……。

以上、あまりにも簡略な記述ではあるが、レヴィナスはこうした論点から「倫理」を問題にしていることまでは示しえた。しかし社会学研究者にとっては、レヴィナスの問いかけの要諦を、このような絶対的他者の「超越」の問題と、前述語的あるいは言語以前的な自他相互の反応の状況（相互行為状況）に見いだすことにまずもって意義があろう。ユダヤ教的な背景をもったうえで〈他性〉を強調するレヴィナスにあっても、しかし呼びかけ合う実存的な〈自己─他者〉関係は大きな問題であったと推測できる。「他者」の呼びかけは、〈他者〉の生成にとって本源的である。したがって、母子関係にみられる自他未分という表現は一定の限定を受けなければならない。はじめに生身の人間とその相互実践、相互行為がある。それが本書の議論の出発点である。

［5］二者関係と三者関係――ジンメル社会学の知見

これまでで、ジンメルも問うた自他関係における「結合と分離」の、その原初的な発生論的形態に関する序論的な言及がなされた。しかし、社会学における社会関係論としてみるかぎり、以上のような一見して二者関係的にみえる関係のあり方は、まだ十分な問題提示とはいえない。なぜなら、「社会」を考えようとするときは、二者関係と同時に、その実状においてはより重要な「三者関係」の存立に目が向けられなければならないからだ。言い方をかえれば、社会学的思考にとっては「第三者」の存在が決定的に重要だ、といっておきたい。

そして、このことを社会学において指摘したのも、ジンメルである。社会学の概説書では〝形式社会学〟の創設者として知られるジンメルだが、彼の仕事はその狭い枠を越えている。彼の発生論に関しては後述（11章）するが、何よりも彼は社会関係における「三者関係」という形式のもつ発生論的な重要性も指摘した（Simmel［1908］）。三者関係においてはじめて、漁夫の利といった事態が起こりうるし、仲裁といった行為もなされる。また分割支配といった事態も問題にできるし、傍観者や観察者といった第三者的立場も問いうる。あるいは、よそ者、犯罪者、貧者、さらには支配者もまた、第三者的な要素をもつという点もジンメルによって指摘された。われわれとしては、この三者関係における第三者の問題を、今後さらに広い論脈で言及していくことになるだろう。不在の第三者、既在・未在の第三者、媒介者としての第三者、あるいは人（者）ではなく、背後に人を予想（表象・記憶）させる「物」ないしはメディア（媒体）である第三項、たとえば貨幣、たとえば資本、たとえば言

など参照)。

語！　そして、社会学の馴染みの用語を引き合いに出せば、それは「役割」や「制度」にも関係する(本書12章

こうした射程を持ったジンメルの知見は、しかし現代社会学や学説史的な扱いのなかでは比較的、背景に追いやられてきた感がある。パーソンズは大著『社会的行為の構造』(1937)でジンメルをネガティヴに捉え、真正面から扱わなかった。そのことも一因となって、アメリカ社会学理論の〝主流派〟の視座から、それゆえ現代社会学理論の主流派の議論から、発生論的な議論が抜け落ちるという大きなデメリットも背負い込むことになったのではないだろうか。ミクロな形式主義者というより、ジンメルは発生論者であったのだから。なおシュッツもまた、パーソンズとの往復書簡のなかで、発生ないしは系譜を問う必要性を説いていたが、パーソンズとは必ずしもふれ合わなかった(Schutz & Parsons [1978 : 10, 68＝1980 : 74, 167])。そうした現状のなかに、本書であらためて社会学基礎論の再検討が余儀なくされる理由も潜んでいるのである。ジンメルの知見は本書で〝かくし味〟のように用いられるので、ここではとりあえず以上の短かい指摘のみにとどめておきたい。

さて、本論の序章としての1章を閉じるにあたって、次のことを確認しておきたい。本書のまずもっての中心論題は、〈自己―他者〉関係にある。しかしそれは、二者関係やミクロ社会学にとどまるつもりはない。その射程は、マクロなレベルにまで及ぶものであると筆者は考えている。ただし、筆者自身は、そもそもミクロ社会学―マクロ社会学という区分自体にも大きな疑問を感じており、たとえその間にメゾ・レベルを挿入したとしても、それは二元論的な分断(「物象化」)の事態を明快に回避できるものでもない、という立場に立つ。だから、ミクロ―マクロといった社会学の常套語自体も、その一定の図式的な有効性は大いに認められるにしても、基本の発想の次元では拒否する(張江[1998]参照)。

そうではなく、いわゆる「マクロ」な問題群(「社会構造」「社会制度」あるいは「社会変動」)もその基礎を「ミ

クロ」な相互行為と間主観性の次元にもっているので、その点の十分な解明がなければ「マクロ」な問題群自体も解きえないという立場に立つ。そして、この視点は、社会学研究者という行為者の問題をも包摂することになる。なぜなら、社会学研究者というのも単数あるいは複数の行為者の営みだからというだけでなく、社会現象(そこには最低限、二者関係がみられる)に対して、いわば第三者として関与していくからである。そしてそこにも、ジンメル的な「第三者」の関係がみられることは言うまでもないだろう。

社会学研究者の問題は、通常は社会学方法論の領域において論じられるが、われわれとしては、単なる方法論のレベルを超えた、社会生成の問題(シュッツ流にいえば、「社会的世界の意味構成」の問題)としても、この問題を考えていきたい。それは同時に、日常生活者であっても、一種の社会学的「観察」を行う行為者として位置づけ直すことでもある。ニクラス・ルーマンも言うように、「観察」とはすでにして意味の選択であり、他の可能性の排除である(Luhmann [1984])。それをシュッツ流に言い直せば、知覚とはすでにして一種の「類型化」実践である(西原 [1998a] の第Ⅵ章参照)。日常生活者もまた、まぎれもなく観察や類型化・カテゴリー化をおこなう社会学者的側面をもつ。われわれとしては、こうした点にも敏感でありたいと思う。

では、序論的な議論はこれくらいにして、以下さっそく本論に入ることにしたい。本論の最初は、「自己・他者・〈間〉」の社会理論に深く関連する〈意味社会学〉の社会学的問いを、出発点においてさらにいっそう明確にしておくことである。

2章　他者と〈間《あいだ》〉の系譜——問いを問い直す

［1］反省的問いの問題——自明性を問うということ

前章までで本書の問題提起と視座とに関して一般的な確認を行った。ここからの二つの章では、他者と関係を論じてきた社会学理論の潮流について検討を加えていく。そこでまず、この章ではその予備作業として、あらためて社会学理論との関係で本書のスタンスを再確認する作業をおこなっておきたい。

日常生活において、「自己」と「他者」の存在それ自体はあまりにも自明なことのように思われる。そして、その自明性のためか、それらは社会学においても自明視され、社会学的な問いから漏れてしまいがちであった。こうした傾向は、自他の〈間〉それ自体についても同じようなことがいえよう。一般に、自己と他者との関係が最小の社会単位とみなされている社会関係への「社会学的」考察は、その関係の複雑さの増大とともに、その関係への関与者数が増せば増すほど社会学が解明しなければならない対象（ヴェーバーのいう「大量観察」の対象）となるように思われる。そこで、その出発点——自己と他者——は、伝統的な社会学においては必ずしも十分に問われてはこなかったかのようにみえる。

だが、シカゴ学派に大きな影響を与えた社会学者クーリーは、かつて社会組織を論じた著作（『社会組織』）のなかで、その議論を――自己という主体から出発させるのではなく――自己と他者の関係の基盤から論じはじめた。いや、この言い方は正確ではない。彼がどこまでこのことを徹底したのかは批判の余地があるからだ。クーリーはまだ主観主義を脱していない、というミードのクーリー批判がある（Mead［1956］）。だがクーリーは「我」の問題からではなく、「我々」の問題から議論をはじめたというのは確かである。その立場は明確に、デカルト的な「我思う」の独我論に明示的に反対して、いわば「我々思う」という事態の先行性を含意するものであった（Cooley［1909：9＝1970：9］）。

いうまでもなくこの点は、最初に存在するのは我ではなく「我々」である、という本書の主張の方向性と重なる。そして、この点において、ミードはクーリーよりもさらに進んだ考えをもっていた（Mead［1934］）。ミードにおいては明確に、「社会過程の先在性」がその自我論の出発点であったのである（西原［1994：56f.］参照）。しかしながら、こうした社会学の先達たちの知的系譜は、意外に思えるほど現代社会学のなかでそれ相応の重みをもって論じられることはなかったように思われる（ミードに関しては、本書8章において立ち入って論じる）。

ところで、学問や科学が、したがって社会学という学問も、大枠において時代の産物であることは間違いない。われわれの思考が「時代の価値理念」（→ヴェーバー）という支配的な思考の範型＝パラダイムのなかで、かなりの部分は「存在被拘束的」（→マンハイム）にしか存立しえないことを、自然科学におけるパラダイムの存在（代表的には前近代の天動説、近代の地動説を思い起こすと分かりやすい）を説いた科学史のトーマス・クーンによる『科学革命の構造』を引き合いに出すまでもなく、すでにヴェーバーやマンハイムが指摘していたことを社会学研究者は思い起こすことができる。もちろん一般論として、創造的な知が時代を超える想像力をもつ可能性も否定できない。しかしながら、今日の社会的世界は、「近代」という時代における行為と認識の地平のうえで成り立ってきた点とともに、社会学という学がその世界から「意味」を受け取っているということ、このことは現象学者フッサールとともに素直に認めないわけにはいかないだろう（Husserl［1954a＝1974：§9］）。

しかし、時間の進展とともに、いわば時代情況が大きく変わりはじめているとしたらどうであろうか。少なくとも時間の推移とともに、行為者各人が生育し老いていくことは間違いない。そこで、時代と従来の価値との間にズレが生じているとしたらどうだろう。しかもそのズレが少しずつ拡大し、大きなエネルギーを貯えはじめているとしたらどうだろうか。その場合は、注がれたコップの水がやがてそのコップから溢れ出すように、いつかは閾値を越え、大きな自覚的変化へ導かれる場合もあるだろう。時代と価値とは、たぶんに相互反映的である。時代の変化が価値を変容させ、価値の変容が時代を変容させる。このことを、社会と知との関係と言い直すこともできるだろう。時代が――それゆえ、時代のなかでの社会的相互行為が――生み出した学問や知識や科学技術の進展が、そして社会をなすわれわれの行為や認識のありようの変化が、そのそれぞれの相対的な自立性と関係性のゆえに、あらためて社会と知の枠組みそれ自身を変えていく力にもなる。広い意味での知識社会学はこのあり方を問おうとしてきた。ただし、こうした変化の力は――マルクス風にいえば――その変化を阻む桎梏が頂点に達したとき、ときに緩慢に、ときに急速にドラスティックに発現されるのだろう。だが同時に、社会的世界の根本的な変化を求めたいとするならば、変化の力は、現在の「問いかけのスタイル」をかなり意識的に変容していく努力のなかからしか生まれてこないように思われる。そしていま、われわれは、そうした根本的な変化が求められる時代に差しかかっているのではないだろうか。

科学の進展に伴う技術社会化に裏打ちされながら、急速な消費社会化と情報社会化、そして急速な国際社会化が進行している。さらには世界的な環境悪化、急速な世界人口の肥大化といった急速な変化もみられる。また二十世紀、とりわけその最後の二十年間以降の日本に限っていえば、急速なピッチで進む少子化・高齢化などといった変化もある。いまや、医学・脳科学をふくむ生命科学の進展とともに、人間社会のあり方が大きく変化しはじめ(それを「医科学社会化」とさえ呼ぶことができる)、生命・生殖・身体・脳などにかかわる倫理をふくむ時代の価値理念もまた曲がり角にきているようにみえる。あるいは、少なくともそうした人間社会の根本的な「変化」

の認識が人びとに共有されつつあるように思われる。新しいミレニアム、世紀の更新という人為的な区別もまた、この変化の認識に拍車をかけてきたようにもみえる。

こうした変化の感触に基づいて、いまあらためて現代社会（とりわけ医科学社会化が進展している高度資本主義社会）では、われわれ自身の生き方や考え方の「スタイル」が問われはじめているといってもよいのかもしれない。オウム真理教事件の悲惨さは、教祖への無批判的帰依という信者たちの短絡的な生き方の追求という側面をもっていた。あるいは、われわれは競争原理に基づく資本の論理（私的な利潤追求の生産システム）に搦《から》め取られる形の変化を自明なものとして素朴に受け入れることはできるのであろうか。こういった問いを含めて、多種多様に突きつけられている「問い」の中身を吟味するためにも、まず「問いかけのスタイル」を問いかけ直すこと。いまわれわれに求められているのは、そうした基底的な作業であるような気がしてならない。

二十世紀後半、とりわけその八〇年代に流行したポストモダンの言説は、いち早くこうした時代の雰囲気を先取りしてはいた。しかしながら、ムードが先行したといわざるをえないこの「時代の思潮」は、やがて時代の流れのなかでかき消される。その発想の原理的なインパクトと意義は別にして、ポストモダン的言説のムードそれ自体は、自己反省を行うツリー状の根強さを欠いていたというべきであろうか。また社会学内部でも、一九六〇年代にはフリードリクスの『社会学の社会学』（Friedrichs［1970］）に代表されるような反省的社会学（reflective sociology）という流れが、グルドナー流の批判的社会学（Gouldner［1970］）とともに着目されたときがあった。だがこの系譜自体は、その後必ずしも大きな潮流とはならなかった感がある。問うことの徹底性の共有化を欠如していたのかもしれない。

言い換えれば、これらの興味深く重要な問いかけが必ずしも成果をみなかった事態の一端が、単なる反省の合い言葉、単なる批判的言説への照準にあったとすれば、いま少なくともわれわれに問われているのは、次のことであろう。すなわちそれは、そうした反省的問いかけを持続的におこなうと同時に、しっかりとした問いとその問いの基盤を再構築したうえで、あらためて新しい成果を共同的かつ理論実践的に紡ぎだしていくこと、このことにあるように思われる。ポストモダンや一部の反省的社会学は、実は自らの存立基盤それ自身を徹底して反省しつくすことなく、つまり自らの「問い」自体を問いつづけて十分に積分＝統合することなく、いわば一時の流行の終焉とともに自らのその重要な提言自体を手放してしまったのではないだろうか。本書の基層にある疑問はこの点にある。

それゆえ、いまわれわれに問われているのは、まず「問いかけのスタイル」それ自体を問いながら、問いを問い続けることのように思われる。そこであらためて、この「問いかけのスタイル」とは何かと問うてみよう。その基本は端的にいって、われわれの生の営みそれ自体であり、そして仮にその組織だった営みを学問と称するのであれば、それは学問の方法論にかかわる事柄である。だから、いずれの学問においても、自らの〈生〉という存在のあり方それ自体と、その学の方法的な反省がつねに問われなければならないこと、そしてそのなかでそれまでの学の成果を再検討すること、こうしたことをここではまずもって確認したいと思う。問いを問う問いかけのスタイルのもと、あらためて社会学における「自己・他者・〈間〉」の現在を語り直したいと思う。

［2］社会学と〈自己―他者〉関係――行為への問いの発端

さて、社会学にとって自己、他者、〈間〉の問題が自明視されがちである旨を本章の冒頭で述べた。かつてパーソンズとシュッツとの論争で問題にされたように（Schutz & Parsons［1978＝1980］）、哲学的志向をもったシュッツの研究が終わる地点で、社会学的志向をもったパーソンズの研究が始まるという主張はそれなりに当を得ていよう。現代社会学理論は、その主張の濃淡は別として、主体性を前提にした（前期）パーソンズ的な主意主義的

(voluntarisitic)行為と同様な行為の主体を想定している。しかし、われわれはこの点を自明とし、それを公理として出発するのか、あるいは逆にその自明性を問い直すのかという問いのスタイルでは、事態は一八〇度の違いをみせる。もちろん多くの現代社会学が、そうした自明な前提から出発しつつ、必ずしも自明ではない複雑な社会現象を経験的に解明していく作業の意義を一概に否定するつもりは筆者にはまったくない。だが、いまここでその経験的なスタイルのもつイデオロギー性は問わないとしても、その経験的解明のプロセスやその成果の受容における間主観的要素は否定できない。だからこそ、社会学の公理たる自明性を問い直す作業もまた社会学全体の展開のためには必要な作業であって、その自明性を問うスタイルの意義も否定されてはならない。

その点で、本書の第Ⅱ部で本格的に論じることになるシュッツの表明したこと、すなわち「社会学の課題は、まさにこの『自明なもの』を疑うことにある」という立場はたいへん示唆的である(Schütz [1932：17＝1982：21])。これは、すでにふれたように「自己反省の社会学」という社会学的課題が、いつでも／どこでも問われなくてはならないというだけではない。その問い直しは、既存の自明性を崩す新しい事態に対応するための新しい理論パラダイムの創造につながる可能性を内包しているからだ。そのためには、あらためて社会学の知的系譜に立ち返る必要も生じてくる。たとえばそこで、何が問われ、何が問われていなかったのかを検討する作業は不可欠だろう。後論との関係を念頭において、ここでは限られた範囲ではあるが、本書の立場と近いと考えられる「意味学派」(それは構造—機能主義の「機能学派」と対比されて、主観主義的なミクロ社会学であるといった含意がある)の系譜の源泉、マックス・ヴェーバーにまず言及してみよう。

いうまでもなく、社会学において自己と他者と関係の問題がその視圏に本格的に入ってくるのは、二十世紀の始まり前後である。ヴェーバー、ジンメル、デュルケムといった社会学の巨匠たちは、この問題の所在を確実に捉えていた。学説史の概説書では、ヴェーバーの方法論は「個人」主義の主観主義的な立脚点(社会唯名論)に立ち、デュルケムは「社会」主義の客観主義的な立場に立つ(社会実在論)と語られがちであった。しかし、そうした了解自体は、一見正反対の立場であるようにみえながら、ともに「個人」と「社会」を物象化的に固定化してとらえるという側面も共通にもっていたということができる（もちろん、彼らを概説書のようにひとつの色合いで決めつけるわけにはいかない。この点に関しては、本書11章で再述する）。

さて、話の拡散を防ぐ意味から、ここではヴェーバーの社会学方法論についてのみ語ろう。ヴェーバー理解社会学は、主観的意味が付与された行動つまり「行為」から出発し、社会的行為を彼の社会学の対象に定める。「社会学とは、社会的行為を解明的に理解し、その経過と結果を因果的に説明する一科学」であり、そして「行為」とは、行為者の主観的意味＝「思念された意味」が付与された「行動」のことであり、「社会的」行為とは、他者への指向および／ないしは他者によって方向づけられることを要件とする（Weber［1972＝1953］）。

しかしながら、ヴェーバーにあって、行為それ自身は「社会的」という規定を受けない。つまり、他者指向性および／ないしは他者からの働きかけという〈社会性〉の要件は、「行為」それ自体の定義のなかには明示的には含まれない。主観的意味ないしは思念された意味がいかに「社会的」レベルをそのうちに含もうとも、このこと自体はヴェーバーの明示的な主題とはなりえなかった（より詳しくは、後述の9章参照）。ヴェーバー理解社会学の方法論を批判的に検討したシュッツにおいても、当初は必ずしもこの没社会的な呪縛から抜け出ていないようにも思われる。早い段階のシュッツが依拠していた前中期のフッサール現象学にその一因があるにせよ、それほどまでに「個人」主体の行為という前提は根深かったということもできる。ただし筆者としては、シュッツ全体が必ずしもこうした準位でのみ議論を立てていたとは考えていない。[1] シュッツは発生論的な相互行為や「関係」から出発する道具立てを有していたということができるからだ（後述）。

しかしいまここで問題にしたかったのは、この「個人」主義の根深さだけではない。あるいはまた、より基本線に戻って、ヴェーバーによって社会学における行為論の方向が切り拓かれた、という論点だけでもない。いまここでさらに問題にしたいのは、研究対象である行為者の問題は同時に、行為者である研究者ないしは観察者が存在し、その行為者が研究対象である単数または複数の行為者を理解するという、まさにこの理解社会学の問いの構図に関してである。もちろん、この理解の構図を日常的場面に移し替えて、一方の行為者が、他方の行為者を理解する場面を取り上げて、シュッツのように「類型化」的認識(2)を問題化する場面もある。その場合でも、いま問おうとしている問題の基本構図には変わりがない。そしてそこで立てられる問いは、そもそも「他者理解はいかにして可能か」という問いである。

[3] 他者理解の問題——理解のアポリアを超えて

この問いに関して、急いで重要な論点を指摘しておきたい。一般的にいって、他者の心をいかにして捉えることができるのかという問いは、「他我認識のアポリア」として知られた〝難問〟だとされている。この難問《アポリア》は、自分の心は自分が一番よく知っているが、他人の心は分からないという論理系を含意する点に由来する。しかし、認識という局面でいえば、自分が自分のことを見ようとしても、自分で自分の背中や身体全域を見ることができないのと同様に、的確に自分のすべてを知りうるわけではない。自分の心は自分が一番よく知っているという明証性と、自分が他者の心を知るという可能性とは、認識における「権利問題」としては同格である。百歩譲っても、自他共に無限の認識可能性があるなかで、その認識量の差異はほとんど掻き消されるといってよいだろう。

自分自身については他者の方がより的確に把握している場合もあるという日常経験は、こうした事態を逆照射しているといえるかもしれない。いかにヴェーバーや(前期の)シュッツが理念型＝類型論を展開して他者理解を説こうとも、この議論のレベルにのみとどまり続けたのであれば、出発点においては「誤まてる公理」から論を立てたと一応はいってよい(廣松 [1997a] 参照)。ただし繰り返さざるをえないが、この批判に関する議論については、さらなる検討が必要であろう。この問題は本書の4章以下で検討される。ここでは当面、〈自己（認識）の特権性のもとでの問いの措定〉がもつ問題性にのみ着目しておこう。

この他者理解の問いの措定をめぐる問題性は、〝独我論者〟デカルトやカントの時代は別として、哲学において大きな関心や議論のまとであり、とりわけリップス以来、少なからぬ理説が他我認識に関して説かれてきた経緯がある。リップスは、類推説、すなわち自己の身体運動についての直接的体験をもとに、他者の身体運動から他者の体験を類推するという考えに対して、感情移入ないしは投入（Einfühlung）という考えを対置する。すなわち自己（の感情）を他者の身体のうちに投入するという考え方（投入説）である（Lipps［1907］）。しかしこうした考え方に関して、たとえばシェーラーのいうように（Scheler［1923＝1977］）、類推説はごく幼い子供（乳児）が母親の微笑に応えるといった事態を説明できないし、投入説はすでに投入する対象を他の物体ではなく「他者の身体」であると前提にしてしまっており、いかにして「他者」を認識するかの説明にはなっていない（Cf., Schutz［1962：159f.＝1982：249f.］）。

おそらく、こうした誤りはそれらの理説の前提にある。ともかくもまず、独我論の前提を回避しなければ、他者はいつも自己による構成物でしかない。この誤りを避けようとするならば、シェーラーのいうように「我–汝という区別に関して無差別な体験の流れ」こそが事態の出発点であり、比喩的にいえば、「こうした流れのなかで、その流れの諸要素をますます多く巻き込んでいく渦巻きが徐々に形成され、それがやがてはそれぞれの個人に帰せられていく」と考えるべきではないだろうか（Scheler［1923＝1977：394］ただし引用文はSchutz［1962：161＝1982：252］の訳文を用いた）。こうした自他における「渦巻き」というメタファーは、メルロ＝ポンティやワロンにもみられる（たとえば、ワロン［1983：60］）。さらに、シュッツも、先の独我論風の出発点とはやや異なる時間論の視角から、「他我の意識の流れと私自身の意識の流れは同時的である、すなわちわれわれは同一の生ける現在を共有している」という他者の意識の流れについての自己の共有体験を、「他我存在の一般定立」

（Schutz［1962：174＝1982：266］）と呼んで、同様な議論を行っていたことを急いで付け加えておこう。

しかしながら、事がここまで示されれば、問題は実は単に「認識」（意識）の問題ではなく、もはや「行為」（＝実践：ここでは先のヴェーバー的な「行動」の概念も含む）の問題であるというべきである。もちろん、認識も一種の実践的行為であるといいうるが、であればこそ「はじめに行為ありき」という点が事態を適切に描く視座ではないだろうか。そしてとくに、自己と他者と〈間〉の問題においては、「はじめに相互行為ありき」こそ出発点とならなければならないのではないか。自己と他者との関係は、その生成においても、日常的生の基底のあり方においても、何らかの「呼びかけ─応答」関係が出発点にあり、しかもそれは単なる一方向的な行為には回収できないからである。

だとするならば、まず問われなければならないのは、（三者関係を含む）「相互行為」の出発点の議論であろう。もちろん、この議論が「相互行為」の発生論的あるいは現状分析的なありようの把握と表裏一体であることはいうまでもないが、ともかく、ここで重要なのは、そうした発生論的な相互行為の織りなす「関係性」こそ「第一次的」だ、と述べておくことであろうと思われる。そして先の渦巻きのメタファーは、いまやその出発点たる発生論的な相互行為の関係性のメタファーだと言い直すことができる。ただし、この議論、つまり自己と他者との〈間〉の「発生論的相互行為」がわれわれのとりあえずの出発点であるという議論において、「自己」「他者」という表現は正確にいえばいまだ論件先取である。本節の最後にこの点にふれておこう。

自他の関係性のレベルにおいては、第三者的にみてその関係が〈自己─他者〉関係とはいえても、当事者たちにおいては──たとえば、サッカーやコンサートに熱中・没入して一種の「忘我」状態にある観客たちにおいては、あるいはシュッツのいうような、まさにいま「進行中の行為」のなかでの非反省的過程にいる行為者たちにおいては[3]──〈自己─他者〉の人称的な意識的・自覚的な分化はみられないからである。その点では、後述するように、「犬の闘い」から相互行為の議論を起こすミードの視点は示唆的である。なぜなら、それは反省以前的・

人称以前的な相互行為であるからである。したがって、この事態をより正確に述べようとすれば、自己と他者という語は厳密には不正確で、あえていえば、それらは関係の第一項と第二項と呼ばざるをえないだろう。ただしここでは、議論の煩雑さを嫌ってこうした用語はあまり使わず、一定の留意を促すにとどめておくことにしたい。そこで、議論は、〈自己―他者〉成立以前の、つまり自己以前の、あるいは他者以前の、そしてさらには歴史的・系譜学的な知見をも交えた、その問題圏に進まざるをえない。

［4］自他関係の社会学的発生論――間生体的諸力の視点

おそらく自他関係を含む関係それ自体の発生、ここではいわゆる社会関係それ自体の発生は、端的にいえば、リズム・共振、エロス・共感、身体的暴力などといった間身体的な諸力（筆者自身は間生体的諸力という語を用いているが）の働きが半ば本具的にビルト・インされた人びとの力能が、「出会い」によって解発される機制にまつものであろう（西原［1998a］の第Ⅳ章第三節、参照）。この「間生体的諸力」という聞き慣れない用語はすぐ後にも言及するので、ここでは以上の点と関連するもうひとつの論点を取り上げておきたい。

すなわち、いま右で「出会い」と述べたが、二者関係の出会いにおいては、一方からの「呼びかけ」が他方の「応答」を何らかの形で惹起するケースが、関係の「成立」においては中心的な事態となる。その意味で、呼びかける役回りと呼びかけられる役回りとの相互行為を、社会学が展開してきた役割論の述語を用いて記述することもある程度可能であるし、またそうすることでいままで社会学においてはみえなかった論点が逆にみえてくるという利点もある。それはどういう点であろうか。役割を意味する〝role〟が、台詞を記した巻き物の〝roll〟から生じ、人格を意味する〝personality〟が舞台上でつける仮面を意味するラテン語の〝persona〟に由来するということは比較的よく知られている。そして"act"が「行為する」という意味のみならず、「演技する」という意味をもつこともよく知られている。ただしここで、われわれの生はいわば人生「劇場」で展開される、ということをいいたいのではない。そうした論点であれば、ドラマトゥルギー(=演技論)的な社会学がそれなりに展開してきたことだ(Cf., Duncan [1968])。そうではなく、われわれの(社会)関係は、まずもって何らかの形での、一方からの役割期待(呼びかけ)とそれに対する呼応(応答)とからなり、しかもそのさいの一定の「場」のなかには、舞台上の第三者のみならず、観客や台本作家などといった第三の人びともまた存在すること(三者関係!)、このことをまずここで示したいのである。

そこで、あらためて論点を明確にしておこう。われわれが巻き込まれる「渦巻き」は、大きな流れのなかでいわば引力と斥力が交錯する場である。一方の生体の振る舞い(波長)と他方の生体の振る舞い(波長)とが「出会い」、共振、共鳴しあって「引き込み」現象を起こしつつ、相互同調(シュッツ)する場合がある。その相互同調の波長のリズムを、身体記憶を含む記憶の助けを借りながら内自化すれば、この二者関係はそれなりの固有の波長・リズムを共有するといいうる。しかもここに第三者(第三項)が絡み合う。「生体は一大振動系である」(廣松・増山[1986])という論点は、この基本事態を的確に示唆する。だが、それはもちろん閉じられた時空間ではない。それは開かれた歴史的な社会空間内で生じる事態である。ではそれはいかなる連関のなかで生じるのか。とくにこのことを思索するさいの留意点に焦点化しながら、以下で言及しておこう。

まず第一に、「個体発生的」な視点からすれば、個体のリズムはすでに母親の胎内においても方向づけられている点(母親の心音のリズムを「記憶」する胎児)を指摘しておこう。そしてまた、その母親自身も、同じ機制を経てきた。それゆえ、関係それ自体の生成はきわめて歴史的なものであって、現時点での単純な二者関係にすら還元することもできない。社会学の役割論の利点は、なかば逆説的ではあるが、地位—役割体系の先在性、自存性、つまりすでに物象化された事態のありようを記述可能にする。もちろん、発生論的にみれば、はじめに物象的な「社会」の存在を前提にすることはできず、それゆえとりあえず二者の相互行為こそその発生論の暫定的な出発点とするが、同時にそれとて無時間的な二者関係に単純に還元することはできない。発生的な場においても、少なくとも相互行為は時間＝歴史という連関をもつことを忘れてはならない。

第二に、その連関という「場」に関していえば、ハイデガーの現存在分析において示されたように、あるひとつの道具がその背後にその製作者をはじめとする「道具的全体性」という「指示連関」を伴う（Heidegger [1927＝1971]）。二者の相互行為といえども、それは単に二者間での無連関的な独立の場でなされるわけではない。それは、いわば生産と再生産の総体連関的で歴史時間的な「場」という間身体的＝間主体的な場のなかに見いだされる。しかもそこには、権力や支配の関係、階級・階層的な関係、さらにはジェンダー論的な構成の関係なども重要な場の構成要素となる。このように、自他関係は単純に二者関係に限定されるわけではない。マルクス風にいうならば、それ自体がすでに、「社会的諸関係の総体《アンサンブル》」だというように表現してもよいかもしれない。

さらに第三点。すでにふれてきたことだが、ジンメルは、三者関係には二者関係には存在しない新たな関係性、たとえば漁夫の利や仲裁や分割支配の例が生じるといった点を提示してくれた。あるいは排除という事態を考えてもよい。二者が協力・結合して一者を排除するといった事態は、二者関係では捉えられない。われわれが役割論的道具立てにおいて三者関係を問題にするのは、社会研究におけるこうしたいわば「第三項」をめぐる論点に注目するからである。

第四に、こうしたいわば時空的および社会的な関係的行為連関の集積が、巨大な「系統発生的」な歴史社会の基にあるということを、そして逆にこうした三者関係的連関をもつ相互行為の渦が大きな歴史の傾動を作りだしてしてきたということを――たとえば「宮廷社会」にみられる相互依存の編み合わせ（社会関係）が一般化されるなかで、自己の感情コントロールといった形での内面的な「心理化」を導き出して、「私」という近代的心性の生成（ホモ・クラウスス＝閉ざされた人間！）を明るみにだしたエリアスの「文明化」過程の議論を念頭に思い浮かべることができる（Elias［1939］［1969］、奥村［2001］を参照）――われわれの視座のうちにもぜひともとどめておきたい。「ミクロ社会」と「マクロ社会」のリンケージの問題においては、両者の単なる折衷ではない、歴史社会論的・系譜学的な発生論の視座に立脚したうえでの表象論という社会学的な存在論的・認識論的な議論が必要である（この点に関しては、本書の12章を参照されたい）。さて、以上のことを確認したうえで、本書の柱となる在立構造論的な関係発生をめぐる相互行為論のひとつの原基的モデルだけに言及しておきたい。

一定時における（つまり、いまここでは時間を考慮外とする）一方の行為（action）と他方の対応行為（reaction）との相互行為（interaction）からなる二者関係においては、前述のように働きかける役と働きかけられる役との「原初的な役割分化」を見取ることは可能だ。しかしこのレベルでは必ずしもまだ仮面を被り、役割を演じる舞台での出来事ではない。なぜなら、特定の一者に対するだけであれば、仮面を被る必要がないからだ。つまり、第三者（第三項）の出現において、行為するAと対応行為するBに加えて、そのBとの間で異質な行為のやりとりをなすCが存在してはじめて、BにおいてAとCとに対する異なった対応行為が迫られることになるからだ。たとえば家父長制的システムにおいて優しい母親に対する行為との対比で、厳しい父親に対する幼児の行為場面を想起すれば分かりやすいだろう。仮面をつける必要性かつ仮面を取り替える必要性は、こうした第三項（あるいは複数の二項関係）の存在が要件となる（なお、時間的なファクターを考慮すれば、ある一者に母親が時と場所に応じて変貌する対他関係をとるケースは、いわば二人の別個の母親の存在として、この第三項の一事例となりうる）。

加えて、いまは不在の第三項への指示連関の存在、たとえば「父」の名の引照は、ラカン風にいえば、現前と不在の交錯のなかで他者へと欲望する「象徴界」（および自己へとナルシシズム的に向かう「想像界」）、つまり象徴世界の生成へのひとつの契機となりうる。人格あるいはアイデンティティという物象化された自己「像」も、こうした第三項の存在（その現時点での不在も含めて）を要件とする。だから、自己―他者関係の本源的な成立は、自他未分のかかわり合いのなかで「他者」との出会いを含めた、少なくとも三項的な発生論的相互行為を原基的なモデルとする相互行為状況＝相互行為連関を要件としなければならないであろう。

［5］小　括――問いを問い直す試み

社会学においていままで展開されてきた固定的で物象化された地位―役割構造論は、それを換骨奪胎する形で、つまり発生論的にそれを読み替える形で参照するさいには、それなりの知見をわれわれにもたらしてくれる。しかし、自己とは何か、他者とは何かといった問題圏を含めて、社会関係をラディカルに問い直そうとするならば、その問いと既存の（たとえば役割構造論の）問いとの準位の少なからぬ差異をわれわれは強く自覚せざるをえない。

自己喪失の時代と喧伝される消費社会化した現代社会において、その自己喪失は同時に他者喪失の時代なのであり、なおかつ関係の喪失の時代であること。逆に、自己喪失ではなく、むしろ過剰な自己中心性の時代であるとしても、事柄の連関は同様であって他者はますます遠い存在となる。問われなければならないのは、まずもってこの自他関係の関係発生の問題性、そして自―他の〈間〉の歴史社会的な関係生成の問題であるように思われる。日常的生を営むわれわれにとっては、いずれにせよ、自他関係が基底的な事態であることは否定のしようもないのであって、その意味でもつねにより根底的な自他関係の問い直しと、そうした問い直しを行う「問いかけのスタイル」が、いま社会学に問われ求められているような気がしてならない。

こうした視角から、最後に、社会学的な社会理論において影響力のある昨今の思潮にも簡潔に言及しておきたい。自他の言語的コミュニケーションの事実性から議論をスタートさせることに自らを限定させているようにみえる昨今の社会学理論の現状は、エスノメソドロジー的会話分析における相互行為による社会秩序の達成（形成・

維持）の議論、コミュニケーションにおけるダブル・コンティンジェンシー（二重の偶有性）への着目による社会システム理論的議論、そしてその基にある言語ゲームへの自覚などといった大きな利点があることは積極的に大いに認めることができる。しかしそれらが、場合によってそもそもの関係的存在としての「自己」と「他者」と〈間〉の基底的事態には必ずしも迫りえない「問いかけのスタイル」となってしまう恐れはないだろうか。言語をもったわれわれが、いわば宿命的につねに為さざるをえないのは、事態の反照性や再帰性の根本への反省的問い直しだと思われる。そして、よしんばその試みが自己言及のパラドクスであるとしても、われわれの生は、あたかもシシュポスの行為のように、繰り返し問い直す生以外にないのであって、問われているのは現時点でどこまでより始原に接近すべく仮設的・理論的にたどり直すことができるかという点であるように思われる。その試行・思考を軽視ないし否定する場合には、基層の事態はみえにくくなると同時に、議論が平板な「事実性」にのみ閉じ込められてしまうようにみえる。(4)

それゆえ、言語ゲーム論による無根拠性を論拠にして、問い直し自体が一種の言語ゲームであり、根拠を求めるモダンの思考であるといって、その問い直しの準位をあらかじめ限定すること（「無根拠からの出発」）は、われわれの営みの危うさに警句を発する利点をもち、さらに当面の具体的・処方的な社会技術という意味では有用であるとしても、生の営みの把握としては不十分ではないのか。そして、われわれ社会学徒の問題関心からいえば、社会学も一種の「生の営み」であって、それをも検討の射程のうちに捉え直すことがいま社会学内部においても強く求められているのではないだろうか。……そうした社会学自体への「問い直し」は、比較的最近でいえば、「六〇年代」に生じた。それは、当時の社会学主流派の考えに対する「問い直し」から始まった。そこで、次章ではその「問い」の系譜と論点を再確認しておきたいと思う。

3章 意味社会学の系譜——問いの発生論的再構成

［1］ミニ・パラダイムの出現？——「意味学派」の多様性

本章では、主として一九六〇年代以降、社会学において問われはじめた「問い直し」の系譜を追ってみたい。そのさいの照準は「意味学派」にある。だがそれにしても、「意味学派」という呼び方のなかにみられる「意味」という語の意味は何なのだろうか。それはどのように考えればいいのだろうか。そして何よりも、社会学において「意味学派」はどういう意義と射程（と限界）をもっているのだろうか。本章は、こうした問いの考察を射程内に入れながら「意味学派」の過去と現在を押さえ直し、そのうえで筆者の展望する〈意味社会学〉の方向性を語りたいと思う。

「意味学派」は、タルコット・パーソンズを代表とする機能主義の社会学＝「機能学派」に対立する形で登場してきた。その経緯を逐一ここで振り返ることはしないが、「意味学派」という呼び方自体は、アンチ・パーソンズのいくつかの思潮を総称するものとして一九六〇年代以降の日本において名づけられた名称である（吉田［1978］による）。そして、筆者の見解によれば、八〇年代の内外の思潮——統合的な社会学理論——の出現において、この学派がはっきりと社会学史的にも位置づけられてきたものと思われる。そしてそのさい、主観主義の社会学、意識主義の社会学、ミクロな社会学、日常性の社会学、等々がこの「意味学派」に与えられた別名でもあった。

このような学説史の通説に従って、本書でも現象学的社会学、エスノメソドロジー、シンボリック相互作用論、ゴフマンの社会学、ラベリング理論などを包括する「意味」に着目する社会学の総称である「意味学派」という語で当面の議論を進めていこうと思う。ただし、この使用法はあくまでも当座のもので、メルロ＝ポンティ流にいえば、それはいわば「問題を指し示す矢印」にすぎない。しかしその矢印は、「われわれが考えねばならない〈考えられないでしまったもの〉を告知する矢印」（Merleau-Ponty［1951＝1970：12］）であること、このこともあらかじめここで語っておきたいと思う。

社会学ではよく知られているように、一九五〇年代以降のパーソンズの社会システム論の本格的な展開に、人間なき社会理論をみて「人間主義的」な批判を向けてきたのが、「意味学派」の諸学派である。パーソンズの描く人間は「陽気なロボット」（ミルズ）にすぎないとか、それは「過剰に社会化された人間像」（ロング）である、といった批判がその例である（西原［1998a］I章参照）。後にウィルソンがうまくまとめたように、価値規範を重視したパーソンズ社会学が「規範的パラダイム」に立ち、個々の人間の解釈過程に注目し主観的意味を重視する「意味学派」の諸学派が「解釈的パラダイム」をとっていたというのは、その時代背景のなかでは適切な表現であったであろう（Wilson［1971］）。

とりわけ六〇年代のアメリカ社会学において、たしかにブルーマーはミードの名前を真っ先にあげながら、シンボリック相互作用論の三つの基本的前提として、

①「人間は、物事が自分に対してもつ意味に従って、……行為する」

②「物事の意味は、個人がその仲間と一緒に参加する社会的相互作用から導出され」

③「このような意味は、……その個人が用いる解釈の過程によって扱われたり、修正されたりする」

と明言していたことは確かだ（Blumer［1969＝1991：2］）。『精神・自我・社会』などのミードの著作における主張がこうした言明に尽きるものかどうかは別として（本書8章参照）、こうした言明は、たしかに客我（me）との対比のなかで主我（I）のもつ主体性・創造性・革新性を語るミードの主張の一面ではあり、ミードは「意味学派」の先行者の一人として、「再評価」された。

また、広義にはシンボリック相互作用論に位置づけられることもあるゴフマンも、『日常生活における自己呈示』（邦訳名『行為と演技』）や『出会い』『集まりの構造』などの著作（Goffman［1959］［1961］［1963］）を通して比較的早い段階から独自な思索を重ね、六〇年代には、演技、面子の維持、役割距離、表局域／裏局域、儀礼的無関心などといった彼独自の主要概念が、単に既存の社会的役割に規定されるだけではない「主体的」人間像を描くものとして取り上げられたりした。さらには、逸脱という行為それ自体の存在を前提にするのではなく、逸脱者というレッテルを誰が誰にいかなる立場からいかにして付与するのかという点に着目して、相互行為における行為の同定に新境地を拓いたベッカーのラベリング理論も、逸脱研究に視座の転換をもたらす新風を送り込んだ、とされる（Becker［1964］［1967］）。

他方、オーストリアからアメリカに亡命してきたシュッツの現象学的思考も、徐々にではあれ、六〇年代までにアメリカ社会学にも影響を示しはじめ、ヴェーバー理解社会学をフッサール現象学などを媒介にして再検討した彼の独文著作『社会的世界の意味構成』の英訳書（The Phenomenology of the Social World）や主に渡米後の論文を集めた『シュッツ著作集』一～三巻の刊行がなされたのも、六〇年代であった（Schutz［1962］［1964］［1966］）。シュッツの強調点は、ヴェーバー出自の行為概念や「主観的意味」の理解・解釈に着目する社会学であったとみられていた。このシュッツに直接の薫陶を受けた社会学者がバーガーやルックマンであり、彼らの共著『現実の社会的構成』（当初は邦訳名『日常世界の構成』として訳出されていた）（Berger & Luckmann［1966］）の第二章が、主観的世界を強調したシュッツという像を確定的なものにし、「現象学的社会学」の位置をしばらくのあいだ定着されることに寄与した(1)。

さらに、パーソンズのもとで学びながらも、四〇年代の終わりからシュッツと交流をはじめたガーフィンケルは、五〇年代半ばにはエスノメソドロジーという用語を創案した。「私は、日常生活の組織化された巧みな実践によってその都度押し進められている諸々の達成としての、文脈依存的表現およびその他の実践的行為のもつ合理的諸特性の研究を指して、『エスノメソドロジー』という語を用いる」(Garfinkel [1967：11])。その立場は、日常行為者を「文化的な判断力喪失者」や「心理学的な判断力喪失者」ではなく、日常的合理性をもつ判断力ある人間像として捉えるものであり、そうした日常の人びとが相互行為において実践的推論を用いながら達成する社会秩序を描いた、と了解された。ガーフィンケルの諸論考が『エスノメソドロジー研究』という著作に結実したのも六〇年代であった(本書7章参照)。

また、パーソンズ批判の文脈から展開され、社会学のあり方それ自体を再検討しようとする(フランクフルト学派系のいわゆる「批判理論」の流れも含めた)「反省的社会学」ないし「批判的社会学」あるいは「社会学の社会学」といった流れも、とりわけ学(学問・科学)に対する批判という問題意識の共有においては、「意味学派」に近い位置にあったということができよう。加えて、パーソンズの社会システム論の均衡論的・現状維持的側面に対して、人びとの対立、葛藤、闘争を社会理論の軸として強調する「闘争理論」の流れも、もっとも広い意味では、「意味学派」の系譜に近いものとして位置づけておくこともできよう。

このように、六〇年代は「意味学派」にとって本格的なその誕生を告げる時代であった。そしてこの六〇年代が、世界的にみても既成の権威にアンチを突きつける時代であったことは、ここでくだくだと述べるまでもないだろう。ここでは、マルクス主義の図式以外には体系的・図式的な社会理論をもっていなかった社会学理論において、後期パーソンズの機能主義的な社会システム論、とりわけそのAGIL図式がとくに注目され、一定の賛同者を得て(一時的に)「通常科学」(Davis [1959])化しつつ、既成の権威として通用しはじめていたことだけを付け加えておくにとどめよう。なお、パーソンズ「社会学」の勢いは、日本社会学においては八〇年頃には下火になる（西原・杉本［2001］参照）。ただし八〇年代後半からは、日本のパーソンズ研究者による伝記的考察を含む諸労作も登場して、パーソンズ「個人」に関する研究がようやく始まりだした感があり、パーソンズ生誕百年時においてあらためて彼の再評価が試みられてはいる。(2)

いずれにせよ、このように「意味学派」の流れは、六〇年代前後の一定の時代背景のなかで、社会を「構成」する人間の、主観性（主体性）、日常性（常識）、行為（実践）を、言い換えれば日常知をもつ行為実践者の主観的・主体的「意味世界」に新たに着目する諸学派の総称として名乗りを上げてきたというわけである。したがって同時に、その学派は、既存の社会学という学問それ自体への問い直しという側面ももっていた。しかし逆に、パーソンズ寄りの立場からみれば、「意味学派」の諸派は、必ずしもひとつの出自とまとまりをもった理論体系の登場ではなく、烏合の衆とまではいわなくとも確固とした体系性を欠く諸々の「ミニ・パラダイム」の出現、と位置づけられることになったわけである。ここに、社会学学説史上の新たな対立が生まれたといってよい。

この対立は、意味の社会学の側にとっても、またそれを批判する側にとっても、あるいはまた、八〇年代前後に、機能学派（とくにその社会システム論）と意味学派の統合を図る大きな理論体系を備えた社会学理論の登場においても、自明視されていた感がある。とりわけ、ハーバーマス、ブルデュー、ギデンズ、ルーマン、さらにはアレグザンダー、ロッシなども加えた八〇年代の「統合的な社会学理論」がなそうとしたことは、社会学における伝統的な「個人と社会の関係」問題、言い換えればミクロ―マクロ・リンケージ問題へのその時代の解答例でもある。そこにおいては、構造主義の視座や分析哲学および言語行為論の議論も積極的に取り入れられつつ、機能・システム、意味・行為、そして構造・言語のいわば三幅対が、その統合的社会学理論の中心的な検討対象となった。そして、そのさいに「意味学派」は、主観主義、意識主義、ミクロ社会学等を代表するものとして位置づけられたのだった。ここにおいて、「意味学派」へのこうした主観主義的な了解が最終的に確定されて、自明視されてきたのである。

しかしながら……、

①「意味学派」が依拠してきた社会学の古典的な知的系譜という点においても、

②「意味学派」の本格的登場という六〇年代前後の業績においても、

③それから半世紀近く経過するこの学派のその後の展開においても、

こうした「主観主義的了解」は再考を余儀なくさせられてきたというべきである。譬えていえば、ちょうどマルクスの疎外論や物象化論が、またヴェーバーの価値自由論や意味概念が、さらにはソシュールの言語哲学の基本了解が、それぞれの研究史の進展のなかで問い直され再解釈されてきたように、「意味学派」もまた問い直されるべき時期にきているように思われるということである（西原［1998a］）。

以下では、本章の冒頭に記した問い（「意味」の意味やその取り扱い、「意味学派」の意義と射程）を中心として、①〜③を念頭におきながら、この系譜の問い直しの視点の所在を明らかにしてみたいと思う。

［2］基層としてのヴェーバーとミード――「意味学派」再考

さて、「意味」なる用語が、日常語としても学術用語としても多義的な意味内容をもっていることはすぐに気がつく。その細部に関しては、不十分ながらも筆者自身がかつて行った考察があるので参照願いたい（西原［1998a］の付章を参照）。いまそれらをラフに例示するとしても、「意味」という語は、言語・記号の概念や指示対象のことであったり、言葉の意義（デノテーション、コノテーション等）であったり、ヴェーバー、シュッツ、マンハイム（Mannheim［1921-2＝1975］）なども試みた意味層の議論にみられる行為の意味（行為者の意図や動機といった主観的意味、一定の相互行為状況や行為連関における当該行為の観察者からみた現実的・客観的意味、さらにはその現実的理解に対する説明的理解というメタレベルの意味の層、など）がある。さらには意味が「意義」や「重要性」と同一視される用法も、あるいは「感覚」やある種の「情動」と同義に用いられる用法もしばしば存在する。

ちなみに、オグデン／リチャーズやパースが試みたような「意味の意味」の分類や記号のタイプの列挙・分類は、他の文脈においてはそれなりに示唆的ではあろうが、ここでいまその問題に拘泥することは不必要であろう(3)。そのこと以上に社会学的思考にとって重要なこととして、ここでは、「意味学派」がその出自として取り上げたヴェーバーとミードの思考にあらためて考察の光を当てておくことにしよう。

行為を「主観的意味が付与された行動」のこととし、社会学とは「社会的行為を解明的に理解し、その経過と結果を因果的に説明する一科学」のこととするマックス・ヴェーバーにおいては、行為者の「主観的意味」の理解が彼の理解社会学の定式化のポイントであったことは間違いない。しかし、そのさいの「主観的意味」とは何のことだろうか。そのもつ問題性については、すでに2章の［2］でふれているので、ここでは別の角度からこの問題に言及してみよう。

主観的意味とは、一般的にいえば行為者個人の抱く動機という意味だと了解されるが、そうした動機にせよ意味にせよ、それは——ヴェーバーにあってさえ——行為者の自覚的・対自的なレベルにのみ限定されていたわけではないことには注意しなければならない。なぜなら、行動と区別されると語られるヴェーバーの行為の四類型（周知の目的合理的行為、価値合理的行為、情動的行為、伝統的行為の四類型）のうち、情動的行為や伝統的行為は、どこまで行為者本人に自覚的な事態であろうか、とわれわれは問うことができるからだ。また、ゲマインシャフト関係やカリスマ的支配といった諸概念も、行為当事者においてどこまで自覚的な意味付与であろうか。さらにヴェーバーの経験的研究において、たとえば、プロテスタントの「内面的な実践的駆動力」や「内面的孤独化の感情」といったエートス的な情動的場面ではどうであろうか。結論を先取りしておけば、行為者の主観的意味や動機それ自体は、「言語以前的」な自覚されざる意味層も含まざるをえないといっておくことができるように思われる。

したがって本来、「主観的意味」は、ヴェーバーの研究の内実に照らして考えるとき、単なる自覚的・対自的、言語的、個人主義的、主体主義的・主観主義的なレベルを超えたものと了解すべきである。ここではまだ十分に論証することはできないが、ヴェーバーの社会的行為の類型は、彼自身の明示的な定義のレベルを超えて、実質上は「行動」(Verhalten)のレベルをも問題にしていたといってよい。なお、この議論については、後述の10章で問い直すつもりである。

さらに、「意味」に関しては、もうひとつ重要な視点がある。それは、その「意味」が誰にとってのものであるのか、という論点である。ヴェーバーは、自己の研究にとって必要だと考えた方法論的な研究にかなりの精力を注ぎ込んだ。その成果は無視できない。ヴェーバーの最初の本格的な方法論論考である『ロッシャーとクニース』やいわゆる『客観性』論文以降、彼が問題にしてきたのは、理念型論や価値自由論にみられるように、科学方法論であった。つまりそれは、科学的な営みをおこなう者、すなわち「研究者」がかかわらざるをえない「意味」の問題であるといえよう。少なくとも、「意味」は、ヴェーバー理解社会学における意味や行為を検討したシュッツの知見を踏まえていうならば、最低限のところでも、

①対面的相互行為をなす行為者たちの無自覚な「体験」レベルの意味と反省的な「経験」レベルの意味
②対面的相互行為が不可能な(第三者を含む)自己―他者関係における意味
③さらには観察者および研究者の視座から付与される意味

といった区別への留意が必要である。ヴェーバーが指し示した「矢印」の先にはそうした広大な問題圏が広がっ

ている。その圏域をみずに、ヴェーバーは「主観主義者」だと簡単に切り捨てるのは、知的怠慢とすらいえるかもしれない。

同様な指摘は、シンボリック相互作用論の出発点に立つとされるミードに関しても可能である。ブルーマー流の「主体主義」的ミード解釈は、たしかにミード理論の一面ではあれ、その議論の基層にあるミードの「発生論」的基盤を無視しがちである。スティーヴン・ヴァイトクスが簡潔に描いたように、ミードは生物の進化論的（系統発生的）な発生論にも関心をもっており、そうした関心を背景にして『精神・自我・社会』においても、意味や自我やシンボルなどの発生と生成を検討したのである（Cf., Vaitkus［1991＝1996］の一章と二章、参照）。こうした論点は、この『精神・自我・社会』を紐解くだけでも簡単に了解できる。あるいは、ミードの一九二七年講義として知られる著作『個人と社会的自我』（Mead［1982＝1990］）などを紐解いても同じである。にもかかわらず、従来のミード解釈は、必ずしもこの論点に十分な光を当ててこなかったように思われる。以下では実際に、そうした議論の口吻をミードの著作からの引用をも交えて簡潔に押さえておこう。

ミードは、自我や意識をもった一個の「主体」をはじめから自明的に措定して論じるのではない。ミードの前提となる議論の第一の出発点は、生物体（有機体）の所与の衝動、つまり行為への「傾動」ないし「態度」をもった反応（response）である。そして、彼のいわば第二の前提とでもいうべきものは、そうした生物体が他の単数ないし複数の生物体と相互作用（相互行為）するということ、つまり一定の「社会過程」に入るということである。ミードは何よりも、そうした相互行為の社会過程においてのみ、「意味」「意識」「精神」「自我」、そして「社会」が生成すると考えていた。ミード自身の表現をあげておこう。

まず「意味」に関しては、「ある生物体の身振り、その身振りがはじめの局面を示している社会的行動（act）の結果、そしてその身振りに対する他の生物体の反応、……この三重の関係が、意味を発生させる母胎」（Mead［1934＝1974：84］）である。また、「意識」に関しても、「社会的行動が意識の先行条件」（Mead［1934＝1974：22］）

であるとされ、「自我意識の或る個人に対する社会過程の時間的、論理的先在」(Mead [1934=1974：199]) が明確に語られる。そして、「自我とは、まず存在してその次に他者と関係を結んでいくようなものではなく、それは社会的潮流のなかの、いわば小さな渦 (eddy) で、したがって社会的潮流の一部である」(Mead [1934=1974：195]) と語られる。すでにふれたことだが、この最後の引用にある「渦」という表現は示唆的である。メルロ＝ポンティのみならず、シェーラーが自己意識の生成を語るときに渦巻 (Strudel) という語を用いたり、心理学者ワロンが自我の生成に関連して「星雲」という語を語るとき、これらの人びとは同じ事態をみていたのではないだろうか。

さらにミードも、このような発生の議論を語るときには、シンボルの生成との関係で、彼の「有声身振り」論について語らなくてはならないが、それについては本章の後半でふれることにしよう(本書8章も参照されたい)。よく知られたミードの自我論における二つの側面、主観的・主体的なI (主我) と社会的・規範的なme (客我) の議論や、他者の態度 (役割) 取得の議論がなされる行動発達論的な発生論に関しても再考すべきであるが、ここではまだ立ち入らないでおく。

さて、こうして以上でともかくも確認しておきたかったのは、主体や自我を前提、自明視する立場とは異なったミードの「発生論」的な視座であった。少なくとも、ミード自身が述べるように、『me』がないなら、……『I』もない」(Mead [1934=1974：194]) というミードの重要な指摘のみを示唆に富んだ一文として最後に示しておこう。Iやmeを切り離して、あたかも独立・自存するかのようにして物象化することはできない。六〇年代のブルーマー流のシンボリック相互作用論からする「主体的なI」の強調はあまりにも「一面的」であったといわざるをえないだけでなく、ミード理論の重要な基層を軽視したものではないだろうか。

［3］生活世界への着目――現象学的社会学の再構成へ

以上のような「読み」の可能性にもかかわらず、六〇年代に「意味学派」が登場したさいには、先にふれた一定の時代背景のなかで、意味のもつ「主観的側面」だけが強調されてきた感が否めない。もちろん、パーソンズ流の機能主義の視座、すなわち（観察者という）外部からの視座、あるいは内部の生きられる経験や身体を軽視する上空飛翔的（メルロ＝ポンティ）で、行為者の一次的構成概念ならざる（観察者の）二次的概念構成（シュッツ）による視座では十分に省みられなかった「日常生活者」の「意味世界」を重視し、その「意味世界」を丹念に記述するという手法は、そのためにブルーマーが必要だとした社会学における「感受性概念」（いわば、人びとの理性的な行動だけでなく、その感性をも的確に捉える（社会）心理学的な概念装置）の議論を引き合いに出すまでもなく、「意味学派」全体が強調してきた論点であるし、社会学全般にとって重要な注意喚起であったであろう。〈意識経験の文脈〉にひとつの重きをおくフッサール現象学の文脈・立場との接点も確かにここにあった。

それゆえ、人びとの「生活史」を再構成し、その人びとの「意味世界」における経験の襞をたどり直すという手法も加えて、各自の「生活世界」に着目しながら主観的意味世界を問うという視座は、いまもって現代社会学においても重要なものである。現象学出自のこの「生活世界」という概念が――1章でふれておいたように、社会学では平板に用いられているとはいえ――社会学全般に定着しつつあるのがその証左となろう。しかしながら、「意味学派」がそうした主観的「生活世界」の強調にだけ固執するならば、それは伝統的な社会学の社会名目論や、さらには「参与観察」や「生活史研究」の手法とそれほどの差異はない。個人的、内面的、主観的側面の強調だけであるならば、方法論に関して大いなる敏感さは兼ね備えているにせよ、結果的に主観主義と揶揄されるなかったように思われる。

だが「意味」は、すでに示唆してきたように、狭い意味での言語的な「主観的意味」にだけ限定されるものではない。もちろん、意味が人間を離れてどこかに存在するわけではないから、その在り処を問われれば、主観内在的であるといわざるをえないとしても、その主観自体が他者との相互行為的場面での社会的形成物であるとすれば、意味は必ずしも一個の主観に内在しているといい切れるものではない。それは、あえていえば、〈間〉に存在するもの、つまり「間主観的」なものである。加えて、意味は自覚的・対自的な主観的意味にのみ限定されるのではないとすれば、意味は言語以前的な局面、ないしは身体論的な局面においても問題とされうる。それは、あえていえば「間身体的」なものである。したがって、意味は、身体全域に及び、なおかつ皮膚的な界面に局限されない社会過程のなかにある自他関係、社会関係の、まさにその関係の項の〈間〉にこそ存在すると表現せざるをえない。それを、種としての人間の汎通的な間身体的な意味層を含む間主観的・間主体的なものであると言い換えてもよい。いずれの言い方にせよ、主観の、それゆえ意味の、その〈社会性〉こそ語らなければならない位相のひとつであろう。

ただし、そうした意味が個人の主観に着床してこそ、その「意味世界」が開けてくることも紛れもない事実とすれば、今度はそうした意味がどういった情況でどういった主観・主体に着床するのかという点もあらためて問われなければならない。つまり、一定の時間・空間に位置する、行為者、その相手、第三者、観察者、研究者等々のカテゴリー（広義の役割行動）がここで問題となる。少なくともシュッツはこうした問題圏に敏感であって、主観的意味と客観的意味の区別、共在世界、同時世界、先時世界、後時世界という社会的世界の区別（つまり自他関係の位相からなされる区別）といった問題圏に論及しながら、「社会的世界の意味構成」を問題にしたわけである。われわれとしても、そうしたシュッツの指し示した「矢印」に従って、さらに先に行かなければならないだろう。それは、このような行為者の社会関係のもつさらなる間身体的で歴史時間的な社会空間における規定性の問題でもある。新しい現象学的社会学——ここではより上位の〈意味社会学〉とより下位の〈発生社会学〉が要諦となる——の射程は、こうした点にまで及ぶものとして構想されている。

そこで、旧来の「意味学派」から新たな〈意味社会学〉への展開を図るために、現象学的社会学においてポイントとなる論点を——繰り返しも厭わずに——ここで確認しておきたい。まず、基本的に念頭におかなければならない問題は、近代的人間像の問題である。1章でふれたように、自己意識の明証性とその自明視は、デカルト以降の主客二元論における主観性への強調(と同時に客観=客体の存在への着目)に象徴的にあらわれていた。そして、近代自然法思想の興隆や民主政治への闘争をも経ながら、自律的・自立的な個人という発想が、個人主体に意思決定を委ねる(自己決定)という形で、共有化・共同幻想化されてきた。エリアスのいう「心理化」も、宮廷社会で他者に内面を隠す場面から生じた〝心〟の発生問題であった(cf., Elias [1969])。そうした時代性において、個人主体という共同幻想を、学問(とりわけ十七、十八世紀の社会契約説以降の社会科学)はあらためて個人と社会の対立という形で描き出してきたのである。だから、すでに述べたように、そうした学問・科学自体が、個人の主観的意味という魔性にとりつかれた時代的産物であるといえるのかもしれない。科学のパラダイム性、科学者の時代拘束性、そして、科学的世界という多元的現実のひとつの意味世界の成立。「意味学派」も社会科学の一分肢としての社会学である以上、こうした問題に敏感であらざるをえない。そして、実はこの問題は、「意味学派」の一翼を担ったかつての現象学的社会学の出発点において忘れられがちではあるが、その「現象学」性においては繰り返し留意されてきたことであったのである。

つまり、何よりもフッサールが〈危機認識の文脈〉で問題にしたのは紛れもなくこの問題であった。〝自然には数学の言語が書き込まれている〟というガリレイによる自然の数学化に促されながら、本来は「方法」でしかない理念化の作業に役立つ「数学的物理学」といったような「シンボルの衣」ないしは「理念の衣」を、「唯一で真なる実在」と取り違えてきた学（学問・科学）は、その学の基盤である〈ありのままの生きられる経験の世界〉、すなわち〈生活世界〉への還帰を果たさなくてはならない。フッサールは『危機書』においてそう主張した（Husserl［1954a：§9］）。だが近代科学は、学（科学・学問）との対比におけるこの生活世界こそ、学の意味づけの基盤にありながらも、それを主観的で曖昧だからといった理由をもって排除する形で、〝客観性〟を求めてきた。この傾向に抵抗し、これに対決するフッサールの発想が、まさに「忘れられた意味基底としての生活世界」の復権という初発の動機であった。この〈発生〉をめぐる「忘れられた意味」を取り戻すこと、それが現象学にインスパイヤーされた社会学がなすべきひとつの主要課題であると、再確認できるであろう。

ちなみにこの点では――系譜を問う本章での指向に沿ってもう少し視野を拡大しておけば――いわゆる「批判理論」、とりわけフランクフルト学派の第一世代の問題意識との共通性もみられる。たとえばホルクハイマーとアドルノは、「近代科学の途上で、人間は意味というものを断念した」（Horkheimer & Adorno［1947＝1990：5f.］）と語る。ホルクハイマーの「伝統理論」批判（Horkheimer［1937］）、アドルノの「ミメーシス」への着目、あるいはベンヤミンの「根源史」（今村［1995］）などは、すべてこうした視線と重なり合うと考えられる。では、断念し忘れられた意味の復活こそ、新たな〈意味社会学〉の課題となるのだろうか。しかし、ここでも速断は禁物である。もうひとつ強調しておくべき側面があるからだ。

すでにふれたように、人間的・日常的な経験世界それ自体も「時代の産物」であることは間違いない。だからといってすぐさま、時代に拘束されない、超越論的主観性なるものを仮構し、もち出すわけにもいかない。問われるべきはまず、時間や時代とともにあるわれわれの〈ありのままの生〉である。フッサールが「忘れられた意味基底」をもち出す背景には、知性的な志向性に依拠する理性それ自体を問い直す「矢印」も示されていた。たとえば、「衝動志向性」や「受動的志向性」や「間主観性」をめぐるフッサールの草稿群にみられる一連の論述はそのことを示唆している（Husserl［1973］、山口［1985］）。そしてそこでは、理性ならぬ衝動、能動ならぬ受動、そして主観性ならざる間主観性が提起されていた。〈ありのままの生〉、〈生身の生〉こそ、科学的抽象が捨て去ってきた〈リアリティ〉を有している。それは、場合によっては、行為（act）と連なる身体的な位層を含意する〈アクチュアリティ〉と表現した方がいいかもしれない（木村［1994］、西原［2002］）。この〈リアリティ〉ないしは〈アクチュアリティ〉を、近代の分析的理性や道具的理性の一面性から救出すること。後期フッサールの現象学は、そうした方向性をもっていた。だからそこに、科学を規定する地盤・基盤である生活世界的な意味世界が、時代とともに今度は科学知に影響されるというそれ自体は適切な循環論的な指摘を超えて、そもそもの近代知・近代的理性などが批判的に再検討される回路があったのではなかろうか。それが〈意味生成の文脈〉という発生論的な回路ではなかったか。

そして実は、この文脈を引き継いだひとりが、メルロ＝ポンティであった。「要するに、現象学は唯物論でもなければ精神の哲学でもない。現象学の固有の作業は、これら二つの理念化がそこにおいてそれぞれの相対的権利を見いだし、したがって乗り越えられるはずの理論化以前の層を露呈することにあるのだ」（Merleau-Ponty［1951＝1970：11］）。この点でも、われわれはメルロ＝ポンティとともに、「意味学派」の一翼を担った現象学的社会学の再構成を考えざるをえない。「われわれとしてはただ、彼［＝フッサール］がわれわれに手渡してくれる『理論化以前の構成』のさまざまな見本に問いかけ、われわれがそこに捜し当てたと信じる〈考えられないでしまったもの〉を、われわれの責任において定式化するほかないわけである」（Merleau-Ponty［1951＝1970：13］）。

少なくとも、今日までの現象学の展開をふまえた現象学的社会学の仕事のひとつがここにある。それは、主体性を強調した六〇年代の「実存」主義とは異なった、主客二元論に先立つ生きられた「実存」を、それゆえ身体の問題圏をも射程に入れた間身体的な領域を経めぐる「発生論」的思考でもある。それを、中期以降のメルロ＝ポンティは、とりわけ発達心理学的な発生論に委託する形で、「生まれいづる状態」において問い詰めてきたわけだ。すでに一部ふれたように、自他における「前交通」（précommunication）や自他の「志向的越境」、さらには自他間の「共感」といった一連の「癒合的社会性」の指摘がその証左である（Merleau-Ponty［1953＝1966］）。

さらにわれわれは、そうした現象学的な発達心理学的知見だけにとどまらず、たとえば、現象学に影響を受けた精神医学が探究してきた領域をも参照することができる。具体例をあげれば、〝妄想型〟の精神分裂病患者にみられる「つつぬけ体験」（自分の考えが他者に「筒抜け」状態になっているという妄想）、「させられ体験」（自分が他者に操られ、作為されているという妄想）、「のりうつり体験」（自分が他者に乗り移られているという妄想）といった自他関係は、木村敏の考えるようにそこに自他の差異を示す「自他勾配」はあるにせよ（木村［1995］）、かえって逆に、自他未分のもともとの自他関係の一断面をリアルに示し、日常的体験の意味世界の関係性のありようを照射するものと考えることができる。あえて極端にいってみれば、この種の分裂病患者の方こそが本源的で、自律的で理性的な〝近代人〟の方が近代的にデフォルメ（変形）された人間像なのかもしれない。

この点において、近代の主客二元論的な見方を批判しながら、精神病者の対人経験を問題にした反精神医学の精神科医であるR・D・レインが、次のように語るのも示唆的であった。「人びとは、自分たちの知覚したものが非現実的であるという感覚をいつから失ったのであろうか。われわれの知覚するものが現実だという感覚や思考は、人類史上おそらくごく近年のことに属している」（Laing［1961＝1975：49］）。逆にいえば、知覚しえないもの、あるいは「語りえないもの」のリアリティ（現実性・実在性）を語ることは、ヴィトゲンシュタインのいうように（「語りえぬものには沈黙を！」と彼はいう）、断念すべきなのであろうか。すでに何回かふれてきているように、われわれはそうした立場をとらない。問いは問い続けられなければならない。なぜなら、それ自体が実はわれわれの不可避な生の営みであるからだ。ここで確認しておきたかったのは、こうした近代知にかかわる意味の存立構造それ自身への「発生論的問い」が問われている、ということである。

このような問いの検討を経て、意味、主観性ないしは間主観性、近代、科学等々といった自明視されているものをもう一度問い直すこと。他の分野の成果とともに、古典的な社会学の、荒削りではあるが問題の的確な所在を示す深みと厚みのある業績に比して、現代社会学はこうした問題圏を避けてきているのではないだろうか。だからいま、現象学的社会学に問われていることは、こうした点の問い直しにあるのではないだろうか。「自明性を問う」としたシュッツの志向の矢印は、このような問題圏をも指し示す。それはむしろ「忘れられた意味」というよりも、「語られない意味」の問題圏である。そこに〈意味社会学〉と〈発生社会学〉の視点がある。

したがって、ここで急いで付け加えておかなければならないことは、「意味」という問題に安易かつ早急に答えを与えてはならないことだ。「意味」は主観性や間主観性にかかわる問題圏を指し示す矢印として重視されるけれども、「意味」の意味の広がりはむしろ積極的に保持されなければならない。そこにこそ、社会学が考えなければならない問題圏があるからである。場合によって意味は、社会学研究者という役割遂行者の「主観的」意味においては、ある事象の、他の事象ないしは全体に対する社会的「機能」の読み取りでさえあり、それは一種の「意味」付与であるということができる。意味の射程は、身体的な意味層から、そうした近代知の言語的分節までを含みうる。意味の多義性は、かえって逆にわれわれのさまざまな意味世界を映し出す多面鏡であるといえるのかもしれない。だからこそ、意味は実体的に捉えられてはならない。

以上のことは、次の論点からもそう述べることができる。つまり、言語（哲）学者ソシュール流にいえば、意味は「差異」である（「意味においては、差異がすべてである」）。だが、その「差異」の分節線を生み出すのは〈種として〉のわれわれ人間の身体であり行為であり、しかもその間生体的・間身体的実践であって、たとえそこに言語が絡まるとしても、そうした〈差異化の戯れ〉という関係実践こそまず問われなければならない。それゆえ、ルーマンの議論を平板に理解した語りにおいてしばしば聞かされることであるが、単に単独の主体・主観による「否定」の操作によりどころを求めて、「社会学の基礎概念としての意味」（Luhmann ［1973＝1985］）を、単純に行為者の「体験処理の形式」に閉じこめてしまうように了解するべきではないだろう。というのは、繰り返せば、意味問題はまず、コミュニケーションやシステムという語を用いるかどうかは別として、間身体的・相互的な〈間〉における実践という関係実践の地平にこそあるからだ。

本書のような「意味」のこうした取り扱いは、社会学においてはいままであまり「語られない意味」かもしれない。しかし、「意味学派」の出発点に立つ先行者たち（ヴェーバーやミードやシュッツなど）は、確実にこの問題に気づいていたのであって、「意味学派」が一定の時代背景のなかで登場するさいに、そしてそれが社会学説史上に定着していく過程で、むしろ意味の意味が「切り詰め」られてきてしまったように思われるのである。

［4］「意味学派」から〈意味社会学〉へ——間身体性の問題圏

では、意味の問題圏を「切り詰め」ではない形で扱う〈意味社会学〉なりに、その知見を現代社会学に生かしていくとすれば、われわれにはいかなる道が考えられるのであろうか。「意味学派」の知的遺産をさらに押さえ直しながら、最後の節でこの点を考えるべく〈意味社会学〉の視圏の現在を押さえておきたいと思う。

「意味学派」が示した矢印は、単に研究対象となる行為主体の主観的意味のみを指すのではない、ということにふれてきた。それは、主観的意味の発生論的で相互行為的な生成・存立の背景をも問題にすると言い換えてもよい。だからそれは、一方で三者関係を含む自他関係に照準するとともに、他方で同時に、言語を用いる相互行為（コミュニケーション）のみならず、その基底にあるものをも問い尋ねることに向かう。シュッツは、まさに「コミュニケーションを可能にするもの」を問題にした。シュッツにあって、コミュニケーションの基盤にあるのは、彼が「音楽の現象学的社会学」（西原［1998a］参照）で示したように、相互に波長を合わせる関係（mutual tuning-in relationship：この訳語として本書ではこれ以後、「相互同調関係」とも表記する）であって、それがコミュニケーションの条件・前提なのである（Schutz［1964］［1996］）。だから彼は、六〇年代に了解されてきたような、はじめから主観性をもった行為主体の意識的な主観的意味から出発するかのような印象とは異なって、言語的会話の成り立つ手前の、いわば生きられる「前社会性」をも問おうとしたわけである。

このことをフッサール現象学との関係で言い直してみよう。『イデーン』段階（中期フッサール）のフッサールを批判して、シュッツは次のようにいう。フッサールにおいては、「はじめから諸人格間の実際的あるいは可能的なコミュニケーションが自明視され、そして社会性が、コミュニケーション的行為によって構成されるものと定義されている。……しかしながら、コミュニケーションは、それ自身が基礎づけられている社会関係をすでに前提にしているのである」（Schutz［1966：38＝1998：83］）。別の表現を引くならば、「内的時間のうちで他者の経験の流れを……共有化すること、すなわち生ける現在をこのように共に生きていくということは、……相互に波長を合わせる関係、つまり『我々』関係……を構成しており、この経験があらゆる可能なコミュニケーションの基盤にある」（Schutz［1964：173＝1991：236］）。それが（後期）シュッツの論点であった。

シュッツ自身は、たとえば「音楽の共同創造過程」や「互いに愛を交わす（→互いに性行為に没入する）」という「非概念的」な局面の前コミュニケーション的な社会関係（Schutz［1964：161＝1991：224］）に言及しながら、——筆者自身の言葉を用いれば——「リズムの問題圏」と「エロスの問題圏」を問題にしてきたことになる。一方で、リズム・共振やエロス・共感を含めた、言語的相互行為の手前の生きられる共振的・共感的で癒合的な「間身体的」な（前）社会性を、そして他方で、この社会性に基づく主観的意味世界の間主観的な生成とそのあり方を、シュッツは問題にしようとしたのである（詳しくは、後述6章参照）。

このような間身体性・間主観性の視座からみれば、日常生活における自己呈示を問題にし、儀礼的相互行為を問題にしたゴフマンも、そこに（六〇年代的な）主体的行為が存在するという指摘よりもむしろ、デュルケムの影響下で、近代社会における個人の「面子」や「対面」の維持という個人の内面性の尊重という一種の近代的・都市的な宗教的な「聖性」ともいうべき規範を、アメリカ中産階級の人びとをモデルに描いたとみることができる。その意味で、彼が描いた役割演技論的な儀礼的相互行為のパターンは、人びとの主観性を枠づけ、組織化し、その主観的行為を突き動かす間主観的行為のレベルでの立論であるとみることができる。シンボリック相互作用論者においても、かつて片桐雅隆が的確に示したように（片桐［1991］）、たとえばシャーリン（Shallin［1986］）のような、社会的世界をいわば準拠枠組みの共有という点から理解し、ブルーマー流の〝創造的〟個人とは異なった間主観的レベルに言及する論者もいた。

さらに、エスノメソドロジーも「相互行為による秩序の達成」にこそが主眼があり、個々の行為が主観的・主体的であるかどうかに必ずしも主眼があるわけではない（さらに立ち入った論及は本書7章参照）。むしろ、意味は相互行為の文脈に依存し、「問いと答え」「要求と応諾／拒絶」のような相互行為連鎖によって相互反映的に確定される。よく引き合いに出される例だが、日本料理店の店内で店員に発する客の言葉、「私はウナギ」という発話の文脈を思い浮かべさえすればよい。それは、いうまでもなく、「私はウナギである」という事実言明的な発話行為ではなく、その文脈においては「注文」という一種の「要求」の言語行為である。

加えて、会話分析にみられるその後のエスノメソドロジーの展開（の一部）において、たとえばフーコー的な視点を交えた相互行為に浸潤する（知らず知らずのうちの）微細な権力作用の作動という論点は、行為主体を超えた必ずしも可視的ではない権力という力を前提にしてこそ成り立つ（山田・好井［1991］、好井［1999］、山田［2000］）。「意味学派」はこうした地平を問題とする点において、単に主体性や主観的世界を一方的に強調する思考とはそもそも距離があったというべきであろう。このように、「意味学派」が強調しようとしたことは、いかなるレベルではあれ、より基底の社会性を前提にした相互行為過程の関係構成のみられる、主観性と間主観性の織りなす場であり、それは自由に個々の行為者が選択・決断しうるような創造的な面だけでは必ずしもない。

後でふれるように（本書8章）、まさに先に取り上げたミードも、相互行為による意識や自我の生成を問うたのだった。ミードの「社会行動主義」という用語も——たとえ、この語はミード遺稿集の編者の創作であって、ミード自身は実際には用いていないとしても――なかなか示唆的である。それは、社会性と行為（action）以前の行動（behavior）とを射程に入れる。それが、「意味」とは相容れないワトソン流の「行動主義」的な用語法とみなされがちではあるが、ミードは明確に行動主義の提唱者ワトソンが内面・内観の問題を省みない点を批判した（船津［2000］）。既存のミード解釈においては、そうしたミードの多面的な議論から多くを学ぶことが、むしろないがしろにされてきたように思われる。しかしながら、まさにミードは、一方で社会性を強調しつつ、他方で行為以前の〝行動主義〟的な視点をとりつつ、主観＝主体を問題にしたのだ。そして、そのためにより基底の相互行為場面に定位しながら「自我」や「意味」や「シンボル」の発生・生成をこそ問題にしたのであった。

たしかに自覚的・対自的な主観的意味は、言語ゲーム論者が指摘するまでもなく、言語的反省のレベルにおいて確定される。だが言語それ自体は、神によって与えられたのではないとすれば、人びとの発生論的な相互行為をおいて他にその生成の理路はない。今日のレベルからいえば、ミードが身振り、しかも有声身振りに特権的な位置を与えたのもこうした思考線上においてであった。ミードはいう。「有声身振りこそ、他者に影響するように本人に影響する基礎的身振りであり」（Mead［1934＝1974：74］）、「有声身振りと、他者と同様に自分自身のなかにもおこる反応の組み合わせとの関係性こそが、この有声身振りからいわゆる有意味的シンボルを作り出す」（Mead［1934＝1974：78］）のである。この論点の当否は別としても、まさに発生論的相互行為のレベルで立論したのが、ミード理論である。それは、現象学的な用語を使うならば、「前述語的な」レベルの間身体的・間主体的な発生論的間主観性のレベルである。高次のシンボル的（言語的）な類型化による世界認識の発端も、こうした有意味的シンボルの形成からたどり直してこそ、言語的シンボルのもつ「呪術性」・「魔術性」に距離をおくことができるように思われる。

いま右で「呪術性」・「魔術性」と表現した。それは、言語的シンボル自体が一種の言語ゲームとして作動しながら仮構の恣意的な分節からなるフェティシュな「表象世界」にある、という「呪術性」・「魔術性」である。だが、言語的シンボルのもつこうした呪術的な性格は、その前提・基盤が問われなくてはならない。この種の「物象化」の存立構造を問うこと、実はそれが「制度」やシンボル的共同性の一面をもつ「国家」といった形象の基盤を問うことに通じているという点は、ここではまだこれ以上立ち入れないが、やがて重要な論点となろう。少なくともここでは、〈意味社会学〉の発生論的な問い＝〈発生社会学〉のスタンスこそ、まずもって明確にされておかなければならない。そのためのひとつのヒントが、スティーヴン・ヴァイトクスの議論にみられるので、今後の方向を示す意味で簡単にふれておこう。

ヴァイトクスは〝信頼〟の問題、つまり行為者の一定の「前もっての傾動」ないし「準備態勢」としての「信用態度」(fuduciary attitude) という概念を提示して他者との間主観的理解を説き (Vaitkus［1991＝1996：274–5］)、シュッツのシンボル論をさらに発展させて、信念や信仰という振る舞いの視座から「制度」や「シンボル的世界」の存立を語る。すなわちそこでは、原初的な委託、日常実践的な信任、所属集団への関与、制度への信念、シンボル的世界への信仰、といった信頼の位層が区別される (Vaitkus［1991＝1996：286–323］)。その視線は示唆的である。制度やシンボル的世界の存立といった問題も、主観的意味世界の自明視を突き破って、(後に検討するように) 身体的な「習慣化」とともに、より基層からより高次の層の意味世界の存立構造への問いとして、発生論的・相互行為論的に捉え返されなければならないだろう。

シュッツに関して、そのヴァイトクスが述べたように、「結局のところシュッツは、生命的領圏に向かう傾向のある原初的な自明視される間主観的領域から、さまざまなシンボル的世界に見いだされる、より高次の精神的な理解の発生 (genesis) に関心があった」(Vaitkus［1991＝1996：264］) のであるから、その矢印の先を問うていくのは、〈意味社会学〉、とりわけその〈発生社会学〉の中心的課題のひとつである。

だが、そうした発生論的・生成論的な思考を、近代的な知や近代科学は、曖昧性を伴う、言語化不能・知解不可能な、非合理的・非科学的な「形而上学的」なものとして切り捨ててきたのではないだろうか、と繰り返しておこう。日本の誇る西田哲学が「絶対無」といった場所（トポス）の形而上学的想定を行った「神秘主義」だとされてきたが、彼の思索もある意味では同じ方向を示す矢印であったのかもしれない。そのトポスは、西田幾多郎のいう「行為的直観」の交錯する場であればどうであろうか。西田は、デカルトを批判し、要するに「われ行為す、ゆえにわれ在り」と説いたのだといわれている（西田［1984］、竹内［1992］参照）。ちなみに、トポス論や共振の議論をもって、西田の議論に自身の議論との深い関連を見いだしている中村雄二郎は、ある啓蒙書で「近代科学の三つの原理」を批判的に考察している。中村によれば、それらの三つの原理とは、①普遍性、②論理性、③客観性であり、この「近代科学の三つの原理」が無視し排除してきたものが――「現実の側面を捉え直す重要な原理である」――①コスモロジー、②シンボリズム、③パフォーマンスである（中村［1992：9］）。言い換えればそれは、①「固有世界」、②「事物の多義性」、③「身体性をそなえた行為」が近代において無視・排除されてきたということである。前二者はシュッツのいう多元的現実の諸相、三番目はまさしくその発生論的相互行為論の問題圏であるとはいえないであろうか。

［5］小　括――発生論的視座について

かつてミンコフスキーは「われわれにとって共感は、生命の根元的かつ本質的な現象の一つである」と語って「現実との生命的接触」の喪失を嘆いたが（Minkowsky［1933＝1972：88］）、そうした「共感」なり「接触」が（科学の名で隠蔽されてきたかもしれない。本稿の文脈でいえば、そのような「語られない意味」の領域にこそ、「意味学派」の矢印は向けられていたはずではなかったか。いわば、他の生物と共有するような人間的自然（human nature）のレベルから、言い換えれば、生命、生体、生存、生活、人生の全体を包括するような「生」の深みからもう一度問いを立て直すこと、そうした「生活世界」（もはやそれは「生世界」と呼んだ方がよい）に問い尋ねる思考の矢印を、「意味学派」は共有していたはずである。

筆者自身は、すでに記したが、こうした思考を発生論的相互行為論の立場から、差異の分割線を類型化的な行為と認識に求めながら、相互行為における共感、たとえばリズム・共振やエロス・共感と、関係を分断する身体的暴力といった力などを例とした「結合と分離」の諸力からなる「生世界」における「間生体的諸力」論として概念化する試みを不十分ながらおこなった[4]。が、それはそれとして、かつての「意味学派」は六〇年代やその後の社会学の展開の地平を超えた、新しい段階に入りかけているということまでは確実にいえる。それは、単にこの学の展開の必然であるだけでなく、脳科学や生命科学が人間と社会に関する新しい知見を提供しつつある新しい時代との対話の必要性から招来する事態でもあって、生命、情動、身体、関係、行為などといった一連の間身体的・間生体的な実践の用語が、既存の「意味学派」を再考し、新たな〈意味社会学〉を展開するさいに重要なタームとなるであろう。そして、その〈意味社会学〉の発生論的な側面は、とくに〈発生社会学〉と名づけておくことを再確認しておきたい。今後も必要に応じて、筆者なりに発生論的視座をそのように呼び変えたいと思う。

かつて社会学者アンソニー・ギデンズは、哲学者メルロ＝ポンティの言葉を自らの著作の扉に掲げて、現代社会学がめざすべき方向を示唆した。「哲学と社会学は、これまで長きにわたって分離したままであった。共通の土俵に上がることもなく、お互いの成長を促進したり、互いに理解を深めることもなかったから、敵対情況に陥ることもなかった。しかしその結果、文化は絶え間ない危機にさらされてきたのである」(Giddens［1979＝1989］)[5]。ギデンズの現象学理解それ自体の問題性、あるいは一九八九年以降のギデンズの「変質」（貝沼［2000］）という問題点もあるにせよ、さらにまた彼が取り入れた哲学が言語行為論などの分析哲学系統のものであったにせよ、イギリス現代社会学の中心人物のひとりのこの言明にはともかく注目しておくことができる[6]。

ただし、ギデンズの展開した統合的な社会学理論とは異なって、〈意味社会学〉は、この言葉を語ったメルロ＝

ポンティ自身の現象学が示したような「始原に立ち返る思考」から出発し、必要に応じて他の諸学問との対話にも開かれた柔軟な思考を旨とするのであって、言語行為の事実性を公理とするような思考とも、あるいはまた数字で示せる「実証的な」経験科学のあり方だけを科学的だとする思考とも、あえて距離をとる。「実証主義は、いわば哲学の頭を切りとってしまった」（Husserl［1954＝1974：22］）ということのもつ問題性を、われわれはフッサールやメルロ＝ポンティやシュッツなどとともに確認しながら、このギデンズの言葉の〝意味〟を考え続けたいと思うからである。

さて、以上までで本書の目指す矢印の先（発生論的思考ないしは〈発生社会学〉）を示しえたと思われるので、次章からは、社会学の古典に立ち戻りながら、近代的思考によって無視されてきた鉱脈を探り起こす作業を行いたいと思う。そうした作業こそが、次の問いへの確固とした土台作りを可能にすると思われるからである。そこでさらに問い直されるのは、主としてシュッツの思考である。

第Ⅱ部　意味社会学の発生論的視座

——シュッツと発生社会学の系譜

4章　前期シュッツと発生論——廣松社会哲学を媒介にして

[1]　シュッツというひと——その思索の軌跡

一八九九年ウィーン生まれのシュッツは、早い段階から音楽を愛好した。第一次世界大戦ではイタリア戦線にも従軍する。一九二二年のウィーン大学法学部卒業後、彼は銀行業務の職を得るが、研究も続行しながら三二年に『社会的世界の意味構成』を出版する。だが時局はナチが権力を握り、風雲急を告げる。彼とその家族（妻子）は三八年、苦労してパリに脱出し、翌年アメリカに亡命した。(1)その地で国際現象学会の創設などにも努力し、またパーソンズと書簡で議論も交わす。四三年からはニューヨークのNew School for Social Research（社会研究のための大学院大学）で非常勤として教鞭をとるが、アメリカでも銀行業務は続行され、現象学者と銀行家の二重生活が続く（「昼の銀行家、夜の現象学者」）。そして、その間に多数の論文を書き、すぐれた多数の研究者を育て、四〇年代末には新しい著作の計画を立て、一部は実際にその執筆にも着手していた。最終的にこの著作は未完に終わるが、五六年に常勤の教授になった彼は、あらためて別の著作の執筆に取り掛かろうとし、構想ノートも作り上げた。が、今度は死がその計画を妨げた。六十歳になったばかりの、五九年のことだった。没後、夫人や教え子が中心になり、六二―六六年に原著三巻の『著作集』が公刊され、パーソンズ批判の主要な潮流、現象学的社会学を核とする「意味社会学」の大きな流れがつくられた(2)。

シュッツは早くからヴェーバーの社会科学方法論に惹かれ、ベルクソンにも関心をもった。フッサール現象学へは、ウィーン大学のフェーゲリンの講義でも接していたが、思想動向としてはむしろベルクソンを経て接近したといってよいだろう。そして哲学的には不十分だと考えていたヴェーバー理解社会学を、現象学的哲学で基礎づける仕事に取り組む。その成果が『社会的世界の意味構成』である。そこで彼が強調するのは、ヴェーバーや社会科学で自明視されている事柄・基礎概念の問い直しだった。行為の主観的意味理解を標榜したヴェーバーだが、意味、行為、動機、理解などの概念は曖昧で問い直しが必要だとシュッツには思われた。そしてそのさい自己と他者からなる社会的世界の意味構成の解明が主題化されたのである。

そこでまず、シュッツは――本章の［3］以降で詳述するように――「意味」から問い直す。「意味問題は時間問題である」（Schütz［1932：20＝1982：24］）とするシュッツは、意味を「回顧的なまなざし」において生じると考える。そして行為は、実際にあるいは予期的に捉えられる「完遂された行為」といままさに「進行中の行為」とが区別されねばならず、また動機は「～するための」と表現できる「目的動機」と「～だから」と表現できる「理由動機」とが区別されねばならない。さらに理解も「自己理解」と「他者理解」とが区別されねばならない。

ここではとくに後者の他者理解にふれておこう。彼は時間のみならず空間をも考慮して、社会的世界を四区分する。自己と他者が、時空を共有する共在世界（Umwelt）、時間のみ共有する同時世界（Mitwelt）、空間は共有するが時間は共有しない先時世界（Vorwelt）と後時世界（Folgewelt）である。そしてシュッツは、共在世界での他者理解がこの理解の原型をなし、同時世界では類型的な他者把握が特徴的であると述べる。なぜなら、眼前にいない不在の非対面的他者の場合には、時間とともに変化する相で他者の主観的意味を捉えられないからだ。たとえ非対面的な他者の〝考え〟が変わらないとしても、他者は（そして自己も）時を経て経験を増し（あるいは忘却しつつ）、確実に歳を重ねていく。少なくともこの時間的な変化は、免れえない。他方、自己理解は時間的につねに過去の自分しか捉えられない。だが、対面的他者の場合はほぼ同時に現在の相手を理解する可能性がある。いってみれば、他者と対面する自己は自分の顔を見ることはできないが、他者はその相手（＝自己）の顔を見ることができるというメタファーを思い起こしたい。こうした議論は、ある意味で自己理解の「特権性」を剥奪し、共在世界の自他関係や「我々関係」に着目する論点でもあった。

さらに行為者の主観的見地を重視するシュッツは、研究者の用いる専門的な概念（第二次的構成概念）と、その研究の対象者すなわち日常行為者の用いる概念（第一次的構成概念）との合致を要請する「適合性の公準」も示した。それは、研究対象者の内面を把握すべきという「主観的解釈の公準」や、学問として当然要求される「論理一貫性の公準」とともに、社会科学の公準をなすとシュッツは考えた（Schutz［1962：43f.＝1983：97f.］）。社会科学において主観的見地を採るからには、適合性の公準や主観的解釈の公準に従って、行為者自身の主観性が十分検討されねばならない。往復書簡での論争相手パーソンズがこうした点を十分考慮せず概念図式論を展開した点が、シュッツには問題だと映ったのである。

以上の議論も踏まえて、渡米後の後期シュッツは、あらためて多元的現実、類型化、記号、関連性などを論じるべく「自然的態度の構成的現象学」を本格的に展開する。なかでも多元的現実論は類型化論（類型化に関しては西原［1998a］Ⅵ章参照）などとともにたいへん興味深い。たとえば石を人は科学的観点から問題にできる。しかし石は庭石として美的観賞の対象にもなれば、建築用として実用的観点からもみうる。また、石を神が宿る所として祈りの対象にして宗教的観点からみていくこともある。同じ石に人は異なった現実をみる。別の例も示そう。われわれは朝起きて食事をするなど日常生活の現実に住まう。しかし学校では理念や科学の世界に生きる。放課後、映画を見る。われを忘れて俳優の役と同じ気持ちで映画の世界に入りこむ。つまりそこで展開される現実に住まう。やがて映画が終わり館内が明るくなると、ふとわれに返る。軽いショックを覚える。そして深夜、ベッドの中で悲しい夢を見て泣くこともある。そこでは本当に涙を流す場合もある。……こうしてわれわれは一日の内でも多様な諸現実を経験する。シュッツはそうして経験される個々の現実を「限定的な意味領域」と言い換える。「限定的」なのは、そこでしか通用しない「意味の領域」があるからだ。科学的事実だけが「現実」であるとはいえない。各々の視点から意味付与されてこそ「現実」が構成される。

しかし、以上の議論を主観主義的に解釈するだけではシュッツの論点をとりこぼす。他方で彼は類型化や間主観性などをも論じる（本書6章参照）。「世界は、自然的世界も社会文化的世界も、はじめから類型によって経験される」（Schutz［1964：233＝1991：314］）。フッサールの類型論を承け、シュッツは間主観的な類型による間主観的な認識と行為のあり方も論じた。だから、シュッツの「自然的態度の構成的現象学」を単に日常的な主観的世界の追従と解すべきではない。むしろ――後述するように――日常世界を可能にする基底的間主観的な機制を問い直すのがシュッツの狙いのひとつであった。そして彼は、日常行為者がさまざまな関心と、そうした関心に基づく関連づけの図式でもある「関連性《レリヴァンス》」のもとで、さまざまな類型や言語・記号も用いながら相互行為し合う生活世界を重層的に記述・分析したのであった。

だがシュッツ理論は戦後アメリカの実証的な社会学には十分に受け入れられず、しかも当時、社会学理論はパーソンズの全盛時となりつつあった（Davis［1959］）。むしろシュッツが注目されはじめたのは、シュッツ没後の六〇年代、一連のパーソンズ批判の流れにおいてである。五〇年代には、シュッツ自身も次第にアメリカ社会学と自らの学問が馴染まないと感じ、晩年近くにはシェーラーに多く言及するようになり、自らの考えを表現するのに再び母国語であるドイツ語を使うようになる。さらにもうひとつの重要な点は、シュッツが晩年近くの諸論文で超越論的現象学に控え目ながら疑問点を示す点である（次の章でみるように、その転機は一九五〇年前後である）。

だが誤解してはならない。シュッツはフッサールの『デカルト的省察』段階での不首尾な他我構成論を批判し、メルロ＝ポンティの身体に着目する現象学にも関心を示しつつ、フッサールの視覚中心の認識論に疑義を呈したのであって、現象学全般を批判したのではない。むしろそれは、現象学の新たな展開を試みたのだといってよい。

「視覚中心」批判を例にとれば、シュッツにとって、音の経験、聴覚はどうなのか、という問いが中心にくる。音楽に関心をもつシュッツは、音楽関連の論文で、その主題を次のように示す。内的時間のうちで他者の諸経験の流れを共有すること、生ける現在を共に生きることは、相互に波長を合わせる関係［相互同調関係］、つまり「我々関係」を構成し、そしてこの経験があらゆるコミュニケーションの基盤にあるということ、それが本稿の主題である、と。この点は必ずしも社会学における従来のシュッツ論では十分に着目されなかったが、シュッツの第三の顔ともいうべき「音楽理論家としてのシュッツ」像は、今後さらに解明が進むと期待される。それによって「自然的態度の構成的現象学」からの一種の発生論的議論が本格的に展開可能になるだろう（詳しくは後述6章参照）。

以上、シュッツの手短な生活史と業績に関して、本章以下での細かな議論の理解に役立つように配慮して概説的に記しておいた。シュッツ現象学的社会学を中心に意味社会学における〈発生〉の社会学的展開を、この第Ⅱ部では追っていきたいと思う。

［2］前期シュッツをどう読むか——廣松の読み

そこでまず、本章の柱となる発想の源、アルフレッド・シュッツの〈発生論〉的な視座を、前期のシュッツに立ち返ってより詳しくみておきたい。なお、「前期シュッツ」とは、亡命以前のウィーン時代のシュッツを指すことにする。したがって、「後期シュッツ」とは、主として亡命後のニューヨーク時代を指すことになるが、後期でもとくに一九五〇年代に筆者の着目点があることは後に明らかにされるであろう（後期に関しては、次章を参照されたい）。

さて、前期シュッツの三二年刊の『社会的世界の意味構成』(以下では『意味構成』と略記する)は、その書の献呈を受けたフッサールによって高く評価され、フッサールからは彼の助手にならないかと誘われたほどであった。しかし、五章からなるこの書物は[3]、執拗なまでに微細な点に論及し、かつ入り組んだ論理構成をとっており、一読して簡単には判別できないような難解さを含んでいる。すぐ後で述べるように、英訳(Schutz [1932=1967])もたいへん苦心している。しかし同時に、そこにはいくつもの魅力的な鉱脈があることも間違いない。それを読み手が読み解く作業が必要だ。だが日本では、この書に関する廣松渉の本格的な検討がある。また、この『意味構成』以前の業績(Schutz [1981])も射程に入れて、なおかつ個人史的な新しい資料を発掘して、主として前期シュッツ研究に新境地を拓いた森元孝(森 [1995])の業績もある。

アメリカでは、『意味構成』の英訳が一九六七年に出版され、六〇年代のアンチ・パーソンズの潮流に大きな影響を与えた。ただし、この英訳はかなりの意訳・抄訳がなされており、シュッツのポイントと思われる箇所が削除されるなど、問題点も少なくない。その英訳書に依拠しつつアメリカ現象学的社会学の潮流がつくられたことは、驚きであると同時に、その潮流の問題性をも示すものでもあろうと筆者は考えているが、いま問題なのは、この原著に関するきちんとした読み、しかもシュッツ全体の仕事のなかでこの書の位置づけを行いながらなされる「読み」であろう。そこで、以下ではまず、独文原典に内在した形で議論をした廣松の「読み」を中心にして、この『意味構造』の視座を問題にしてみようと思う。その「読み」を読み、その後に筆者なりの「読み」を論じていきたいと考えてのことである。

廣松のシュッツ『意味構成』の検討は、一九八〇年代後半に雑誌『現代思想』に長期連載され、のちにその中核部が単行本として『現象学的社会学の祖型—A・シュッツ研究ノート—』(以下では『祖型』と略記する)と題されて刊行され、さらに九四年の廣松没後は『廣松渉著作集』第六巻(以下では『著作集6』と略記する)の『社会的行為論』に収録されたものである。

この『著作集6』の廣松自身の序文にもあるように、その長大な論考は初出の雑誌においては「社会的行為論ノート」と題され、その課題と狙いに関しては次のように述べられていた。すなわちこの論考では、社会的行為について「社会学的な視角、ないしはむしろ、社会哲学的な準位で考察することが課題」であるが、「飽くまでも筆者自身の見解を表明し、識者の教示と叱正を冀求するものである」（廣松［1997a：29］）。結果的に、社会学で展開されていた社会的行為論、とりわけパーソンズやミードなどのそれには――註ではしばしば言及がみられるものの――本文のなかでは正面から論及されることはなかった。この論考の末尾の註に示された「身辺の事情がもし許せば、別稿の形で宿題に答えたい」（廣松［1997a：401］）との思いは、廣松の死によって事情が許さなくなったいまとなっては、かえすがえすも残念である。

だがわれわれは、一時期の廣松が精力を注いだシュッツ社会哲学の徹底的な検討のなかにも、そしてまた『著作集6』に収録されているほぼ同時期に書かれた他の二つの論考のなかにも、彼によって必ずしも十分な論及がなされなかった他の社会学者の社会的行為論に対して、彼であればおそらくこう応えるであろうとの推測が十分に成り立つほど、彼、廣松自身の見解が表明されていたことを読み取ることができる。その二つの論考とは、ヴェーバー理解社会学への廣松のスタンスを表明した論考「理解社会学への私のスタンス」と、増山眞緒子との共著『共同主観性の現象学』の廣松執筆部分である。シュッツからは少しはなれるが、まずこれらを一瞥しておこう。

前者の「理解社会学への私のスタンス」は、極度に圧縮された記述になっており、一面ではたしかに廣松社会哲学のスタンスを表明する恰好の短編であるが、しかし他面では、その圧縮された記述のために廣松社会哲学の広袤《こうぼう》が必ずしもそこからは読みとれないという惧《おそ》れがあるかもしれない。つまりそれは、廣松の理解社会学へのスタンスに関するこの圧縮された記述が、社会学などにおいてヴェーバー――シュッツ流の「主観的に思念された意味」の理解という立場に対してよくなされる批判と同様に、皮相に捉えられる惧れがあるからである。いわく、理解社会学が扱うのは行為者の表層的意識の一部だけであり、行為自体も元来はその意図と結果が合致するとは限らないうえに、理解社会学が定位する主観的意味の理解だけではマクロな社会構造の研究にはなりえない云々、といったように（廣松［1997a：3f.］）。

しかし、廣松がこのスタンス表明の論考でなそうとしていたことは、単に理解社会学やそれを受けた現象学的社会学の科学方法論的な難点を問題化するというよりも、むしろその前提的な構え、より正確にはその存在論的前提こそ問い直されるべきだという廣松の主張の展開ととるべきであろう。廣松にとっては、一定の変容を加えてのうえではあるが、現象学的な理解社会学は「物象化論の視座に立った社会科学的・歴史科学的・文化科学的な研究にとって、方法論的〝補助〟手段として、極めて有効である」（廣松［1997a：5］）というスタンスに立っていること、このことを文字どおりに受け取るべきであろう。でなければ、難解なシュッツの主著の解読という〝疲れる〟作業をおこなわなかったはずだという状況証拠はとりあえず措くとしても、他の論考でもしばしば廣松は右と同様の〝意義〟を述べていたからである。ただし、いうまでもなく、執筆時期やその執筆の経緯[4]からみてもこの廣松の短編における言明は明らかに『祖型』の成果の一端を示したものである。したがって、この短編の圧縮された記述の背後にある思索の跡をきちんと押さえておく作業がどうしても必要とならざるをえない。しかもそれは、シュッツを現代社会学において捉え直す作業の予備作業として不可欠なものだと思われる。

なお、さらにここで、『祖型』と『共同主観性の現象学』の廣松執筆部分（以下では『共同主観性』と略記する）との関係はどうなっているのかについても補足しておく。執筆の時期や経緯からいえば（廣松［1997a：407-412］参照、および同書の小林昌人による「解題」も参照）、『共同主観性』の方が早い段階での仕事であるが、結果的に『祖型』では必ずしも十分に展開できなかった廣松自身の立場のある部面を正面から論じたのが、この『共同主観性』であるということができる。内容面でいえば、『祖型』での主題の限定上、正面からは取り扱われなかった論点のうち、発生論的、行動発達論的な側面が示されたのが『共同主観性』であるといってよい。ただし、『祖型』執筆時、ほぼ時を同じくして廣松は雑誌『思想』（岩波書店）に「役割理論の再構築のために」（廣松

［1996a］）を執筆している。社会学的行為論とも関連する廣松役割理論の展開に関してはその論考が参照されるべきであるが、『共同主観性』は、発達論的部面という限定はあるにせよ、『祖型』とこの「役割理論」論文の議論の基底にある廣松哲学の真髄、とりわけ彼の『存在と意味』第二巻に結実する後期廣松実践哲学の真髄を、コンパクトな形でいかんなく発揮したものであるといえよう。したがって、以下ではまず『祖型』での廣松の思索を追い、さらに『共同主観性』にも簡潔に言及しつつ、前期シュッツを読み解くことにしたいと思う。

［3］前期シュッツにおける意味と他者理解

シュッツの生前唯一の著書 *Der sinnhafte Aufbau der sozialen Welt*（廣松はこれを「社会的世界の意味構成態」と訳す場合がある。本章では『意味構成』と略記している）を丹念に読み解きながら自説を展開するというノート形式の『現象学的社会学の祖型』のなかで、廣松自身しばしば、現象学やシュッツの議論の展開に読者は「忍耐力の限界を感じておられる」であろうと慨嘆してみせる（たとえば廣松［1997a：116］参照）。たしかに廣松が指摘するように、長い時間をかけてパッチ・ワーク風に成ったシュッツのこの著作を読み解くには、読者の側にも相当の忍耐を強いることになる。部分的にはさらに廣松が、シュッツは「仰々しく当然事」を並び立てると嘆く場面もあるとはいえ、しかしながら——誤解のないように願いたいのだが——廣松がこの著作の解読作業に着手した理由は、先にも記したようにシュッツに学ぶところが大であると廣松がみなしたからであった。もちろん、廣松自身の言葉を用いれば「偉大なる前車の轍」（廣松［1997a：388］）を踏まないように、その轍を闡明に示したのが『祖型』であったことも、急いで繰り返し付け加えなければならないが。

さて、廣松の根本的問いはまず、ヴェーバーの方法論的個人主義といわれるものが「存在論的にも個体主義的な了解」になっていないかどうかという点にある。つまり「出発点における設定そのものが一つの問題である」（廣松［1997a：38–39］）。個人の「主観的に思念された意味」から出発する理解社会学が、そしてその哲学的基礎づけを問題にしたシュッツの現象学的社会学が、まずもって問題にした「意識的行動過程などというものは行為全体からみれば一局面にすぎない」。だから現象学的な理解社会学は限界をもつ、というだけならば、先にもふれたように、よくあるヴェーバー—シュッツ批判の手口である。だが、廣松の議論の興味深さはその先にある。それはたとえば、こうした議論の幕間、あるいは行間にみられる、「人間行為は舞台的場面による規制や共演的他者による興発という契機」が重要であるといった言説の対置にある（廣松［1997a：41］）。そしてこれがこの彼の書の一貫した論述スタイルである。要するにそこには、廣松自身のスタンスが書き込まれている。後述することではあるが、それは、近代の知の躓《つまず》きの石、とりわけ「意識の各私性」、「認識の三項性」、「意識の内在性」という前提的臆断への批判を背景とした言説である。

そこで早速、シュッツの議論の内容に立ち入ろう。廣松が手際よく示しているように、シュッツが『意味構成』でまず問題にしたのは意味なる概念の多義性（五層）であり、それにかかわる理解社会学の三大問題圏である。シュッツが示した多層的な意味を三つにまとめて簡潔に記しておけば、まず他者との関係に先立って行為が内具している意味、次に対他者関係にある行為者のもつ多様な意味、そして最後に学理的観察者が解明的に理解するそれらの意味内容、とまとめられよう（廣松［1997a：45］）。

そして、この解析を受けて社会的行為に関してシュッツが提示した三つの問題圏とは、①意味、とくに意味付与とは何であり、②有意味なものとして、他我（他者の自我）がどのように先与されるのか、そして③自我は他我をいかに理解するのか、という問題群である。すでに筆者がふれたように「意味問題は時間問題である」とし、「意味は回顧的・回向的な眼差しのうちに与えられる」とするシュッツの視点からみれば、意味、動機、行為といった社会的行為に関するヴェーバーの基本的諸概念は不十分なものである。

そこでシュッツは、「〜するために」（Um-zu）と表現できる目的動機（廣松は目的性動機と訳す）と「〜だから」（Weil）と表現できる理由動機（廣松は理由性動機と訳す）の区別を行いつつ、まさにいま進行中の行為、つまり「遂行的行為」（Handeln）とその結果としての完遂された行為、つまり「所業的行為」（Handelung）の区別も行い、さらに仮性の理由動機と真性の理由動機の区別といった論点も導入して、ヴェーバー理解社会学の改善を図る。ただし最後の論点、つまり「〜するために」の目的動機を「〜だから」という理由の文で置き換え可能な「仮性の」理由動機（たとえば、お金を入手するためにという殺人の動機を、お金が欲しかったから殺した、という置き換え可能性）ではない、真性の理由性動機について、シュッツはそれが「投企そのことの構成を説明する」と述べていた。だが廣松からみれば、シュッツがそこからフュア・ウンスに（学知的に）客観的駆動因の考究へは進まず、あくまで真性の理由動機は「回向的な眼差し」の埒内にあること、言い換えれば、行為者本人に過去完了的な「事後的な自己回釈」（廣松［1997a：80］）によるとする点を見咎めざるをえない。いまここではこれ以上詳細な点には立ち入れないが、少なくとも廣松の立場からは、「意味」そのものの存立を問う必要性がそこで説かれるのである（廣松［1997a：67］）。

　ところで、こうしたシュッツの議論はたしかにその多くをフッサール現象学の用語法に負うが、廣松はシュッツの議論のなかに、「ベルグソンの翳」をみる。スルバールなども指摘することだが（Wagner & Srubar［1984］）、シュッツにおいてはむしろベルクソンの先行的受容があった。それゆえ、フッサール用語の使用は、むしろベルクソンとシンクロナイズする部面に限定されていると廣松は指摘する（廣松［1997a：102］）。

　しかし、この点以上にいま内容的に問題としなければならないのは次の諸点であろう。すなわち、シュッツが体験それ自体は意味附帯的ではない（Sinnloss）とした点、およびシュッツのとる立場では体験は反省以前的にもすでに「私の体験」であって、「体験流」といえども非人称、前人称ではないと了解できる点である（廣松［1997a：119］）。シュッツはたしかに意味概念の拡張作業をおこない、体験をあらかじめ与えられている経験の全体連関のなかに組み入れること、簡潔にいえば、経験図式（解釈図式）の引照による「再認の総合」によって意味の生成を説くが、そうしたとしてもそれは基本的に「自己回釈」の理路となっている点が廣松によって指摘されるのである。

しかしながら、こうした論点と並んで、シュッツには「同時体験論」も存在する。それもたぶんにベルクソンの影響ではあるが、シュッツはベルクソンの同時性の議論（Bergson［1888］）を用いて、相互行為者双方の、持続の共実存、交叉、同型性、そして（廣松の訳語を用いれば）偕同老化（Zusammenaltern, growing（getting）older together）を説く。それは廣松が指摘するように、なるほど手厳しくいえば「シェーラーとは異なり、超人称的な体験流をシュッツは考えない」（廣松［1997a：156］）ともいえそうだが、少なくともシェーラー的なそうした文脈がこの時点でもシュッツにあったことまでは確実にいえるように思われるし、逆にそのことの萌芽を批判的にせよ廣松がきちんと摘出したのはひとつの卓見であった。廣松は十分に記していないが、後期シュッツがフッサールを批判して、コミュニケーションの基底を問題にしたとき、後期シュッツがみていたのはおそらくこうした文脈での理路であるといえるからだ。

後期シュッツはいう。フッサールにおいては「はじめから諸人格間の顕在的あるいは潜在的なコミュニケーションが自明視され、そして社会性がコミュニケーション的行為によって構成されるものと定義されている。間主観的世界のすべての構成の基礎であるコミュニケーション的環境は、フッサールに従えば、相互理解と相互合意の関係において生起し、そして翻ってこの関係がコミュニケーションに基づけられている。しかしながら、コミュニケーションは、それ自身が基づけられている社会関係をすでに前提にしているのである」（Schutz［1966：38＝1998：83］)。もっとも、この論点がシュッツの音楽論にみられるような「相互同調関係」（mutual tuning－in relationship）の議論と重なるものとして示唆されるとしても、その考究が徹底的に彼によって押し進められてきたと断言することには無理がともなうかもしれない。その点では、シュッツよりも後時世代である廣松による

〈始原に立ち返る〉徹底性は特筆すべきであろう。

さて、他我認識問題という近代哲学の難問に関して、他者理解の可能性を当然事とみなしてすませるわけにはいかない廣松は（廣松［1997a：139］）、この他我認識問題のパラダイム転換、あるいは――同じ事態を別の側面から表現するならば――間主観性問題のパラダイム転換をめざして、さらにフッサールの他者論へと立ち返る。これは初出の連載稿において、「シュッツの他者理解論」の「外篇」として論究されていた部分である。ただし、この部分は廣松自身によって、『祖型』編集時点においてはカットされ、後日『フッサール現象学への視角』（廣松［1994］→のちに『廣松渉著作集』第七巻（廣松［1997b］）に収録）として成書化されている。ここでは議論の必要上、『祖型』ではカットされた箇所の概要をも手短にまとめておきたい。

シュッツが継承的展開を期していたフッサールの他我論（「超越論的―現象学的な他者論」）を配視する廣松の作業過程は、フッサール『デカルト的省察』第五省察の他我論を一瞥したのち、主として『論理学研究』（初版と再版の差異にも留意しながら）に立ち返ってから、いわゆる『イデーンI』までたどり直す検討作業としてなされた。だからそれは、間主観性問題がフッサールにおいていかにして登場してきたのかを追う作業でもあった。そこで廣松は、認識の間主観的一致の問題がフッサールにとって他者を主題化するゆえんであったとし、またそこには意識の「志向性」という主題をはじめとして興味深い論点も含まれているとする。

しかし、廣松からすれば、たとえばノエシス（志向作用）の捉える志向対象《ノエマ》の、その中心的なノエマ的契機、「純然たるX」も不分明であれば、ノエマと（超越的）対象との関係も不分明であり、結局のところフッサールにあっては体験流の各私性から逃れられていないと論判され、フッサールの「意識対象―意識内容―意識作用」という認識の三項図式が批判されて、最終的にフッサールのこの試みがうまくいっていないと論難される。つまり、廣松にいわせれば、「フッサールの〝志向！〟は判るが、趣向は実は判らない」（廣松［1994→1997b：376］）のである。そこで、「意識内容の神話を克服する第一着手は、フェノメナリスティックな見地に一旦立帰り、如実の体験相に定位しつつその被媒介的存立構制を正しく捉え返すこと」（廣松［1994→1997b：377］）が廣松によって提唱される（なお、かつて筆者が指摘したことではあるが（西原［1998a］Ⅸ章参照）、この論点はいわゆる前期の廣松哲学（一九八二年の『存在と意味』第一巻が刊行されるまでの時期を暫定的に「前期」と称する）から一貫した主張であることは付け加えるまでもないであろうが）。

さて、こうした作業をへて、廣松は再びシュッツに立ち戻り、シュッツの「他我としての汝の一般定立」の議論を俎上に載せる。この〈他我の一般定立〉とは、要するに他者の具体的なありよう（相在）ではなく、他者がそこにいること（定在）の認知であるが、廣松はここでも、そうした他者の定在を出発点にしようとするシュッツのここでの議論が、二つの体験流の持続の「同時性」をもって他我認識を定礎する「偕同老化」論にみられるシュッツの「同時体験」論と、齟齬を来すことを看破する（廣松［1997a：187］）。つまり、『意味構成』段階での行為と意味と他者理解のこうしたシュッツの議論に関して、廣松は「……意識作用の作（はたら）き方が間主観的同調性・共同主観的同型性をもつように形成されることと他者理解の現成との相互媒介性を具象的には勘案していない」（廣松［1997a：191］）という点が、シュッツの「理論の構造上、大いなる落丁」であって、シュッツにあっては「可能性の条件」が十分に説かれずに、それが一種の論件先取になっている点すらあると批判されるのである（廣松［1997a：192］）。

［4］シュッツの社会的世界論をめぐって――廣松シュッツ論の展開

廣松が検討の俎上に載せたシュッツの主著『意味構成』は、あらためて廣松用語を使ってまとめ直せば、第一章でヴェーバー理解社会学の基礎概念に関する問題提起をおこない、第二章で自己回釈（邦訳では「自己解釈」）

の理路を展開し、第三章で他者理解論の基本線を展開していた。廣松は、シュッツのこの主著 *Der Sinnhafte Aufbau der sozialen Welt* の記述・分析の流れに沿って検討しながら、シュッツの論理構成や前提的視座を問題化してきたのだった。そうした議論を受けながら、廣松はさらにこの『意味構成』の第四章「社会的世界の構造分析」、および最終第五章「理解社会学の根本問題」を検討する。ここでは、社会的世界の構造分析に焦点化して廣松の指摘をみておくことにしよう。

廣松が的確に示しているように、シュッツの社会的世界の構造分析は、行為者の主観に内在して、自他関係の時間空間的な布置状況を念頭に、行為者が取り結ぶ対他対自的な関係性の四つの「種別」を論じたものである。簡単に示せば、自他が時空を共有する共在世界（Umwelt：廣松は「監視世界」と訳す）、時間のみを共有する同時世界（Mitwelt）、過去の先時世界（Vorwelt）、未来の後時世界（Folgewelt）である。シュッツは、そうした社会的世界の議論を、社会的関連の二つのあり方をもって論じはじめてきたのだが、廣松にとっても、彼が「他我の一般定立」に着目し、さらにさかのぼってシュッツにおける〈自己回釈の理路〉と〈同時体験の理路〉を摘出していたのであるから、そのまなざしは当然この社会的関連（社会関係＝〈間〉）論に注がれることになる。

シュッツはここで、主として「監視世界」内での社会的関連の二重的概念として、――任意の行為者の一方向的な関係でよいのだが――一方で他者の定在にかかわる「一般定立」よりも広い概念としての、愛憎をも含む他己覯対《こうたい》（Fremdeinstellung：社会学では他者定位という訳が一般化している）と、それが導き出す関連、つまり覯対関連（定位連関という訳もある）を示し、他方で自発能動的な投企による社会的作用である他己誘働（Fremdwirken）とその誘働関連を示す（廣松［1997a：207f.］）。それは、シュッツの立場からみれば、汝覯対（Dueinstellung）＝汝定位を基礎にして自己と他己の共在の現認にいたる理路であり、自他が一緒に同時的に飛ぶ鳥を眺め遣る「鳥の共観」を例とする、同時性ないしは〈偕同老化〉の論点の展開であった。

だが廣松からみれば、この展開はあまりにも唐突であると映る。シュッツは「突然のように」ここで、「我々という基底的関係の先与性」をもち出すかのように廣松にはみえる（廣松［1997a：220］）。にもかかわらず、シュッツは、この関係が「どのようにして超越論的主観から構成されるか」という問いをペンディングにこそすれ（シュッツはとりあえず『意味構成』第二章末尾で「現象学的心理学」ないしは「自然的態度の（構成的）現象学」の立場をとると宣言していた）、けっしてその問いを手放してはいない（事実、シュッツは同書末尾でこの課題を掲げていた）。だからこの問いは、シュッツにとって「荷の重い課題」（廣松［1997a：224］）とならざるをえない。シュッツは、「我々の世界は……我々に共通な・間主観的な一つの世界」であることを指摘し、それとの関係で「相互方向づけという共同体験」や「分割されざる統一的な流れ」を語る（廣松［1997a：240f.］）。が、廣松からすれば、監視世界内での誘働連関にある当事者たちの他者理解の体験的意識事態に関するシュッツの記述的分析は「すぐれている」（廣松［1997a：244］）といいえても、シュッツが「純粋我々から汝についての経験を構成する」という課題に答えているとは思われないといわざるをえない。

このように、フッサール学徒シュッツが終生抱え込んでいたようにみえるアンビヴァレンスを、廣松は前期シュッツのこの地点でも鋭く読み取っていたわけである。実際、後期シュッツが、フッサールの超越論的な間主観性の構成を批判するようになるその展開の芽を、廣松は前期シュッツのこの段階で見通していたことになる。そして廣松は、シュッツにおける自己回帰論と同時体験論の混在を的確に指摘しつつ、返す刀で、シュッツは問答的理解の構成を十全には配視していない、つまり役割論的な立論がない、あるいは主体の側での二肢性（本章の後述［5］参照）に目を向けていない、と論難して自説を対置しようとするのである。この点との絡みで、廣松は、シュッツが論じたIhrbeziehung（廣松は、「彼ら関係」と訳されることの多いこの語――英訳でもthey-relationshipなどと訳される――の問題点を指摘し、Ihrはドイツ語では二人称複数の人称名詞であるので、むしろ汝等関連と訳すことを提案する）に強い関心を示すことになる。監視世界のDuとは異なって、類型（Typus：廣松は「範型」と訳す）論や理念型論にかかわる非「監視世界」の他者たるIhrは、廣松の役柄・役柄存在という概念とも密接に関係するからである（廣松役割論に関しては西原［1998a］IX章参照）。

そこで、この類型論にかかわる論点にも言及しておこう。シュッツはまず、範型的行為と範型的人格を論じ、後者に関して、その①径行的範型（経過類型）と②人格的理念型とを区別する。そこでは「類型の発生論が具体的に展開されているわけではない」（廣松［1997a：280］）が、行為者の行為の径行（＝経過）と人格的理念型との相互関係は興味深いものがある。とりわけシュッツの場合、人格的理念型とは、①人物特定理念型と、②実質的理念型ないしは慣行様態理念型（＝習慣的habituelle理念型＝廣松の「役柄存在」）とに分かたれる。慣行様態理念型と径行的範型との関係をいま問わないとすれば、さらにまたシュッツが論じた社会的集合体（sozialen Kollektiva）、文化対象、人工品・道具類の関係如何をも問わないとすれば、廣松のいうように、こうした議論は「K・レーヴィットやG・ミードの人格論ではカヴァーできない方面を先駆的に討究している」（廣松［1997a：304］）とはいえよう。加えて、廣松からみれば、従来の（社会学的な）役割論にあっては、制度的機構の物象化的成立の機序の方面での論考が欠落しているが、それとの比較のうえでは問題の核心を「シュッツは彼特有の視角で配視している」（廣松［1997a：291］）と評価されるわけである。

しかしながら、そうした学ぶべき点があるにせよ、シュッツにおいては、「人間の遂行的行為径行の様式が類型的に定型化する経緯、人間行動の相互主体的規制や影響に因る定型化の機制、この部門はおよそ十全には主題化されていない」（廣松［1997a：311］）し、行為舞台的用在性や道具性の議論も不十分であって役割理論もない（廣松［1997a：304］）、とも断罪された。もちろんくれぐれも誤解のないように願いたいのだが、廣松が論じる「役割」は、一般に社会学者が論じる役割よりも基底的な準位で論じられており、地位―役割という社会学者の道具立てにみられる〝役割〟は、廣松にあっては「役割」が物象化された準位での「役柄」と概念化されている。そうした理論的背景を垣間みせながら、廣松は「制度化・機構化の成立機序と存立構造を、役割行動の物象化、それの構造内一契機ともいうべき意識態のObjectivationの問題と絡めて展開すべき」（廣松［1997a：304］）であることを提唱するのである。後にもふれるように、この論点が『存在と意味』第二巻「実践的世界の存在構造」に結実しはじめていくことはいうまでもないだろう。

さらに廣松は議論を続けて、先時世界や後時世界に論及しながら、歴史学をはじめとする社会諸科学のシュッツの議論を押さえつつ、シュッツの理解社会学に関する最終的な位置づけにも論及する。そこではシュッツの議論が解釈者による意味の投入という構図をいくばくも出ないことを論難し、結局のところここにおいてもシュッツは、体験流の人称帰属性のドグマにとらわれていると結論づけている点を指摘しておくにとどめよう。廣松によるシュッツへの主要な批判点はすでに闡明《せんめい》になっていると思われるからだ。

こうして廣松は、最終的に、一方でDueinstellungとIhreinstellungの区別は「シュッツの一大業績」（廣松[1997a：367]）と評価しつつ、彼自身の立場をさらに敷衍して、①人格的範型、②径行的（役柄）範型、そして特種的総合において存立する③制度的範型（単なる集合ではない）が区別されるべきことを主張する。そして、同時に、殺すために（目標）に刺す（手段）という事実的活動（事実性）が、復讐するという目的を達成することになるその価値性を指摘することによって、シュッツのいう所業的行為の概念の二義性をも指摘する。言い換えれば、廣松は、「事実的遂行活動は、目標実現の手段たるかぎりで、目的達成の手段機能を有つ」（廣松[1997a：387]）という「事実的目標―価値的目的」の二肢的二重性を明示する。かくして『祖型』における廣松は、発生論、役割理論を横目に睨みつつ、「デュルケーム主義」と「ウェーバー主義」にみられる根底の社会実体論―個人実体論の対立ヒュポダイムそのものを超克すべく、「関係行為」へという視座・主張を最終的に鮮明にしたのである。

[5] 小括——シュッツ越しにみる廣松社会哲学と間主観性の発生論的基底

廣松の『存在と意味』第二巻の書かれざる第三篇をも睨んだ論点が、彼の早すぎる死によって、彼自身の手で成書化されることはなくなってしまった。しかし、以上の筋立てのなかから、彼が『存在と意味』第二巻全体で論じようとしたことの一端は、本章を通して垣間みることができるであろう。その諸論点を、未刊部分を含めて再構成するのは資料的にももう少し検討を要するにしても、『存在と意味』第二巻の既刊部分で明確に語られているように、「『認識的世界』すなわち『認知的な関心の構えに対して展らける世界』なるものは、如実の実践的世界における実践的関心性を捨象することにおいて方法論的に抽出されたもの」で、「それは元々〝実践的世界の一相面〟にほかならなかった」のであり、「当事者の直覚的な体験相においては環界的現相が一定の情動興起性・行動誘発性を帯びた相で感得される」という視座から出発する「表情世界からの再出発」は、この時点においても読み取ることができるのである(5)。

要するにそれは、『存在と意味』第一巻と第二巻をつなぐ中間地点で書かれたものとして位置を占めつつ、「所与—所識、能知—能識」という彼の「四肢構造論」の、その後者の(主体側の契機たる)問題系を、「対他対自的関係性の場」ないしは「間主体的な場」において、「関係行為」ないしは「役割的協働連関」の発生論的な視座から問題にした「能為的誰某—役柄的或者」という第二巻の表現に結実していくものである。

別の言い方をすれば、『祖型』の作業は、第一巻の「意識対象—意識内容—意識作用」の三項図式に対応する、第二巻の「客体—用具—主体」ないしは「外物—肉体—心」の「三体図式」を止揚しようとする途上の、不可避な作業の一端であったのである。さらに『祖型』との関係でもう一言付け加えておけば、「実践的な関心の構えに対して展らける世界現相の分節態は、その都度すでに、単なる認知的所与より以上の或るもの（価値性を〝帯びた〟或るもの）として覚知される」のであって、実践的世界は、レアールな「実在的所与」「能為的誰某」とイデアールな「意義的価値」「役柄的或者」との四契機からなる「四肢的連関態」をなしているという視点につながっていたのである。

もちろん、『祖型』段階での作業は完結していたわけではない。廣松自身、先に示したように、当初はこの作業を「社会的行為論ノート」と記していたわけだし、成書においても「A・シュッツ研究ノート」と副題が記されて、読書ノート的な役割をもたされていたことも事実である。だから、読書ノートのいわば欄外記入として、そこに豊穣な材料がみられるにしても、それだけで著者として完結していたとするわけにはもちろんいかない。これまた先に記したように、ほぼ同時期、廣松は「役割理論の再構築のために」を執筆しており、少なくともその連載と併せて『祖型』を再検討の俎上に載せる必要があるし、さらにこの二つの連載の基底的な出発点に立つ『共同主観性の現象学』の廣松執筆部分がつぶさに検討されなければならないだろう。その検討によって、廣松シュッツ論が何を目指そうとしていたのかがいっそうはっきりと示されてくるので、最後に「共同主観性の発生論的基柢」を中心に――さらには次章でのシュッツ間主観性論との対置のためにも――そのポイントだけでも簡潔に追っておきたいと思う。

「はしがき」に執筆経緯が詳細に記されている『共同主観性の現象学』と題された増山眞緒子との共著は、だが既成の現象学の思潮の紹介・検討ではない。それは、著者年来のキータームである「共同主観性」の、その成立機序を真正面から発生論的に論じた論考である。「共同主観性の発生論的基柢」の一点突破式の戦略的一要件は「生体は振動系である」という点にある（廣松［1997a：479］）。生体は、あたかも二つのピアノが共鳴し合うかのように共振し合う。対象的振動体と生体的振動態とを包括する一大振動系、共振的振動系（「振動の引き込みによる同調化の機制」）の形成（廣松［1997a：482］）、ここに廣松は間主観性（廣松の用語では「共同主観性」）の発生論的基柢をみる。

「いわゆる意識事態は、原初的には、人称帰属以前的＝前人称的である」という、すでにシュッツの検討においてもふれてきた論点が指摘されて、そこにおける「原基的な体験層においては、一切の現相が悉く表情感得される」（廣松［1997a：456］）とここでは強調される。「表情感得」とは、（既成の用語法に乗って語るならば）「知覚的認知と感情的興発と反応的態勢との融合的感受である」（廣松［1997a：455］）が、廣松は、発達心理学や神経生理学等の知見をも参照しながら、乳児にとっては、さながらあの「チェシャ猫の笑い」のごとく母親の微笑という「表情」がまずは感得される点を指摘する。「表情理解」とは区別された、「情緒価と協応価とを内自化せる知覚的現認」である表情感得を原基とし、条件反射説をも援用して行動発達論的な発生論がここにおいて説得的に展開されるのである。

それほど長大ではないこの論考ではあるが、だがそこではこうした自他未分の共振状態のみが説かれるだけではない。嬰児は、能動感・受動感の現認をひとつの契機に皮膚的界面性を覚知していき、そうした体験相をへて、自他の分立、精神と肉体、内界と外界の二元化といった意識事態も可能となるという点も指摘される。もちろん、こうした自己認知のためには、「他者鏡」という他者との相互行為・自他の関係性が不可欠であることは論をまたない。その点に、社会的行為への廣松の着目点や廣松実践哲学の狙いが示されているということができるわけだが、だがこの議論は、さらに、「視線の読み」といった本具的なものの解発にも関係してくる論点である。

この最後の「視線の読み」という論点は、たとえば「他人の視線を追い、その凝視対象を直截に同定する原基的な機制が現存することによって、対象物与件の『共観《シュノプシス》』が可能となり、そのおかげで、言語習得過程にさいして指示対象の個定的理解ということが可能になる」（廣松［1997a：501］）という点にまで、射程が及んでいく。それゆえ、この小論は、内容においてとてつもなく肥沃な土壌となっているといえよう。だが、廣松亡き後、その土壌に花を咲かせ、実を結ばせるべく継承的展開を図るのは、後に残された者の仕事となろう。そのためには、先にもふれたように、別著「役割理論の再構築のために」をも参照して『存在と意味』第二巻の到達点をふまえるべき作業があるとしても、この廣松の小論それ自体が恰好の序論的な出発点と到達点の「祖型」を示すものということができよう。

こうして、廣松の思索は、実践哲学・社会哲学の新たな「再出発」に立脚しつつ、「社会的行為論」の領域でわれわれに大きな足跡を残した。だが、廣松物象化論によって批判される物象化された側面ではあれ、シュッツの仕事のひとつの中心であった「主観的意味世界」の重視・検討という「限られた」課題は、それだけでも本来はたいへんな作業である。その作業を廣松はもちろん否定しはしないだろう。むしろ、彼の批判的な言説は、その作業のもつ意味や位置に対して無自覚に関与している人に対して発せられているとみなすべきである。

シュッツ自身はその点に無自覚ではなかった。すでにその一部にふれてきたように、われわれは、後期シュッツがフッサールの超越論的間主観性論をはじめとするフッサールのいくつかの基本概念を批判して、彼自身がコミュニケーションの基盤を問題にしようとしていた点、さらには——もはやここでは詳しく立ち入るだけの紙幅の余裕はないが——グルヴィッチへの私信のなかで、シュッツ自らのエゴロジーが「教育的な」措置であることを語っている点などを容易に確かめることができる（次章参照）。にもかかわらず、シュッツが実際に書物の形で表したもの、しかもフッサール超越論哲学自身の行方を必ずしも見定められていなかった一九三二年の時点での〝主著〟を中心にみるかぎり、廣松の立場からすれば、「批判的継承」を云々せざるをえなかったことはたしかであった。

そして、いま「廣松の立場からすれば」と記したが、社会学の立場からは、とりわけ現象学的社会学の立場からすれば、シュッツのなかにある二面性を見咎める以上に、現象学的哲学と社会学的思考の両睨み（言い換えれば、シュッツ理論の複眼性）の視点にこそ意味を見いだそうとする者（＝筆者）にとって（西原編［1991］）、廣松のこうした試みが、少なくとも哲学と社会諸科学との対話の道を切り拓いたことまでは確かである。

近代の知のありように対する廣松の批判に大きな意味を認めるか否か、かつまた廣松の物象化論の展開に、それゆえ彼の実践哲学や発生論的な議論に社会科学者はもっと目を向けるべきであるという点に共感するか否か、そして廣松がパラダイムチェンジを図ろうとした点を高く評価するか否かにかかわらず、廣松実践哲学・社会哲学が、『現象学的社会学の祖型』を中心として少なくとも右に述べたような対話の扉を開いたことは間違いない。社会学徒として筆者自身は、廣松によるシュッツの発生論的思考の側面への誘いとともに、この点をも高く評価したいと思っている。しかしながら、シュッツをひとつの端緒とする社会研究へのこの扉をさらに大きく開くのは、社会科学者たちの側の役目としても残されているといわざるをえない。

さてそこで、次章からの二つの章では、廣松が必ずしも十分には配視しえなかった（主として後期の）シュッツ現象学的社会学の発生論的思考を中心に、その輪郭を押さえておきたい。そこから以降、筆者の視線はとくに社会理論の展開によりいっそう向けられていくことになるであろう。

5章　後期シュッツと現象学的社会学の新地平——現象学者たちとの対話

［1］ニューヨークのシュッツ——その対話者たち

すでに前章でみたように、一九三九年に渡米したシュッツは、亡くなるまでのほぼ二十年をニューヨークで過ごした。一九四〇年代、五〇年代のニューヨークである。マンハッタンのセントラルパークの隣にあったシュッツの住居は、交通機関を使えば、勤務校のニュースクール（New School for Social Research）のみならず、コロンビア大学などもすぐ近くであった。シュッツの教え子、ネイタンソンによれば、夜間の大学院の授業から帰宅したシュッツは、そのままピアノに向かうことも少なくなく、ときには歌も歌ってみせたという（西原［1997］）。ファシズムが吹き荒れた一九三〇年代はいうまでもなく、時代はいつもすべて興味深いといえばいえる。この四〇年代、五〇年代という二十年にわたる時代もまた、ニューヨークのシュッツおよび現象学的社会学にとって——そしてとくに本章ではその後半の十年間に着目したいのであるが——は、いろいろな意味で興味深い時代であった。本章では、この時期のシュッツの知的活動を通して現象学的社会学の新地平を描いてみたいと思う。四〇—五〇年代という時代は、本書の視点からみれば、次のことに着目できる。まず第一に、第二次大戦が終結をむかえ、「よそ者」たる「亡命者」を受け入れた「プラグマティスト」の「市民」社会である戦勝国アメリカを核に、資本主義側の秩序が再構築された時代であったこと。第二に、戦後ヨーロッパでは「ファシズム」後の再建が問われ、アメリカ国内では戦地からの「帰郷」といった事態や、社会問題としての公民権運動・人種差別問題、「平等」が大きな争点になりはじめていた時代であったこと。第三に、アカデミズムに目を向けると、戦後、世界の「社会学」がパーソンズ機能主義を柱としてアメリカ中心に新しい展開を示しはじめたと同時に、ヨーロッパとくにフランスを中心に「現象学」も新しい展開を示しはじめる時期であったこと。これらの事態を、亡命者シュッツはすべて論題にしているといってよい。第四に、五〇年代は、それに続く六〇年代という新しい知の変動（西原［1998a］Ⅱ章参照）の扉を開く時期でもあったこと。それは、思想界の多様な新思潮を生み出す契機となると同時に、六〇年代以降、本格的にシュッツに影響を受けた社会学がアメリカ社会学の一部で注目され受容されはじめる時代でもあり、さらにまたそれが、八〇年代の統合的な社会学理論の一部（「主観主義的社会学」）として受け継がれるといった流れを生み出すスタートの時期でもあった。しかしながら、六〇年以降のアメリカ社会学を中心とする社会学の歴史は、はたしてシュッツ現象学的社会学の可能性の中心を的確に捉えてきたであろうか。

本章は、シュッツ研究の進展のなかで新たに示されてきた資料をも参照しながら、五〇年代のシュッツに焦点を当て、ニューヨーク在住期にシュッツが内外の思索者たちと交わした「対話」を媒介として、この時期のシュッツが目指そうとしていた方向を明るみに出す作業である。それは、「一人称的社会観」（下田［1978：78］）といった主観主義的に了解されがちであったシュッツ現象学的社会学像を再検討するものであると同時に、アメリカ社会学におけるシュッツ受容の歴史にも再検討を迫る契機につながると期待できる。

そこでまず、この「再検討」に関して――「亡命者」シュッツ内在的にいえば――渡米後のほぼ二十年間は、シュッツ自身においてアメリカ哲学・アメリカ社会学との対話の時期でもあり、また同時に戦後世界で蠢《うごめ》きだした現象学の進展をふまえた新しい段階の現象学的思潮の展開期でもあったことを確認しておきたい。それゆえこの時期が、現象学的社会学にとっては、その後のこの思潮のあらためての出発点となる時代であったのではないだろうか。本章の着目点はこの点にある。そのため、この時期のシュッツ現象学的社会学の内実を追うことが本章の課題となるのである。

筆者はこれまで、この時代におけるシュッツの思考の「微妙な」変化を、現象学的社会学の五〇年代における新地平として切り出してきた経緯がある（西原［1998a］Ⅲ章参照）。それゆえ、この論点の細部を本章で繰り返すことはさけ、その要諦のみここで簡単に言及しておこう。それは、この時期、音楽論への着目に表されるような「間主観性」ないしは「社会的な相互行為」への着目が核心となる社会理論の再構成がシュッツによって目指された、と要約できるだろう。とりわけ、後から振り返ってみて、一九四八年から五一年にかけてのシュッツの新しい著作の企図と実行とその挫折が、シュッツにとっての大きな転機となったとみるわけである。(1) われわれ現代の社会学徒がいかなる点をシュッツのこの「新地平」から学びうるのかという点を念頭において、以下検討を加えていきたい。

さてシュッツは、よく知られているように、ヨーロッパで知的訓練を受けて興味深いヴェーバー研究と行為論を展開していたパーソンズと、しばしば往復書簡で議論した。その議論内容については内外ですでに多くの検討がなされているので立ち入らないが（たとえば那須［1997］参照）、渡米直後からシュッツとアメリカの思索者たちとの本格的「対話」は始まっていたことをまず確認しておきたい。シュッツは、ヴェーバー社会学に関心をもち、ベルクソンとフッサールに影響を受け、三二年に『社会的世界の意味構成』を出版したのちも、現象学の強い影響圏のもとで社会科学の基礎づけへの志向を失わずにいた。そして、渡米前には、「現象学的哲学は何よりもまず人間の哲学である」（Schutz［1996：106］）ことを明言しつつ、現象学を核に社会科学の検討を志向していた。それゆえ、シュッツが渡米後すぐにさまざまな思索者との対話に積極的に向かっていったのは、いわばその関心からみて当然のことであった。さらにこの志向は、本章がまずもって着目する次の論点とも密接に絡み合う。

すなわち、右と同じ文献のなかで、渡米直前のシュッツは次のように書いている。「一方で、超越論的現象学は、生活世界の構成を超越論的主観性の所産に限定する。他方で、それははじめから、この生活世界の共同構成要素として、そしてそれによって、あらゆる文化科学と社会科学の根本現象の共同構成要素として、他我を同時に措定するのである。かくして、後者の命題は、前者の第一の命題のもつ独我論をいかにして克服するのか、ということを論証する課題をもっているのである」(Schutz [1996：107]、強調はシュッツ)。

哲学と社会科学(あるいはもっと限定していえば、現象学と社会学)、独我論とその克服の理路(あるいは主観性論と間主観性論)など、ニューヨークのシュッツに対しては、こうした複眼的な文脈、ないしはやがてシュッツが明確に表明することになる「中間領域」[2]という場からみた二項間の重要検討課題が待ちかまえていた。

だが、不幸にも四〇年代初頭のパーソンズとの対話は不首尾なうちに終わった。四五年公刊の「多元的現実について」という論考は、ガーフィンケルやゴフマンなど、アメリカの社会学者に大きな影響を与えたものだが、むしろその後の四〇年代半ばから五〇年代初頭のシュッツの仕事は、次なる段階へ向けた大いなる助走の時期だったと表現できるのかもしれない。事実、この時期のシュッツは、いくつかの論考を未完成のままに止めねばならなかったし、完成させた論文においてもしばしば末尾において今後解かれるべき課題を呈示せざるをえなかった。別の言い方をすれば、こうした時期は、かつてニュースクール着任時にアルヴィン・ジョンソン学長にいわれたように、現象学はアメリカの学生には難しいので直接教えないようにといった趣旨の助言のもと、シュッツがアメリカのさまざまな知的潮流との「対話」に努めた時期なのかもしれない。

シュッツは、アメリカのいわゆるプラグマティスト哲学者(ジェームズ、デューイ、ミードら)と積極的に(時間を超えた)対話を行った。たとえば、シュッツは四〇年代早々に、フッサールも着目していたW・ジェームズの議論が現象学に近しいという観点から書かれた論考を公刊する(Schutz [1966＝1998])。また、ジェームズの知識論もシュッツによってしばしば引用されるし、多元的現実論の展開においては、ジェームズ『心理学原理』

(1890) での「下位宇宙」の議論との近縁性があることも比較的よく知られている。シュッツはジェームズをかなり好意的にみていた。J・デューイに関しても、シュッツはほぼ一貫して高い評価を下している。デューイの『人間性と行為』は行為を論じるさいにシュッツが好んで引用する文献であった。だが、この二人を含むプラグマティズム全体の思潮の評価に関しては、もう少し複雑な思いがあったようだ。

たとえば、こうした人びととの「対話」が進んだと思われる五〇年代の初頭の論文でも、シュッツは、「ラディカル・プラグマティストは誤っている。なぜなら、ラディカル・プラグマティストは、動機的関連性の体系がわれわれの知識を支配する唯一のものだと考えており、また、行為をあまりにも狭い意味で、しかもしばしば生物学的欲求(needs)とその満足という観点から解釈するからである」(Schutz [1996 : 68])、と述べている。この視点は、シュッツがニュースクールで講義を始めた四三年の時点でも同様であった。「行動主義に関するノート」と題された講義ノートで、シュッツは行動主義を観察者自身の問題を扱えないものとして、四点にわたり批判する[3]。その論旨は、ラディカル・プラグマティスト批判と重なり合うとみてよい。

この点との関連でいえば、ミードに関しても、シュッツは四五年の論文「多元的現実について」では、ミードの「刺激—反応図式の無批判な使用法」を批判していた(Schutz [1964 : 223＝1985 : 30])。しかしながら、シュッツのミード評価は、時代とともに微妙に変化している。一例をあげれば、五二年のフェーゲリン宛の手紙で、シュッツはフッサール、ホワイトヘッド、マルセル、リクールとならんで、ミードにも高い評価を与えている(Schutz [1996 : 222])。シュッツはまた、ミードの主我(I)と客我(me)に関する自我論や「操作領域」の議論を早くから評価していたが、その後ミードの(「現在」を核とする)時間論も高く評価するようになる。ここでは先にあげた観察者の問題に関してシュッツによるミード批判が逆転する一例をあげておこう。「ミードがすでに指摘しているように、行動主義は……観察する行動主義者の行動を説明できない」(Schutz [1962 : 54＝1983 : 116])。シュッツはミードを単なるラディカル・プラグマティストや行動主義者とはみなくなるどころか、高い評価を与えるようになるのである。ちなみに、シュッツの指導のもと、当時の大学院生ネイタンソンは五六年にミード論（Natanson［1956］）を公刊したことを付記しておいてもよいだろう。(4) われわれは、シュッツのこうした微妙な変化をどう考えればいいのだろうか。

こうした「微妙な変化」は、アメリカの思索者たちとの「対話」の深まりによってシュッツのそれまでの誤解がいくぶんなりとも解消するという点があったにせよ、他方でシュッツ自身の思索の進展、あえてもう少しドラスティックに表現すれば、シュッツ思想の「変容」とでも呼ぶことができるような変化が、シュッツ自身にも生じていたことの現れであるといえるのかもしれない。次節では、この点に論及してみよう。

［2］後期シュッツにおける知と身体という問題圏

さて、シュッツの思想は後期、とりわけ五〇年前後から少しずつ変化してきたのではないかというのが筆者の持論であった。もちろん、生涯を通じて変わらぬ点が多々あるのはいうまでもない。しかし逆に、思索者の生涯を通じて「変化がない」というのもおかしなことだろう。その進展・変化の側面に光を当ててみよう。典型例は、フッサールに対する評価である。五〇年代、シュッツはフッサール批判の言葉を本格的に語りはじめる。ただし、その変化の予兆は四〇年代中頃からあった。シュッツの音楽論、サルトル論、関連性論などが鍵である。筆者自身がすでに強調してきたように（西原［1998a］V章）、「音楽」に単なる趣味以上の哲学を読み取っていたシュッツが、いわゆる「初期草稿」（Schütz［1981］）以来、あらためて「音楽の現象学」に取り組んだにもかかわらず、四四年の音楽論文は、「リズム」を考察すると明言しながら断筆される（Schutz［1996：274］）。さらに、四八年刊行のサルトル論文では、相互に「波長を合わせる関係」（「相互同調関係」）が問われなければならないと語られて幕が下ろされる。そして、四八年八月に着手されたいわゆる『関連性《レリヴァンス》草稿』（Schutz [1970＝1996]）は、五一年には中断される。ちなみに、この草稿の構想は、著書のタイトル風に訳せば、「自明性の世界—自然的態度の現象学に向けて—（The World as Taken-For-Granted: Toward a Phenomenology of the Natural Attitude）」（Schutz [1970：viii]）とでも表せる五部構成の研究であり、実際に書かれたのはその第一部の未完成の草稿だけであった。なお、その五部もタイトル風に示しておけば、第一部：関連性問題序論、第二部：人間行為の世界、第三部：社会的世界と社会科学、第四部：多元的現実、第五部：問われえない世界と科学の問題、と表せるであろう（Wagner [1984：95]）。この企図の中断理由の解明それ自体が筆者にとっては興味のあることだが、ここではシュッツがその草稿のなかで語った興味深い一節に目を止めて、筆者の主張の一端を述べておきたい。

ここで着目する一節は、この草稿の成書化された著作の第三章末尾近くで示される見解であって、その前までに一通り三つの関連性（後述）の概念規定とそれらの相互依存性を論じたあとであり、しかもその後の第四章の「発生的解釈」（Genetically Interpreted）や第六章の「構造的解釈」を論じる前のことである。少し長いが、引用を行ってみよう。「本研究の［書かれていない］第三部は、人と人との多様な関係、コミュニケーションの問題、自分だけでなく他の人びとによっても自明視されている世界のなかで他の人びとともに素朴に生きている人びとが経験している、さまざまな形態の社会的、文化的な組織、これらを研究することに当てられるであろう。間主観性という概念が導入された時点では、諸々の関連性概念とそれらの相互依存性［に関する第一部でこれまで書かれた論考］は、すぐさま全面的な書き改めがなされねばならないだろう」（Schutz [1970：73-4＝1996：116]、［］内の補足と強調は引用者）。

もちろん、この「全面的な書き改め」は（シュッツの死という不幸もあって）行われなかったわけだが、それは何を意図し、何を主張しようとしたものなのか。この点は、シュッツ自身が上記の引用文のすぐあとに書き添えている次の一節で明らかになる。すなわち、「自明視されている世界は私の私的世界ではないし、関連性体系もまた、その大部分が私的な体系ではない。知とは、はじめから社会化された知であり、それゆえ関連性体系と自明視されている世界もまた、社会化されている。われわれが、自我なるものの生活史的に規定された状況に関する問題を取り上げるさいには［この書物の第一部の第七章を指すと思われる—引用者］、のちになされるそうした研究の成果［主として第三部のことだと思われる—引用者］を先取りしなければならないであろう。なお、この生活史的に規定された問題は、間主観性の問題に言及することなしには、たとえ部分的にであれ分析することはできないのである」(Schutz［1970：73=1996：116-7］、［ ］内の補足と強調は引用者)。

その七章の内容は、認識のより基底にある「大地」(「根源的方舟」)という後期フッサールの概念への言及、前述語的な「根本的関連性」と社会組織的な「基本的関連性」の区別、「身体」や「リズム」の強調など——こうした論点の多くは次章で再び取り上げる——たいへん興味深いものである(Vaitkus［1991=1996］参照)。しかし、以上までの引用で、コミュニケーションや間主観性の問題がひとつの中心論点だとシュッツによって明言されていた点にも、われわれは止目することができるであろう。

そこで、次節との関係もあって、関連性とかかわる「知」の問題に言及しておこう。シュッツは、日常的な生活世界に生きる人びとの(自然的態度における)知識のあり方を検討したことは間違いない。ただし、ここでいう「知識」ですら、ジェームズに示唆を受けた「盲目的信念」から「十分な確信をもった信念」に至るまでのさまざまな信念なども含むかなり広い意味で用いられている。と同時に、この知識論には「知の等高線」という知識の布置連関に関する知識社会学的議論なども含まれている。もともと「知識」論はかなり射程の広い議論である。そこでここでは、狭い意味でとられる恐れのある知識という語を避けて、「知」という表現を主に用いることにしておきたい。

知は、シュッツの行ったように、(a)①身体や外的世界や他者などの存在に関する実存知(existential

knowledge）と、②技能や習慣としてルーティン化した知とからなる「すでに手中にある知」（knowledge in hand）と、（b）③必要があれば利用可能な「すぐ手許にある知」（knowledge at hand）とに区別されるだろう。たとえば、外国語に関して知識として詳しく知ってる場合は③に近く、それを実際に自由に活用できる場合は②に近い。さらにシュッツは、④「手近にある」（on hand）いわば客観的事物の知についても語っているが、それを含めて知はいずれにせよシュッツ理論にとって要石である。そうした知に基づく日常的な生活世界を解明することがシュッツによってここで目指されたのである。そこで、シュッツ「知の理論」の他の主要点も、本章にとって必要なかぎりでふれておくことにしたい。

まず、シュッツは知の働きの機制を解明しようとした。それがわれわれの関心や選択にかかわる関連性論《レリヴァンス》と呼ばれるものであった。そこでは、動機的関連性、主題的関連性、解釈的関連性が区別されたわけだが、要するにその骨子は、人がそれまで自明であったことを、何ゆえに（動機）、問題として（主題）、解明（解釈）するのかについて、そのそれぞれの機制が問われたのである。その場合、問いの契機としての動機的側面がまず重要であり、シュッツはそれをプラグマティズムに由来する用語である「問題状況」と絡めて論じた。しかし、一方では、ある対象（主題）を知のストック（知の集積）を中心とする解釈図式に従って解明することがシュッツ「知の理論」にとって議論の要諦となり、他方では、その知の集積に基づく解釈図式が動機づけの基礎ともなるし、その動機が主題の設定にもかかわり、その主題に解釈図式の発動自体もまた影響されるというように、そこには相互依存関係がある。こうした論点が先の『関連性草稿』の第三章までの議論の核心であった。

このような知のメカニズムが自動的に動いている場合はとくに問題状況が現れずに、「自明性の世界」が展開されている。それが「自然的態度のエポケー」として、それまでのシュッツによって着目されていた。そうした知は、各自の生活史において親や教師から学ぶなどして社会的に獲得され、そのような経験が沈澱して知のストックを形成しているという社会性がある一方で、だが社会学的にみれば、知の分布は専門家から市井の人に至るまで多様であって、知はいわば社会的に配分されているという点もシュッツが強調したことである。この点でさらにシュッツが、専門家と市井の人びととの「中間」にいる見識ある市民（well-informed citizen）に着目した点も興味を引く。だがそれ以上にここでは、シュッツが知と類型化の連関を語った点に着目したい（西原［1998a］Ⅵ章参照）。

知は、発生的（genetic）に社会化されている（Schutz［1962：11＝1983：59］）。しかもそれは、「類型」的なあり方をしている。この点もシュッツによって強調されたことである。類型化、それはある対象を捉える（解釈する）さいには、類型的に「～として」捉える類型化（typification＝タイプ化）という認識のあり方を示すものであると同時に、われわれの知の多くが修正困難で固定的という意味で類型的なあり方をしていることをも示している。そのさい、言語が類型化の宝庫であることをシュッツは指摘していたが、ただし類型化は有機体としての身体の働きでもあることを忘れてはならないだろう。それは言語以前のいわば前述語的な「実存知」の一角を形成する。

われわれは最後に、こうした知の議論が、以上の指摘だけで完結するものかどうかと問うてみることができる。それは、換言すれば、発生的社会化あるいは間主観性の十分な議論なしで、どこまで知を論じうるのだろうかという問いである。シュッツの先の「全面的な書き改め」発言は、この点に気づいていたことの現れであろう。おそらくシュッツの念頭にあったのは、のちの五七年十二月七日付けのグルヴィッチ宛の手紙で示されたシュッツ自身の関心＝「シュッツ問題」――社会化と間主観性の始原の問題――が絡んでいる（Grathoff［1985：420＝1996：443］）。そして、そのことは『関連性草稿』でも示唆されていたことだ。この点をもうひとつの傍証として示しうるシュッツの研究として、フッサール超越論的現象学の成果『イデーンⅡ』の問題にここでふれておきたい。「超越論的」とは、哲学ではいろいろ議論があるが、少なくとも筆者は、フッサールが『ヨーロッパ諸学の危機と超越論的現象学』（『危機書』）二十六節で述べた「始原へと立ち返る」動機のこととして了解しておこう。

そのうえで、後期シュッツがこだわるのは、述語化以前の層、つまり「前述語的」領域の問題である。類型化に着目したシュッツが比較的早い段階から、フッサール『経験と判断』での「前述語的な類型化」の議論に目を止めていた。この点は、シュッツがフッサールの、形式論理学ではない「超越論的論理学」へ目を止めた論点と同一のものだ。超越論的論理学とは、前述語的領域での論理を扱った論理学のことである。だが、間主観性の問題はフッサールにおいては『イデーンⅡ』で論じられることになっていた。それがようやく五二年に成書化されてフッサール全集で刊行された。後述するように、シュッツはそれをさっそく読むが、フッサールにおける間主観性の問題への答えを期待していたシュッツにとって、その内容は失望をもたらすものであった。なぜであろうか。この問題は、シュッツ自身および現象学自体の進展を抜きには語れないように筆者には思われる。そこで、やや遠回りに思われるかもしれないが、次節でフッサールの影響を受けたヨーロッパ現象学の展開に関するシュッツの議論を挟むことで、この間の消息を追っておくことにする。

そのために再度、時間的な経緯を想起しておこう（次頁の年表、参照）。四四年の音楽論文の中断。四六年の「市民」論文（後注（6）を参照されたい）、および四八年のサルトル論文での「相互同調関係」への示唆。同じく四八年からの『関連性草稿』の着手。さらにその関連性論の執筆中の五〇年の「言語障害」論文でのさまざまな現象学者への言及。そして五一年、シュッツは論文「音楽の共同創造過程」で明確に「相互同調関係」を強調しながら基底的な社会関係を検討し、その年に『関連性草稿』は断筆されている。だがさらにシュッツは、サンタヤーナ論[5]と『イデーンⅡ』などの研究へと努力を続ける……。こうした経緯に加えて、メルロ＝ポンティと彼に対する「怒り」（その理由は後述する）を表明する親友グルヴィッチを挟んだ、メルロ＝ポンティへのシュッツの微妙なスタンスの問題も絡み合う。

……いったいこの時期のシュッツが求めていたものとは何だったのであろうか。それは、一言でいえば、身体の問題、より正確にいえば、間身体性を含む間主観性問題の解決への努力ではなかったであろうか。そこで、サ

年表：本章関連の「ニューヨークのシュッツ」主要著作リスト

（CP＝原著著作集に所収された論考）

1940	現象学と社会諸科学（CP1）
1941	ウィリアム・ジェームズの現象学的意識流の概念（CP3）
1942	シェーラーの間主観性理論と他我の一般定立（CP1）
1943	社会的世界における合理性の問題（CP2）
1944	よそもの―社会心理学試論―（CP2）／音楽の現象学に関する断章（CP4）
1945	帰郷者（CP2）／多元的現実について（CP1）／現象学の主要諸概念（CP1）
1946	見識ある市民―知識の社会的配分に関する試論―（CP2）
1948	サルトルの他我理論（CP1）
1950	言語・言語障害・意識の組成（CP1）
1951	行為の企図の選択（CP1）／音楽の共同創造過程―社会関係の研究―（CP2）
1952	サンタヤーナ―社会と統治について（CP2）
1953	人間行為の常識的解釈と科学的解釈（CP1）／フッサールのイデーンII（CP3）／現象学と社会諸科学の基礎づけ―フッサールのイデーンIII―（CP3）
1954	社会科学における概念構成と理論構成（CP1）
1955	ドン・キホーテと多元的現実の問題（CP2）／シンボル・現実・社会（CP1）
1956	マックス・シェーラーの哲学（CP3）／モーツアルトと哲学者たち（CP2）
1957	フッサールにおける超越論的間主観性の問題（CP3）／平等と社会的世界の意味構造（CP2）／シェーラーの認識論と倫理学I（CP3）
1958	シェーラーの認識論と倫理学II（CP3）／責任というの概念の多義性（CP2）／経験と超越（CP4）／地平の概念について（CP4）
1959	社会諸科学に対するフッサールの重要性（CP1）

＊1948-1951年に『関連性』草稿（『関連性問題の省察』［邦訳『生活世界の構成』］）を執筆。

＊＊1958年には『生活世界の諸構造』に関するノート（５分冊）が作成されている。

ルトルやメルロ=ポンティに焦点を合わせながら、五〇年代シュッツの方向性をより詳細に検討してみよう。

［3］ シュッツとヨーロッパの現象学——サルトルとメルロ=ポンティ

一九四〇年代、五〇年代、現象学は大きな展開をみせた。三八年にフッサールが没した後、時代はまもなく世界大戦に突入する。二七年刊行のハイデガー『存在と時間』はもちろん現象学にとって大きな出来事であったけれども、第二次世界大戦前後の現象学者の動きも特筆すべきことだろう。レジスタンスに加わったサルトルやメルロ=ポンティ、そしてその後の二人のさまざまな政治運動を含む「現象学運動」（スピーゲルバーク）は、現象学が時代を担う思想として注目されるものであった。シュッツ自身は、「実存主義」それ自体にはコミットしていないが、「実存主義者」サルトル、および現象学者メルロ=ポンティにかなりの注目をしていたのは間違いない。

まず、サルトルに関しては、シュッツが四八年にサルトル論を著していることはすでにふれているし、またそこでシュッツが「相互に波長を合わせる関係」に言及していることにもふれておいた。ここでは後述との関係で、あらためてそのサルトル批判の論点だけ確認しておきたい。主としてサルトルの『存在と無』の内容を要約したのちに、シュッツはそれに批判的考察を加える。主要な論点は、第一に、サルトルにおいて他者把握の唯一の出発点、つまりサルトルにとっての主観が「デカルト的コギト」（Schutz [1962 : 197f. =1983 : 300f.]）である点であり（独我論という「デカルト的悪魔」という語をシュッツは別の所で述べていたことを思い起こしたい（Grathoff [1985 : 420=1996 : 443]））、第二に、サルトルのいう、私が他者を経験することと他者が私を経験することという相互交換可能性論が、「先決問題要求の虚偽（petitio principii）」、つまり証明を要する一般的原理を証明なしに前提として立てる虚偽を犯しているということ（Schutz［1962：199＝1983：302］）、以上の点に集約できるであろう。

サルトルの有名な鍵穴の例にみられるように、鍵穴から他者に見られていることに気づいて他者のまなざしに捕捉される（とシュッツが理解する）「他者が私にまなざしを向けることによって授けられる魔力というサルトルの想定」において、シュッツは、「サルトルの『まなざし』理論は、私［＝シュッツ］がかつて私と他者との相互的な『波長を合わせる関係』と呼んだところのものを前提にしている」（Schutz［1962：202＝1983：306］）という(6)。そしてシュッツは、自他が対話をしている例を出して、この対話の関係において言表を「ひとつの出来事」とする外的時間と内的時間の（交差する）同時性を示しながら、「両者は、互いに相手をひとつの共遂行している主観性（a co-performing subjectivity）として捉え合っている」ことを指摘する（Schutz［1962：203＝1983：307］）。

ちなみに、こうしたコミュニケーションを可能にする基底的な社会関係としての相互同調関係論が五一年の音楽論で展開・志向されていることは、筆者自身が「発生論的相互行為論」の観点からすでにふれているので立ち入らないとしても（西原［1998a］）、以上のサルトル批判の要点がまずもってここで確認さるべき点であった。そのうえで、次に——一本の論文としては論じられることがなかったためか、シュッツ研究においてあまり語られることのない——シュッツとメルロ＝ポンティとの関係にもふれておきたい。そのことで、五〇年代シュッツの新地平により一層の光を当てることができるからである。

シュッツよりもほぼ十歳ほど若いメルロ＝ポンティ（1908–1961）の『行動の構造』が刊行されたのは、一九四二年のことである。また、シュッツ自身が刊行後の早い段階から目を通していたと思われるメルロ＝ポンティの主著『知覚の現象学』が出版されたのは、四五年のことであった（ちなみにサルトルの『存在と無』の刊行は四三年である）。こうしたフランス現象学の展開に、グルヴィッチともどもシュッツも大きな関心を抱かないわけにはいかない。しかし、いろいろな点で、シュッツとメルロ＝ポンティとの関係は微妙であった。たとえば、シュッツの親友グルヴィッチがメルロ＝ポンティのことをあまりよく思っていなかったことはすでにふれたが、グルヴィッチはメルロ＝ポンティの主張が――グルヴィッチ自身が講義で述べたことをメルロ＝ポンティが引用・指示せずに――あたかもメルロ＝ポンティ自身の考えのように述べられていることを快く思っていなかったし、その「怒り」をシュッツにも告げている。(7) また、シュッツ自身も、メルロ＝ポンティから原稿依頼されたさいに、彼から『社会的世界の意味構成』を送ってくれるように依頼されて直ちに送ったにもかかわらず、礼状はおろか受け取った旨の返事がないことをメルロ＝ポンティ宛の手紙の中で指摘するなど、(8) 実際の関係は「微妙」であった。

しかしながらシュッツは、メルロ＝ポンティが後期フッサールの研究を受け継ぐ人物であることに着目しているし、事実三九―四〇年にルーヴァンのフッサール文庫を訪ね、未刊の後期フッサール草稿を検討していたメルロ＝ポンティの仕事に着目するようになる。ちなみに、そのメルロ＝ポンティが、未刊のフッサールの草稿を検討した結果、超越論的主観性とは間主観性のことである、という趣旨を述べているという「発見」(すでに1章でふれたように、実はその証拠はなく、メルロ＝ポンティの「創造的曲解」といわれている) の話は比較的よく知られているであろう。

さて、先にもみたように、中断された『関連性草稿』の第七章「生活史的状況」は、未刊の第三部を先取りするものであると示されていた。そこでは「私自身の身体―生きられる空間」という明らかにメルロ＝ポンティに由来する小見出しが付けられている。そして、そのなかでシュッツは、身体によって経験される空間が前後・上下・左右という方向づけの空間であることを指摘し、さらにその空間が目線や向きを変えるという (キネステーゼ的＝筋運動的) 動きによる「生きられる空間」(éspace vécu) であることを強調する (Schutz [1970 : 171ff. ＝1996 : 238f.])。だが、素朴に受け入れられそうなこうした言明によって本当に述べられているのは、「空間のなかに在るわれわれの存在が負っている、また身体という媒体を通してわれわれが経験する空間が帯びている、根本的な存在論的条件についてなのである」(Schutz［1970：175＝1996：241］)。そして、フッサールが指摘し、シュッツもしばしば着目していた方向づけの原点としての「ここ」と、その「ここ」に対してある「そこ」の問題に目を向けるようシュッツは読み手に促す。すなわちシュッツは、「ここ」の「絶対性」を語るのではなく、次のような興味深い発言をしているのである。「それらの方向づけの関係はすべて、実際のここととの関係からではなく、実際のそことの関係からのみ、意味をなしてくる」(Schutz［1970：175＝1996：242f.］)。こうした見解は、シュッツの「ここ」＝座標体系ゼロの議論が、その「ここ」にウエイトがあるとみられがちなのに対して、はっきりとその点に反論しながら、「私が周囲の事物を方向づけの中で組織するさいに引き合いに出す特定の座標体系もまた、ここと同じように生活史的に規定され……、そしてその座標体系の特徴は実際のここの位置に関係なく同一であること、これが疑問の余地のない世界の構造的要素なのである」と指摘する(Schutz［1970：175＝1996：243］)。

以上の点を確認したうえで、筆者はシュッツによるメルロ＝ポンティの引用にもう少し言及しておきたい。一九五〇年、シュッツは、ゴールドシュタインの「言語障害」論を考察するさいに多くの先行研究にふれている。そのなかで、メルロ＝ポンティの『知覚の現象学』にも言及する。もちろんそれはゴールドシュタインの議論とふれあうかぎりでの参照であるが、シュッツの着目点は、メルロ＝ポンティの経験論と主知主義の二元論を克服する試み(本書9章参照)であるその身体論の意味合いに注目し、「意識を存在から分離されたものとして分析しようと試みることは、意識の経験的な多様性——たとえば、病的な意識、原始人の意識、子供の意識、他者の意識など——を無視することを意味する」(Schutz［1962：274＝1985：97］)とメルロ＝ポンティの語りに依拠しながら、ここでも経験の「前述語的」領域への着目にあったのである。

さらにシュッツは、晩年の五九年刊行になる「社会科学に対するフッサールの重要性」という論文で、いわゆる中期メルロ＝ポンティの作品「哲学者と社会学」(五一年発表)に言及し、メルロ＝ポンティの言葉ではあるが興味深い点にふれている。「社会的なものは、私がそれに関与し、そして私の仲間がそれによって私にはつねに他の私すなわち他我であるところの、ある単一の生（a single life）のヴァリエーションとして、つねに私に現れるのである」（Schutz［1962：142＝1983：228］）。ここでいう「ある単一の生」とは何であろうか。われわれはすでにサルトル論の箇所で似た内容をみていないだろうか。すなわちそれは、コミュニケーション的相互行為をなす自他の両者は、互いに「ひとつの共遂行している主観性」として捉え合っているという論点であった。

筆者は、こうした言明に、「相互同調関係」と同じ趣旨の論点を見いだせるのではないかということを強調しておきたい。と同時に、そこに五〇年代シュッツの現象学的社会学の新地平を明示化するヒントがあると考えているのである。こうした「傍証」ないし「状況証拠」を、最終節でフッサール現象学に関連する五〇年代シュッツのスタンスに再び論及することで補強し、シュッツの五〇年代の、つまりシュッツの到り着いた地点での現象学的社会学の視線を確認しておきたい。

［4］五〇年代シュッツの視線——相互行為という視座

前述のように、五〇年代初期にシュッツはもうひとつの大きな研究作業を行っていた。それは、フッサールのいわゆる『イデーン』の第二巻、第三巻が五二年に刊行され、すぐさま（その年の四月から十月の間に）ネイタンソンの協力を得て——出版を意図したものではないが——それらの英訳に取り組んでいたことである。(9) そして、その成果として五三年に刊行された「エドムント・フッサールの『イデーンII』について」は、長い内容要約と六点からなる批判的考察によって構成されている。シュッツは長い要約後の批判的考察の列挙に入る前に、「アメリカの読者」向けに、フッサールのここでのテーマが、ジェームズ、サンタヤーナ、デューイ、ミード、クーリーといった人たちのテーマと類似することを指摘している（Schutz［1966：36＝1986：80］）。そして、そこで示された「相互に波長を合わせる関係」の指摘――すでに再三指摘してきたように筆者自身が別の機会に論じているので繰り返さないとしても――に加えて、この批判的考察の箇所でジェームズ、ミードなどとともに、さらにサルトルとメルロ＝ポンティにもふれていることも確認しておきたい。そのうえで、この『イデーンII』に失望したシュッツが、次のように述べていることには、とくに目を向けておきたい。すなわち、シュッツはそこで、「現象学の創始者［＝フッサール］による［社会集合体に］関連した言明よりも、社会集合体を諸個人の社会的な相互行為（social interaction）に還元しようとするジンメル、マックス・ヴェーバー、シェーラーたちの試みの方が、より現象学の精神に近いと思われる」（Schutz［1966：39＝1998：84］：強調は引用者）と述べている。少なくとも、「コミュニケーションと社会集団の分析」に関して「現象学の精神に近い」のは、ジンメル・ヴェーバー・シェーラーなどと、（さらに推測すれば）上記のジェームズ、デューイ、ミード、クーリーといった人たちの仕事である、とシュッツは考えていたのではないだろうか。そしてフッサール批判の要諦は、コミュニケーションが「社会的な相互行為」をすでに前提にしているという点をフッサールが見落としている点にあったのだ（Schutz［1966：38＝1998：83］）。

ちなみに、こうした議論に関連して、シュッツは先に示した晩年の「フッサールの重要性」論文のなかでオルテガ［1957＝1967］にも言及していた。シュッツはオルテガの次の点に着目する。「私の諸々の行為に応答する他者の能力、したがってその結果として生じるわれわれの諸行為の相互性は、第一の社会的事実であって、共通環境の構成にとって根本的」であり、そして「私が、私と他者を分かち、したがって私の世界と他者の世界とを分かつ私の境界を見いだすようになるのは、他者によって」であり、「私は、その具体性においては最後になって現れる」（Schutz［1962：142f.＝1983：228f.］）。そしてさらに、「社会や共同体、国家や諸々の集合体は、私によって『行われている』ことをまさに行っている『だれか或る人びと』、つまり『人びと』という匿名性において経験される」点にオルテガは注目していたが、しかしそれはデュルケム的な意味での集合意識ではなく、「社会関係はつねに間個人的（interindividual）である」（Schutz［1963：144＝1983：229f.］）、とシュッツは強調するのである。

こうしたオルテガの議論は、「社会性の構成の基盤としての了解環境（comprehensive environment）というフッサールの観念から出発した」が、「フッサールと同様にオルテガもまた、共通であると想定されている環境の了解を可能にしているのは、他者存在の経験のみであるということの指摘に失敗し、それゆえ論証自体が循環論に陥っている」と指摘する（Schutz［1962：144＝1983：230］）。そこで、シュッツにとって依然として未解決の問いは、「共通な諸志向性によるひとつの共通な世界は、いかにして可能であろうか」ということになり、この問いが「現象学的探究にとって依然としてひとつの中心的な問題である」と最終的に指摘するのである。

もはやこれ以上、ことばを費やす必要はないだろう。シュッツ現象学的社会学が「中間領域」の視座に立ちつつ、自然的態度をとる人びとによって経験される生活世界の構造を問題にしたことは明らかである。だがシュッツは単に自明性の世界だけを描いたわけではない。しかも単に「一人称」の独我論的な主観性だけに着目したわけでもない。むしろシュッツの視線は、自他関係を中核とする社会的な相互行為に向けられており、「社会―文化的世界のあらゆる現象は社会的な相互行為から生じ、かつそれに帰属可能」という視角からみていこうとしたのである。フッサール批判のよく知られた一節――「間主観性は生世界の所与であり、世界内の人間存在の根本的な存在論的カテゴリーである」とした一節――でシュッツは、こう述べていた。「自己についての反省の可能性、自我の発見、どのようなエポケーをも遂行する能力、そしてあらゆるコミュニケーションの可能性とコミュニケーション的直接世界をも同様にして確立する可能性は、我々関係の根源的な経験に基づけられている」（Schutz［1966：82＝1998：136］）。そして、相互同調関係こそ、この我々関係の基底的事態のひとつであることをここでも想起しておきたいと思う（西原［1998a］V章参照）。

かくして、以上みてきた方向でシュッツの社会学的思考が花開くのは、中断された『関連性草稿』の再開という形ではなく、むしろ五〇年代中葉にシュッツが論じた平等論（「平等と社会的世界の意味構造」）やシンボル論（「シンボル・現実・社会」）の議論においてであろう。『関連性草稿』を断筆したシュッツはそれ以降、一方でその関連性論や類型化論を彫琢・援用しながらシンボル的社会把握を論じ（Vaitkus［1991＝1996］の第六章参照）、他方でシュッツなりの間主観性論を拠り所にフッサール批判を明確に示しはじめる。筆者自身は、そうしたシュッツの新地平を「発生論的相互行為論」という視座として捉えるべきだと主張してきた。最後にこの点に駄目を押すつもりで、いままであまり知られていなかった文献から、二つのことを指摘しておこう。

シュッツは、その死去（一九五九年五月）の前年に、二つの注目すべき論考を残している。ひとつは前年末の原稿で、編者ワーグナーによって「地平の概念について」と名づけられたものである。そのなかでシュッツは、主題を取り巻く・あるいは主題を背後において支える非主題的だが探究可能な「地平」、とりわけフッサールのいう内的地平・外的地平の概念にかかわらせながら、明確にシュッツ自身の用語である「間主観的な社会的地平」（intersubjective social horizon）を語り出す（Schutz［1996：198］）。この「間主観的な社会的地平」への言及は、「問われることなく所与であるという性格は、私のみによって『基づけられる』ものとみられるだけでなく」、「あなたやわれわれやすべての人、つまりわれわれに属するどんな人」にも理解されるものとして、歴史や文化や教育にかかわらせて言及されている。この短い論考の内容は、その不十分な記述のために判然としない点もあるが、知の社会性や間主観性、さらにはサルトル、メルロ＝ポンティ、オルテガなどの論点に言及した本章で「五〇年代シュッツ」を検討してきたわれわれにとっては、ここにフッサールの地平概念の社会学的展開例をみていくことができるのである。

もうひとつの注目すべき論考は、「経験と超越」と題されるもので、五四年にシンポジウムで発表した（のちに『著作集』にも収められた）「シンボル・現実・社会」論文に対する、発表当日のCh・モリス教授との質疑応答について、後日再考したものである。シュッツが「他者の（内面の）超越」に対処するために「サイン」という間接呈示を用い、「自然や社会の超越」に対処するために「シンボル」という間接呈示を用いるとした発表論文に対して、モリスは、シュッツは超越というが、それは「超越の経験」のことか「経験の超越」のことかと問うた問題の再考である。シュッツの発表当時の返答は必ずしも明確ではなかった。だが、この再考時にシュッツは、地平の志向性とかかわるいわば「超越についての経験」と、自生的（spontaneous）な「経験行為という超越」を区別しつつ（Schutz［1996：235］）、後者に対して——存在論的に明確にすべきものとして——加齢、死、眠り、世代の問題を含む他者の超越、などをあげ、しかもそのさい、経験の超越（＝経験行為という超越）を——わかりやすい例をあげれば部屋を離れ去るといった——「立ち去り」（turning away）という表現で着目した（Schutz［1996：239-40］）。これはフッサールのキネステーゼ的問題圏やメルロ＝ポンティの身体論の問題圏のさらなる社会学的展開としての「行為論」的文脈での議論として十分着目できる事柄であろう。[10]

［5］小括——シュッツの発生論的思考

以上のように、五〇年代シュッツはフッサールの不首尾な間主観性論の試みを批判しながら、かつアメリカやヨーロッパの思索者たちの知見を参照して、シュッツ独自に現象学的社会学の新展開を目指したといえよう。メルロ＝ポンティに関していえば、シュッツは年代的制約もあって、メルロ＝ポンティの「間身体性」という用語には十分に精通していなかったが、内容的には相互同調関係論にみられるように関係論的・間身体論的な文脈において両者は十分にふれあうものがあり、そうした社会的な相互行為や基底的な我々関係の議論を、ミードをはじめとしたアメリカの社会学者・哲学者から学んでいたのである。

筆者としては、前述のように、五〇年代中葉にともにシンポジウム発表され、活字化された「シンボル」論および「平等」論が社会学的にまとまったシュッツの仕事であり、五〇年代シュッツ現象学的社会学の到達点だと考えている。もちろん、現象学プロパーでは、フッサール批判とシェーラー読みへの沈潜が、この時期のシュッツのもう一方の特徴ではあることはいうまでもないが、それらが渾然一体となって、『関連性草稿』断筆時の音楽論をひとつの転回点としながらシュッツ独自の間主観性論の展開が図られたのである。そうした試みが、シュッツ現象学的社会学の「再出発」の軌跡であったのではないだろうか。

だから、六〇年代以降みられた、単純に意味学派と機能学派を対立させ、シュッツを意味学派の主観主義の代表者として位置づけるような社会学説史的な常識は、五〇年代シュッツの仕事を核としてまだまだ再検討される余地と必要性とがあると主張したい。もちろん、こうした特徴づけは、バーガーやルックマンによる「主観的世界」を描いたシュッツという「切り詰め」にも一因がある。主観的世界の記述者としてのシュッツ像である。さらに、パーソンズのシステム論とシュッツの生活世界論を統合するとしたハーバーマスにおいても、彼が依拠したシュッツ現象学的社会学の基本文献とされる――ルックマンの主張が織り込まれたシュッツとの共著の形での――『生活世界の諸構造』におけるシュッツ像は、シュッツの姿を的確に伝えているのであろうか。[11] かつてガーフィンケルがシュッツとパーソンズとを対比させたとき、シュッツ自らはその対比(=単純化)にネガティヴであったという事例は示唆的である(西原[1994]参照)。後期シュッツの到達点からシュッツの歩みを問い直すこと。筆者自身はこの点をすでにいくつかの著作や論考において指摘してきたが、本章ではニューヨークのシュッツが時間を超えて内外の思索者と対話しつつ、現象学の進展をもふまえるなかで展開してきたシュッツ独自の道を、クロニカルな点もふまえて再確認しておきたかったのである。

次章では、以上の二つの章でみてきたシュッツの思索の展開を「発生論的思考」として焦点化することで、まとめておきたいと思う。

6章 シュッツ発生論の基本構図——身体・リズム・相互行為

[1] シュッツ意味論の再検討——同時性の理路という視点

本書の4章で廣松渉の議論を参照しながら、アルフレッド・シュッツは『社会的世界の意味構成』でマックス・ヴェーバー社会学の基礎概念の再検討を企て、たとえば、ヴェーバーの「行為」概念を批判して「進行中の行為」と「完遂された行為」との区別を主張したこと、また動機に関しても「目的動機」と「理由動機」との区別を主張したことなどを一瞥した。そしてシュッツの——主として前期にあたる——そうした議論は一方で行為者の主観性に内在する形で、それゆえ行為者の主観的意味の哲学的検討において進められていたことを確認してきた。しかし廣松がそこで示唆してきたように、他方で前期シュッツにおいては、それとは異なった文脈の議論——廣松のいう「同時体験論」=以下では「同時性の理路」と呼ぶ——も見いだせた。5章では、そうした文脈をシュッツ自らが思索を重ねながら発生論的視角と間主観性論へと進んでいく方向性として後期シュッツに焦点化して検討した。そしてそのなかで、現象学的社会学の相互行為論からする社会理論の展開に向けた発生論的アプローチの方向性が描かれていた。本章ではシュッツの前後期を貫く発生論的思考をクローズ・アップさせて、視点をより明確にしておきたい。そのさい本章では、議論の道筋をみやすくするために、細かな文献的・年代的な考証は断念する。むしろここでは、シュッツの発生論的思考を際立たせるために、その思考と関連する現象学的社会学の主要諸概念とそれらの連関にこそ着目していくことにする。

そこでまず最初に、シュッツの意味概念を筆者なりに批判的に再検討しながら、再度、社会的相互行為ないし他者理解の問題系に関するシュッツの議論に絞って補足的に論じ直すことで、本章の［3］以下でのシュッツのより発生論的な思考をとらえ返す前段としておきたい。

シュッツは、意味理解を核としたヴェーバー理解社会学に対し、そのヴェーバーにあって肝心の意味概念が曖昧であることを指摘して、あらためて意味の〝発生〟について内的時間を考慮しつつ基礎づけ直していった。主著『社会的世界の意味構成』の第二章において、一個の自我の内部に絞って分析の光を当てて、意味とは、自らの過去の体験流、意識流に「いま、このように」という視点からなされる反省的まなざしによって際立たされ捉えられて生成するのだと述べられていた（Schütz［1932：95＝1982：97］）。要するに、意味は自らの体験流についての「自己解釈（Selbst-Auslegung）」（廣松が「自己回釈」と訳していたもの）によって生起する。

ただし、この論点はシュッツによってすぐさま拡張される。自己が自らの体験の意味を捉えうるのは、その体験を自らの有する意味連関、解釈図式に関係づけ位置づけうるからであって、意味の生成はすでに何らかの経験シェーマ、解釈図式の存在が要件であること、このことが指摘される（Schütz［1932：104＝1982：107］）。もちろん自らの過去の体験流を、解釈図式を参照しながら現在の体験流によって捉えてはじめて意味が生起するとしても、現在の体験流それ自体も流れている。それゆえに「いま、このように」という視点での「流れ」それ自体も、実際には変化の相にある。この事態をシュッツは「注意変様」という用語で示しているが（Schütz［1932：96ff.＝1982：98ff.］）、この「注意変様」自体もまた、実は意味生成にかかわるといってよい。何に着目するのかは、意味志向的であるからだ。

しかしいずれにせよ、こうした意味生成論は、基本的には解釈図式とそれに基づく視線の問題（現象学用語をつかえば「志向性」、要するにノエシス（志向作用）とノエマ（志向対象）の問題）である。こうした問題圏は、後期シュッツにおいては主に関連性論や類型化論として展開された。ただし、ここでこうした論題において注目したいのは、必ずしも右でふれた「解釈」にかかわる論点ではない。では、われわれがここで注目すべき論点とは何か。たしかに『意味構成』におけるシュッツの意味概念の検討は、行為の意味解明の文脈にあった。だがそれは、「他者理解」や「社会的世界の構造分析」の記述ためのとりあえずの出発点であるにすぎない。前章で廣松が指摘したように、右で予想される単独の個人における自己解釈作用から展開される意味の生成論は、たとえばそれが他者理解や社会的世界の構造分析に適用されたとしても、原理上、たかだか閉じられた独我論的な自己解釈の域をいくばくも越えていない。つまり他者理解においても、一面では他者の意識流についての自らの体験流に反省的視点を向けることによってはじめて他者理解が成立する理路になっている。なぜなら「意味」とは当該行為者の反省的視線において生じるからである。それを廣松が「自己回釈の理路」と呼んでいたことを思い起こすことができる。

シュッツはだが（本書4章でみたように）、この他者理解の文脈において、実は別の理路も示していたのだった。すなわちそれは、自己と他者の体験流の「同時体験」の問題（＝「同時性の理路」）であったわけだ。自己の体験の意味は、現在の時点から事後的に反省によってしか捉えきれないというのが、内的時間を考慮に入れたシュッツの意味生成論の骨子ではあるが、「共在する」（＝時空を共有し対面的関係にある）他者の場合は少々位相を異にする。たとえば対面的な他者との会話の状況を想定してみよう。先にもみたように、その場合、私は相手の発話をほぼ同時に聞き、理解することができる。さらに相手の表情もほぼ同時に見ることができる。しかし、相手は自分自身の顔を見ることはできない。

会話時の言語理解は、一般的にいって「入れ子構造」をしている。仮に他者が「鳥の足は四本だ」というまちがった発話をしたとすると、自己は「いや『鳥の足は四本（だ）』ではなく、二本だ」といった具合に――そのことを正確に発話するかどうかでなく、理解のプロセスをいま問題にしているのだが――、いったんは相手の発話を同時に了解しつつ反応する。各々の反応が仮に微妙に異なっているにしても、少なくとも会話が満足に成立するためには、何らかの程度において自他が同じ体験流を生きる局面を共に有しなければならない。そしてそのためには、言語の共有やそれを可能にする意識の同型性も一定程度、前提にせざるをえない。(1)

もちろん、たとえば愛し合う恋人同士においては言葉を用いずに体験流を共有しているといってもよい場面もあるが、いずれにせよ他者理解一般には「自己解釈の理路」とは全く位相を異にする自他の体験流の「同時性の理路」が存在しうる。おそらく、シュッツが――シェーラーを念頭において――「他我の一般定立」と称した事態の核心はここにある。シュッツ自身がどこまでシェーラーの本旨をつかんで自覚的に述べていたかはいま問わないとしても、「意味」に関していえば、「自己解釈」とは別の理路がシュッツにも用意されていたという点で、われわれはこの「同時性の理路」に大いに着目することができるのである（西原編［1991］）。

もっとも、少しでもシュッツの論稿を繙いたことのある人は、いま右でふれてきた二つの理路について、〝それはシュッツが、対面的な「共在者」と、空間を共有しない「同時代者」などとの間に引いた明確な一線であって、シュッツが共在者以外の者については「類型化的把握しかできない」としばしば論じていたことと同じであるにすぎない〟と言い放つかもしれない。このことをいったん認めたうえで、しかしわれわれとしては、別の議論の道筋を考えている。それは、意味のいわば〈発生論〉的道筋についてである。したがってそれは、単に社会的世界における他者理解の仕方についての議論ではない。

シュッツ自身も明確に述べているように、時空を共有する共在者間でも類型化的把握は生じうる。駅の改札口できちんと帽子をかぶり制服を着ている人に、こんどの電車はいつ来るのかと聞くとき、われわれはその人を「駅員」という類型のもとに位置づけ、問いを発している。あるいは単に社会的、制度的な役割という面での類型化ではなく、プラットホームにいる「親切そうな人」に同じことを聞くかもしれない。その人もまた「親切そうな人」として類型化されて捉えられている。われわれとしては、こうした相互行為を可能にしている自己―他者関係の基礎にこそ、いま目をとめたいと考えているのである。

このことは、単刀直入に言い直せば、シュッツが意味生成論のひとつの出発点にした「自己解釈の理路」そのものが問い直されるということである。なぜなら、自己解釈において自らの過去の体験流、意識流をいまの視点から反省して把握することにおいて意味の生成を説く理路は、すでに反省や思考といった能力を伴う一定程度高次な自他の分化・分節化を前提にしているからである。いまここでは「意味」それ自体とはそもそも何なのかという厄介な問いには、それほど立ち入らなくてもよい。それは、他と差異をもって区別された、それ自体自同性を保持している、超時空的な存在性格をもったイデアールなものとしておけば十分である。この意味論的差異化、分節化を可能にするものこそ、意味理解の発生論的議論には不可欠な論点ではないだろうか。

ただし、〈発生論〉的といってもここではただちに本能的、本具的な分節能力について立ち入るつもりはない。それはそれで非常に興味を呼ぶ論点ではあるが、社会理論を探究するわれわれにとっての問題は、その能力が解発される〝場〟こそが問われるべきことだからである。そこで、シュッツのなかに議論の展開可能性がありながら、しかしながら必ずしも明確な形では捉えられてこなかった論点の、その可能性の中心をこそ明確にすること、これが本章の課題である。したがって、以下では、その可能な方向性の本線を明示すべきであろう。そして、そうした論点を明示するさい、前期シュッツが強調した自他が時空を共有する共在世界(ウムヴェルト)の視点をも重ねて考えておこう。直接的経験の世界たるウムヴェルトは、あらゆる世界経験の基盤であるからだ。

［2］シュッツ発生論の相互行為論的基軸——その継承的展開

人は、何らかの同時的・直接的な自他の相互行為によって、しかもそこには模倣といった機制も絡みながら（この点に関しては、Crossley［2001：51f.］参照）、自他の同型的な自己形成を遂げると同時に、「間主観的世界」を生きる。こうした発生論的プロセスこそシュッツ理論のもつもうひとつの可能性である。やや唐突な言い方であるので、この論点を展開するさいの基軸に以下でふれながら、多少の肉付けをしておこう。筆者としてはそのさいの重要な論点として、以下の三点を述べ、シュッツ理論のさらなる継承的展開をはかりたいと思う。

すなわち、第一に「意味生成」の不可欠な前提的議論のひとつとしては、すでにふれてきたシュッツの「同時性の理路」が必要なこと、逆にいえばシュッツの「同時性の理路」は単に社会的世界における他者理解の区別の問題としてではなく、意味生成論の文脈で読みかえていくこと、このことが指摘できる。シュッツ自身は、たとえ批判的な言い方をしているとしても、「他我の一般定位」を語るさいに前述のように明らかにシェーラーを念頭においていた。シェーラーは「共感の本質」を論じたある箇所で「我―汝に関しては無差別な体験の流れ」を明確に説き、そこに自我発生の源のひとつを見いだそうとした（熊野［1987］）。自他の分節は、こうした自他未分の同時性の理路、あるいはウムヴェルトないし我々関係の先行性がまず必要なこと、このことを勘案すべきであろう。

こうした事態は、ヴァルデンフェルスのいうように、「最初から社会的文脈のなかに埋め込まれている」のであるから、もはや「我々の一般定立」と呼んだほうがよいのかもしれない（Waldenfels［1980＝1987：287］）。さらには、おそらくシュッツが多元的現実論（Schutz［1962＝1985］）のなかで示した「ふと我に返る」という意識の変化の問題も、自他分立を覚知しつつ「自己帰属」の意識化という形で自己に回帰する我の（自己意識の成立以前の）自他未分の事態からの展開を想定した一ケースということもできるであろう。

ただしそのさい、さらにもうひとつ留意しなければならない点がある。それが第二点目の論点であるが、それは意味理解というというさいの「意味」の概念にかかわる。つまり、主観的「意味」は知的なそれのみに限定されてはならないという点だ。自己の行為の意味や自己の体験の意味ということで、思惟や反省において知解されたものだけではなく、いわば情動面をも含めて論じていくこと。たしかにシュッツの先行者ヴェーバーは他者の情動の非合理的な理解についても語っていた（本書10章参照）。だがヴェーバーにあっては「シーザーを理解するためにシーザーになる必要はない」。シュッツにあっても「ピーターとポールは同一人ではありえない」。自他分離を前提とした局面では「非合理性」がこのように処理されて、必ずしもここでいう意味での情動には重きをおかれていないかのようにみえる。しかしシュッツの「同時性の理路」は、一定の情動面を含めつつ人称的世界を超えた（あるいはそれ以前の）前人称的事態という側面をもつ。

この点に関しては、たとえば幼児における人称の成立において、前人称的体験がまず先行し、そこには明確な自己意識に基づく体験があるのではなく、未分化な情動的な体験がある、という点を思い起こせばよい。あるいは、舞台における役者間および役者と観客との三者関係的な関係性も、疑似発生論的な前人称性を示すものとしてみることができる。この面での検討は発生論的議論にとっては不可欠なものである。こうした点を等閑視した「合理的方法」という主知主義的前提は、再検討を要するであろう。そしてその主知主義的な枠を越えてはじめて、ある種の模倣、あるいは〈自他〉の共振、共鳴ないし共感という論点が視野に入ってくるのである。ヴァルデンフェルスのいうように、『我々の一般定立』は、形式的に設定されるのでなく、最初から実践的そして情動的刻印を帯びた具体的な同意や可能的な拒絶として設定されねばならない」（Waldenfels［1980＝1987：287］）。加えて、「われわれが相互的な諒解から出発するなら、思念された意味は最初から共通の意味であり、そして、自我は最初から他者の等根源的な参与によって脱中心化されている」(Waldenfels [1980＝1987：283])、のである。

最後に、第三として——これまでのまとめの意味を込めて——次の点も強調しておきたい。すなわちそれは、右の第二点とも大いに重なる点でもあるが、かくして「行為」の概念(behavior でなく action)も、シュッツ(およびヴェーバー)の明示的な規定よりも拡張される必要があるという点である。少なくとも行為者の主観的意味を主知主義的にのみ解してはならないとすれば、はじめにあるのはむしろ情動を含む相互行為である。現象学的な始原への問いのひとつの形として、あくまでもこの問いは問われなければならない。しかも独我論に陥ることを回避しようとすれば、相互性への着目はとりあえずの(再)出発点でもある。

以上の点は——次節以下でもふれるが——素朴な独我論を防ぐ砦であると同時に、発生論の議論をも睨む視座と読むことができる。そのことをシュッツは実は不十分ながらも「同時性の理路」においてみていた。あるいは、そう「前向きに」解釈可能である。そして、その点を再度押さえたうえで、対他者的な関係における行動をも含めた〈振る舞い〉＝〈行為〉の視座が視野に入れられなければならない。そこではじめて〈行為〉のヤリ—トリによる〈社会生成〉がわれわれの視界に入ってくるのである。それゆえ、ハーバーマスやエスノメソドロジーの会話分析などが示してきた言語的相互行為(ないしはコミュニケイション的行為)による相互主観的世界(間主観的世界の一位層)の構成の論点は——それはそれで興味深いものではあるが——いまだ狭い枠に囚われているといわざるをえない。「同時性の理路」における相互行為論の可能性において、意味、類型、自己意識、動機、言語、要するに「主観」の形成も、諸主観による〝相互主観的〟世界の構成も語りうるし、逆にそのことによって「社会的」存在としての自己をも語りうるのだ。

このような筆者の主張は——ここではたしかにまだ舌足らずな感は否めないにせよ——シュッツがヴェーバー理解社会学に魅せられながらも、後期においては、ヴェーバーの方法論に深入りしたのではなく、かといって理論社会学の哲学的基礎づけにのみ自らの仕事の矛先を向けたのでもなく、むしろヴェーバー出自の行為や理解に目を向けつつ間主観的な「生活世界」論の探究やシェーラーの哲学的人間学の検討に突き進んでいった点からみて、あながち見当はずれとはいえまい。そこで、以下ではあらためてシュッツ現象学的社会学の諸概念を引き合いに出しながら、シュッツの「間主観性」論に焦点を合わせつつ、これまでの論点をより一層深めていくことにしたい。

［3］シュッツの発生論の展開——より基底の間主観性のレベルへ

ここからの議論の核心は、「現象学的社会学」[2]がシュッツにおいてひとつの基底的な動機づけをもっていたこと、そしてその動機づけは「発生論的」(genetic)な性格であったことをよりいっそう明示することである。したがって、生活世界、間主観性、関連性、類型化、シンボル、相互同調関係といったシュッツの諸概念は、そもそもシュッツの思考の「発生論的」関心によって互いに結びつけられていると考えられるということである。言い換えれば、これらの概念は、社会の発生／生成(genesis of society)に対する、とりわけ間身体的世界における社会的相互行為の前述語的な発生過程(genetic process)に対する、シュッツの全般的な関心のもとで問われるべき諸問題の表題であると述べておきたい。

まず、シュッツによって書かれた次の二つの文をみてみよう。

可能なコミュニケーションはすべて、送り手とその受け手との間の相互同調関係(mutual tuning-in relationship)を前提にしている。(Schutz［1964：177＝1991：240］)

コミュニケーションはつねに・すでに、それが基礎づけられる社会的な相互関係性を前提にしている。つまり互いに「同調」する関係性、他者に話しかけたり他者の話を聞いたりするよう動機づけられる関係性を前提にしている。(Schutz [1966 : 38＝1998 : 83])

シュッツは、音楽を扱った一九五一年発表の論文「音楽の共同創造過程—社会関係の一研究—」(邦訳『シュッツ著作集3』に所収)において、「前コミュニケーション的な社会関係」(pre-communicative social relationship)としての「相互同調関係」の存在を強調していた。(3) シュッツによれば、「音楽は概念図式に結びついていない有意味なコンテクストである」(Schutz [1964 : 159＝1991 : 221], cf., Schutz [1996 : 243])。加えて、シュッツは、相互同調関係の理論の精緻化は別の機会におこなうとも示唆していた(Schutz [1964 : 178＝1991 : 241])。だが残念なことに、シュッツはその生涯においてこの主題を深く探究する機会をもつことができなかった。それゆえ、この精緻化はわれわれに残された仕事であるといってよい。

さてそこで、相互同調関係という概念の理論的役割を、シュッツ現象学的社会学の他の重要な諸概念との関係において検討してみたい。ここでは、例としてシュッツ自身の他のいくつかの文章をさらに参照してみよう。シュッツは他の論考で次のように書いている。「互いに自生的に『同調』しあうならば、われわれは少なくともなんらかの内在固有的な関連性(some intrinsic relevances)を共有している」(Schutz [1964 : 128＝1991 : 181])。あるいは、次のようにも述べる。「まさしくこの相互同調関係によってこそ、生ける現在における一個の『我々』として、『我』と『汝』がその双方の参与者によって経験されるのである」(Schutz [1964 : 161＝1991 : 224])。

以上からも分かるように、「相互同調関係」という概念は、関連性や我々関係という概念と関係しているし、さらにそれは類型化や間主観性という概念とも関係しているなど、シュッツの諸概念は互いに密接に関係している。もちろん、これらの概念の間の関係を解明しようと少なからぬ研究者によって多くの努力がなされてきたが、しかしシュッツの思考のひとつの重要な相、すなわち彼の〈発生論〉的関心の相は、いままで必ずしも十分に明瞭にされたり、十分に展開されているようにはみえない……。

ところで、4章でみたように、廣松渉が前期シュッツの著作を扱った彼の論考で、(前期)シュッツの基本発想は「独我論」的であるという理由でシュッツを批判した。だが廣松のシュッツ現象学的社会学に関する議論は、シュッツを批判しながらも、同時に前期シュッツの著作にはシュッツなりの間主観性論の鉱脈、つまり他者の意識流と私自身の意識流との間の「同時性の理路」がみられると強調する点において、非常に興味深くかつ刺激的なものであった。にもかかわらず、廣松は結局のところ、シュッツは自らの理論のエゴロジカルな出発点のために独我論という欠陥を免れなかった、と結論づけたのだった。

たしかに、シュッツはその初期の著作においては「孤独な自己」(das einsam Ich) から出発した (cf., Schütz [1932 : Ab. 2])。しかし、このことは——廣松のいうように——必然的に独我論に結果するといえるのだろうか。この点は、シュッツ研究にとっては一考を要する問題である。この疑問に対する答は、すでに前節までで大方明らかではあるが、本章の最終節であらためて取り上げることにしよう。そのためにも、いまここでは、シュッツによって展開された主要諸概念間の関係の考察に立ち戻ろう。シュッツは、長い間書簡を取り交わした親友の哲学者グルヴィッチ宛のある手紙のなかで次の言葉を記している (一九五二年四月二十日付)。

私が自分の出発点として理論上の独我論的な自我 (ein theoretisches solipsitisches Ich) を取り上げ、つぎに社会的世界にかかわる諸構造を導入したのは、もちろんただ単に教育上の理由からだけです。しかしもちろん、このことは、はじめから社会化されていない私的な経験が可能であると私が考えている、ということを意味するわけではありません。(Grathoff [1985 : 279–80＝1996 : 303–4])

シュッツに関してしばしば取り上げられ、本書でもすでにふれたことだが、シュッツは晩年近くに、間主観性が超越論的領域内で解決できる構成の問題ではなく、むしろそれは「生活世界の所与である」と述べ、さらに続けて、それは「世界内の人間存在の基本的な存在論的カテゴリーである」と述べた（Schutz［1966：82＝1998：136］）。だがシュッツは、グルヴィッチ宛の他の手紙（一九五七年十二月七日付）で次のように書いている。「第五の問題群―ないしはシュッツ問題」：社会化と間主観性はどこで始まるのか。あるいはまた間主観的な関連性は存在するのか。そしてそれはいかにして可能なのか。さらにまたシュッツは、同じ手紙のなかで次のようにも記している。「以上の問いはたぶん、デカルト的悪魔による独我論という怪物と結びついた意識の奴隷の叛乱である」（Grathoff［1985：420＝1996：443］）。こうした言明の含意は何であろうか。そこで次に、これらの問いと絡み合うシュッツの関連性概念と類型化概念に関しても一瞥しておこう。

シュッツは、関連性（relevance）という概念をさまざまな文脈で用いる。われわれはシュッツの諸著作において、たとえば問題関連性、固有内在的な関連性／賦課的な関連性、さらに前章でみた主題的関連性／解釈的関連性／動機的関連性などといったいくつかの使用法をみることができる。これらいずれにおいてもシュッツは、「関連性」という語を用いることによって、「関心の選択機能」という問題に主に言及していたといえよう。つまり関連性とは、シュッツの教え子のネイタンソンが概略的な仕方ではあるが適切に示しているように、「人が表明しおこなう具体的な選択、態度、決定、関与を説明するための選択の基底的な原理」である（Schutz［1962：XL＝1983：38］）。ここでは筆者もまた、関連性概念をこうした選択の「基底的な原理」を示す概念としてまず注意を向けたいと思う。ところでシュッツは、関連性の体系が「何が一般化的な類型化の基層とされるべきかを規定している」とも示唆する（Schutz［1962：284＝1985：109］）。加えてシュッツは、「社会的に是認された類型化と関連性の体系が、集団の個々の成員の私的な類型化と関連性の構造とがその内部で生じる共通の領野である」と述べる（Schutz［1964：238＝1991：320］）。それゆえ筆者は、類型化とは何であるのかということも、まずもってこの文脈で検討しようと思う(4)。

類型化という概念も、たとえば理念型としての「同時代者」、つまり類型化された他者の把握、類型的行為、個性と対比される類型性、社会科学における類型（構成）論などといったように、しばしば多様な点で用いられた。だがここでも筆者は、「基底的な原理」としての類型化概念に注意を向けたい。シュッツはいう、「世界は、物理的世界であれ社会文化的世界であれ、はじめから類型によって経験される」（Schutz［1964：233＝1991：314］）。ちなみに、フッサールは『経験と判断』において次のように述べていた。「受容のあらゆる対象は、はじめからあれこれの仕方で知られている類型の対象として、したがってそれと相関してあらゆる前述語的な構成においても知られている類型の対象として立ち現れるし、そこではあらゆる述語化と絡み合った表現の基盤において、そしてこうした表現に属する一般的な意味作用の基盤において、すでにあれこれ『として』（als）という規定性が生じているのである」（Husserl［1939：173＝1975：191］）。

あるいはまた、フッサールは次のようにも述べていた。われわれに前もって与えられている世界は、その領域的なカテゴリーに従って形成されたものとして「前もって与えられ」、「数多くの異なった特定の部類や種類などとの一致において類型化されている」と（Husserl［1939：38＝1975：30］）。この意味において、われわれはグルヴィッチの次のような言明、すなわち「類型化されていない経験など存在しない」（Grathoff［1985：422＝1996：445］）という言明を理解することができる。類型化とは一種の世界分節であり、われわれは類型化的分節可能な世界のなかに〝産み込まれる〟といってもよいであろう。この点に関して、たしかにシュッツも次のようにいう。「日常言語である母国語の語彙と統語法は、その言語集団によって社会的に是認された類型化の典型（epitome）を表している」（Schutz［1964：233＝1991：314］）だけでなく、「われわれは前科学的な人間言語を、前もって構成された類型の宝庫（treasure house）と解釈できる」（Schutz［1962：14＝1991：62］）。しかしながら、筆者はここでは、言語によるコミュニケーションのレベルよりもより基底のレベルに注意を向けている。そうしたレベルの類型化を、筆者はかつて次のように定義したことがある。すなわち、「類型化とは、生体がある一定の関心に従って、ある体系のなかで他とは差異化される類型によって、当該対象を『〜として』把握する認知行動的機制を指示する語である」(Nishahara［1991：4］)。

加えてシュッツ自身は、あらゆる心的作用の類型化の原理として、連合と統覚があるとも述べる(Schutz［1966：33＝1998：77］)。そこでわれわれは、「連合」や「間接呈示」という概念の検討も余儀なくされるであろう。組化ないしは対化する連合(coupling or pairing association)のもっとも原基的なケースは、「二つないしはそれ以上の与件が意識の統一に直観的に与えられ、まさにそのことによって二つの異なった現象が、それらに注意が向けられるか否かにかかわらず、ひとつのまとまりとして構成されるということによって特徴づけられる」(Schutz［1962：295＝1985：123］)。この文はフッサールの「第五省察」(『デカルト的省察』の第五章のこと)において記されていたものである。フッサールはこの連合を「間接呈示」(Appräsentation)と名づけ、そしてシュッツがサインやシンボルなどの記号(表示)的関係、つまり間接呈示的指示関係を探求したのはこの観点からである。

シュッツにおいて、「シンボル」は概略的にいえば次のような間接呈示と定義されていた。すなわち、対関係のうちの間接呈示する側はわれわれの日常的生活の現実内の対象、事実、事象であるが、その対関係の間接呈示される他の側は日常生活のわれわれの経験を超越する観念を指示する一段高次の指示関係である[5](Schutz［1962：331＝1985：166-7］)。これは、一般にいわれる、意味するもの(記号)と意味されるもの(意味)と了解してよい。この記号関係を「狭義のシンボル」関係と呼ぶことができる。他方、「サイン」は、その把握によって解釈者に「仲間の思惟」が間接呈示される外的世界の対象、事実、事象を指すものと定義される(Schutz［1962：319＝1985：152］)。シュッツは、サインとシンボルを、サインが他者の(世界の)超越に対処し、シンボルが自然と社会の超越に対処するために用いられるという理由で区別した。

しかしながら、「フッサールにおける超越論的間主観性の問題」[6](Schutz［1966：1998］)に関する討論においてなされた（モリス教授による）コメントに対するシュッツの回答のなかで、シュッツは、「私は他者の内的生を指示的シンボル（indicative symbols）（他者の身振り、その顔の表情、その言葉、その行為）によってのみ把握することができる」と述べている（Schutz［1966：87＝1998：145］）。したがって、この一例をもってしてもわれわれは「サイン」という記号表示的な指示関係もまた、広義ではあるがシンボル的間接呈示の一種であるとみなすことができる（これを「広義のシンボル」関係と呼んでおこう。この点はさらに本章の最後の方でも言及される）。だがわれわれにとってここでより重要なのは、シュッツが「シンボル的間接呈示の発生」（the genesis of the symbolic appresentation）を問題にしていたことである。

シュッツにおいては、以下の点がシンボル的間接呈示の「発生」に関して示されている（Schutz［1962：332ff.＝1985：167ff.］）。すなわち、①人間の条件に根ざすがゆえに普遍的で、シンボル化に用いることができる間接呈示的指示関係の第1群の存在があり、②異なった時期のさまざまな文化によって展開された、特定形態のシンボル体系の存在がある、と。いずれにせよ、シンボル的間接呈示の「発生」を考察することは、より基底的なレベルの類型化と関連性、そしてさらに、より基底的なレベルの間主観性という概念を考察することと結びついている。そこで、節を改めて、シュッツのスタンスを〈発生論〉により着目しながらさらに追ってみよう。

［4］シュッツにおける身体・リズム・相互行為

シュッツは、日常生活の「外的世界」が次の四つの理由から「至高の現実」（多元的諸現実のなかでもっとも中心となる現実）である、と主張する。すなわち、

(a)われわれはつねに、それ自体が外的世界の諸事物である自分たちの身体によって、外的世界に関与するからであり、

(b)その外的世界は、われわれがただ努力によってのみ克服することができる抵抗を与えることによって、われわれの行為の可能性を制限するからであり、

(c)その世界は、われわれが自分たちの身体活動によってのみ折り合っていくことができる領域だからであり、

(d)——以上の点の帰結であるとシュッツは付け加えるのだが——この世界の内部でのみ、われわれが自分たちの仲間とコミュニケートでき、したがってフッサールのいう意味での「共通の了解環境」をうち立てることができるからである。(Schutz［1962：342＝1985：180］)

われわれは、シュッツとともに、身体活動を基盤に他者と交流しうるこの「外的世界」は「活動世界」(working world)なのである、というべきである。

ここにおいて、われわれは人間の条件の観点から「身体」の問題にあらためて特別な注意を向けることができる。われわれは、生活世界の外的世界のなかに生まれる。つまり、われわれは、単に社会的世界のなかに生まれるだけでなく、また——フッサールの用語を使ってシュッツが示したように——「根源的方舟」(Urarche)である「大地」(Erde)の上に生まれるのである(Schutz［1970：170＝1996：236］)。身体として私は、私の自己が外的世界のなかに自らを現す形式である。そして実は、原初的なシンボル化が生起するのも、私の諸活動に対する他者の活動と反応においてなのである(この点については後にもう一度言及するつもりであるし、ミードに関する本書8章の議論のなかでも言及することになろう)。だからいまここでは、シュッツが音楽に関する議論において「リズム」を強調した点のみを取り上げ、さらに考察を加えておくことにしよう。

まず、シュッツの音楽に関する視角について筆者の見解を再度挟んでおく。シュッツは、その初期の著作においても「音楽」の問題を論じているが（cf., Schutz [1981]）、音楽に関するシュッツの諸論考には、少なくとも二つのレベルがあるように筆者には思われる。すなわち、一方でのオペラ論において現れる「協調と反目」が交錯する内世界的な日常生活に関する記述のレベル（Schutz [1964 : 195ff. ＝1991 : 265ff.]）、他方でのそうしたコミュニケーションの前提や基盤としての共振するリズムの解明のレベルである。前者のレベルの研究例として、われわれはグラトホフの仕事（Grathoff [1986]）をあげることができるが、本章の着目点は、主として後者にある。

ところで、シュッツによる「音楽の現象学」に関する（草稿の）論文（一九四四）は、つぎのような文章でもって中断されていた。すなわち、「こうした工夫［＝聞き手の適切な反応を引き起こすために作曲家が用いる工夫］のうちでもっとも重要なもののひとつ、つまりリズムを、われわれは後に研究することになる」（Schutz [1996 : 275]）。先にふれたようにシュッツは、論文としては完結しなかったこの草稿を書いたのち、しばしばリズムの問題に言及するようになる。たとえばそれは、サルトルを論じた論文、シンボルを扱った論考、さらにまたシュッツが批判的な仕方でフッサールに対峙した論文などにおいて、なされたのだった。ちなみに、これらの諸論考が書かれたのは、いわゆる『関連性草稿』（邦訳『生活世界の構成』）が書かれた一九四八—五一年頃、あるいはその後の「五〇年代のシュッツ」の時期であった（前章参照）。

「リズム」は、すぐれた音楽理論家であるシュッツにとってキータームである。[7] このリズムに関してシュッツは『関連性草稿』以外でも、たとえばシンボルを論じた彼の議論（一九五五）のなかで、大略つぎのように述べている。われわれ各人は、「自然の回帰的なリズム」に関与している。つまり、われわれ各人にとっては、太陽や月や星たちの動き、昼と夜の交替、季節の循環は各人の状況の諸要素である。この点に加えてシュッツは、呼吸や心臓の鼓動といった身体時間のリズムも取り上げる。さらに、リズムの他の諸例として、各個人の生の循環、つまり誕生、老い、死、健康と病気、希望と怖れ、がシュッツによって取り上げられている（Schutz［1962：330＝1985：165］）。『関連性草稿』におけるリズムに関連するシュッツの表現も掲げておこう。

……われわれの内的生のリズムは――そしてそれはその生物的―生体的な基盤をもっているのだが、このリズム自体はわれわれの内的生のひとつの生起として主観的に経験される――われわれの諸活動のリズムを分節する。（Schutz［1970：114＝1996：167］）

……われわれの精神的生のこのリズム的な分節こそが、この世界内の人間としてのわれわれの歴史的―自叙伝史的な存在にとって構成的なのである。（Schutz［1970：132＝1996：186］）

ところで、スティーヴン・ヴァイトクスは、シュッツに内在している二種類の賦課的な関連性（先にふれたように、関連性とはわれわれの「選択の基底的な原理」であった）、つまり「根本的な」（fundamental）賦課的関連性と「基本的な」（basic）賦課的関連性（前者がより基底的である）の区別を明示してくれた（Vaitkus［1991：113＝1996：356］）。とくにこの前者と密接に絡みながら、シュッツのテクストにおいては大きく分けて、つぎの三つの賦課的なリズムがあるとヴァイトクスは指摘する。すなわちそれらは、①外的時間の賦課的なリズム、②身体時間の賦課的なリズム、③内的時間の賦課的なリズム、である。

加えて、本章の着目点は次の点にもある。すなわち晩年近くのシュッツの著作構想ノート（前章参照）でも明らかなように（Schutz & Luckmann［1984＝1989：299］）、第一に「共振する仕方で『リズム』を共有すること」（sharing rhythm in a synchronized way）、すなわちそうした相互同調関係それ自体が社会的相互行為の前提のひとつであるということ、第二に「あらゆるコミュニケーションは活動関係（working relation）に基づく」と了解できるということ、このことである。とくにここで注目したいのは、このレベルの社会的相互行為からなる活動関係こそが、「原シンボル」(proto-symbol)の一形態を生みだすということである。というのは、希望と怖れ、愛、さまざまな相互的身体諸活動を伴う間身体的現実のうちで共に活動するということは、「他者定位」の交差する相互行為に起因して互いのうちに生起する(〝前に愛する人がいる〟〝後ろに敵がいる〟などというような)前後、左右、上下、などといった原シンボル的な「表象」を生起させるからである。

ところで、私の身体の直接性によって経験される空間は、「生きられる空間」(メルロ＝ポンティのいう éspace vécu)である(Schutz [1970：174＝1996：240])。関係性ないしは相互行為というわれわれの現在の文脈では、我と汝の間の身体的空間における「ここ」と「そこ」の差異の問題は――つまりこの命題のなかで実在として述べられているのは――われわれが自分たちの身体の直接性のなかに存在し、その身体の直接性によって空間を経験しているという「根本的な存在論的条件」である(Schutz [1970：175＝1996：241])。すでにみたように、間主観性とは人間の世界内存在という根本的な存在論的カテゴリーである、とシュッツは主張していた。われわれはここに、人間の条件ないし人間の存在論的条件、つまり「宇宙における人間の地位」(これは、シェーラーの著作のタイトルでもある)という特性に関するシュッツの洞察の一例を見いだすことができるのである。しかもそれは、あくまでも他者との関係を射程に入れた考察であること、すなわち相互行為の文脈でこそ重みを保つということもここで再確認しておこう。

以上からいえることをまとめておこう。シュッツは、シンボル的世界の発生に関するプロセス、すなわち生命論的な領野、言い換えれば、より基底的な間主観的で相互行為的な領域から、より高次の精神的な領域における狭義・広義のシンボルにいたるまでの過程にも深く関心を寄せていた。要するに、「生きられる世界」は社会文化的な生活によってだけではなく、「間身体性」のレベルによっても生きられているとわれわれはいうことができる。もちろん、シュッツは日常的な生活世界の重要性を強調し、「中間領域」の位置の重要性を指摘したことも間違いない（cf., Schutz［1996：147ff.］）。しかし、日常的な生活世界は、種々の世界の異なったレベルや層から「構成され」（composed）ており、そしてその中間領域とは、少なくとも二つのレベルの間、つまり言語コミュニケーション的な内世界的レベルと、より基底の前コミュニケーション的な（前言語的ともいいうる）より根本的レベルとの間にあることも忘れてはならない。

筆者はかねてから「両睨み」の複眼の社会理論としてシュッツの現象学的社会学を位置づけてきたが（西原編［1991］）、ここでもまたシュッツ現象学的社会学は、そのような深みと拡がりをもった厚みのある社会理論として捉えられるべきだと主張しておきたい。われわれはまたこの「中間領域」という用語も、まさにシュッツ自身が『シュッツ・グルヴィッチ往復書簡』で示したように、学問の諸分野間にも適用することができる。つまり、われわれは「現象学と社会学の間」について語ることができる。しかしながらその場合われわれは、一方で現象学は意識の〈発生〉をふくむその意識生（conscious life）の問題を哲学的に論じ、他方で社会学は一般に理解されているような人間の相互行為の「諸事実」（この語はもちろんエンピリカル（＝経験実証的）な諸事実を指している）や諸帰結を実証的に論じるものだと述べなければならないのであろうか。

おそらくそうではないであろう。筆者には、シュッツが展開した研究領域はまったく新たな学問領域であり、そしてそれは、より基底・基層の自他の相互行為とその人間的な意識生とのいわば「交差点」において、生（活）世界の社会的構成という生成過程を〈発生論〉的に探究し把握しようと努力する学問領域であるように思われる。われわれは、この点においても、シュッツによって着手され展開された現象学的社会学の道を把握すべきなのである。

前章でみたように、ウィーン脱出後の「アルフレッド・シュッツのニューヨーク」、とりわけ「一九五〇年代のシュッツ」は、関連性に関する著作の草稿作成をひとまず中断し、社会関係の「より」基底の層の観点から、つまり筆者のターミノロギーでいえば「発生論的相互行為論（genealogical genetic interactionism）」の見地から〈社会の発生〉を解明すべく、新たな現象学者たちとの対話に努めたとみていくことができる。(8) そして、この文脈でのキータームが、前コミュニケーションとしての「リズム」や「相互同調関係」であり、そしてそれらは、自己と他者とが互いにコミュニケーションをおこなうことのできる〈間〉であり、かつ社会生成の基盤のひとつであったのである。

[5] 小　括——シュッツ発生論の可能性

以上のように、本章はまずシュッツの思考をより鮮明に呈示するために〈発生論〉という用語を全面に出してきた。だが残念なことに、われわれはシュッツのなかに発生論的思考の全面的な展開を見いだすことはできない。したがって、われわれにとってはシュッツの思考に関する議論をさらに前に進める課題が残されている。にもかかわらず、われわれとしては、シュッツの現象学的社会学の試みは発生論的相互行為論の視座から人間社会の根本的な間主観的問題群に対して光を投げかけたと述べることができるし、またそう述べるべきである。

それゆえ、われわれはまた、前述の廣松渉のシュッツに対する批判的コメント（シュッツ理論は結局のところ独我論である、という断定）はやや一方的なものである、ということができる。廣松自身が発達心理学の知見を用いながら前コミュニケーション的な間主観的（共同主観的）世界の問題を発生論的に探究したことは非常に示唆的であるが（廣松・増山 [1986]、廣松 [1996a]）、シュッツの前期の著作に対して向けられた廣松の批判的アプローチは、一九五〇年代のシュッツの発生論的思考のもつ可能性に十分に言及することができなかったのではないだろうか（一九九四年の廣松の死がこの思考への接近を拒んだ側面はかえすがえすも惜しまれる）。われわれは、この（発生論的思考という）点での価値ある源泉をシュッツの諸著作のなかに、とりわけ根本的な〈社会性〉（間主観性）

に関する彼の発生論的思考のなかに、見いだすことができるのである。

シュッツは、遺稿となった『生活世界の諸構造』(ただし、共著者ルックマンが大幅に手を加えたもの)のためにアウトラインを記したシュッツ自身のオリジナルな企図(ノート群)のなかで、「自然主義」と「論理実証主義」は社会科学固有の対象である社会的世界を単純に自明視してしまっており、間主観性、相互行為、相互コミュニケーションといった諸概念は、これらの理論の不明瞭な基盤として単純に前提とされてしまっている、とノートしている(Schutz [1984 : 237])。そこにおいてシュッツはまた、社会科学者は、学問的探究が始まる以前に、自分の根本的な問題を解決していると想定してしまっている、と批判的に記していた。さらにいえば、シュッツは、(筆者がすでに引用しておいたことだが)次のようにノートしていた。「あらゆるコミュニケーションは、活動《ワーキング》関係に基づけられる」と。……もはやすでにこの論点は指摘してきたので、これ以上ここでつけ加えるものはない。シュッツは、間主観性のより深いレベルの根本問題を解決しようと努めた。そして、一九五〇年代にその解決に向けて必死になされたシュッツの努力は、適切にも「発生論的相互行為論」と呼ぶことができる、と筆者には思われるのである。

そこで、この課題をわれわれが引き受けて社会理論的な諸問題を探究するために、われわれは、たとえばフッサールがその草稿群で示唆したような母子関係の問題に論及することができる。フッサールはいう、「他者に(性的—社会的に)方向づけられ、形成された世界構築の手前に存在する段階をもつ衝動志向性(Trieb-intentionalität)、つまりここで私が考えているのは、両親の問題、とりわけ母と子の問題についてである」(Husserl [1973 : 594])。われわれはこの点に加えて、フッサールの「受動的志向性」の研究(cf., 山口 [1985])の一部としての発達心理学の知見も再検討することができる。発達心理学の行動発達論的な知見は、自他関係の発生論的問題群に対しても知見を提供してくれることは間違いない。

その点をふまえてわれわれは、人間の相互行為のより基底にある間主観的レベルの問題、つまり(メルロ=ポンティが研究しはじめたような）間身体的レベルの問題を検討すべきであろう。もちろん、シンボル的な間接呈示的指示関係の発生を考察するとき、すでに本書の1章で示唆してきたように、われわれは二人の行為者のみならず、少なくとも三人の行為者がより基底の社会的相互行為にかかわることがしばしばであることをも考慮に入れなければならない。それゆえわれわれは、（ジンメルが研究しはじめたような）相互行為における三者関係を主題的に探究すべきである。つまり、シンボルと三者関係との関連の問題が問われなければならないということである。さらに、こうした方向性は、二元論や独我論といった「近代性」の再検討とも密接につながっている。この点では、シュッツに一定の影響を受けたエスノメソドロジーの検討も有益だろう。シュッツ現象学的社会学は、このような問題群の検討にもわれわれを導いてくれるように思われる。

最後にもう一言。先にもみたように、ミードは、アメリカ社会思想へのクーリーの貢献を論じた論文のなかで、「もしわれわれが、諸々の自己や他者がその内部で立ち現れる社会的行動を、外的世界から区別されたものとしての精神的なものが現れるのに先立つ状況に差し戻すことができるならば、社会構造の原因となるのみならず、その社会構造の批判やその深化の原因ともなる社会的パターンの始原（origins）を、何よりもこの根本の社会的行動にまでたどり直すことができるであろう」（Mead［1956：306］）と述べている。筆者はミードの思考線においても〈発生論〉という言葉を語りたいと思う。

では、シュッツらからこのように引き出すことのできる「発生論的相互行為」の視座から、われわれは、さらに進んだ自己と他者の関係論、およびそこから再検討し直す「社会理論」の展開を、いかなる形で構想していくことができるのか。今後の課題は、エスノメソドロジーとミードに関する章を挟んで相互行為論の意義を再確認したうえで、そうした〈自己―他者〉関係論の展開を、社会理論への展開を模索するマクロな射程をもつとされるヴェーバーの「社会理論」の検討も合わせておこなって、「問い」を再度しっかりと確定しておくことである。なぜならば、こうした未踏の問題群に挑むためには「問いの共有」こそその生命線だと思われるからである。平板な技術論に陥りがちな現代の社会学的思考を脱構築し、再度、厚みと拡がりのある社会学的思考をもつ古典的業績から学んで新たな社会学理論を再構築していくことは、一見遠回りにみえるが、ぜひともたどらなければならない道のように筆者には思われるのである。

本章は、過去のものとしてではなく、社会学理論や社会分析のための新しい地平でシュッツが読まれるようになるための、その出発点の確定の作業であったといってよい。今日のアメリカ社会学を中心とする社会学理論は、こうしたシュッツ現象学的社会学の可能性の中心をどこまで的確に捉えてきたのであろうか。シュッツの一面的理解という切り詰めからの解放と、その可能性の継承的展開こそ、われわれ社会学徒にとって今日的課題のひとつであるように思われる。そこで次章以下、その可能性の扉を開く二つの先行の試みに言及しておきたい。

7章 シュッツとエスノメソドロジーの視点——発生論的相互行為論の射程

[1] シュッツとガーフィンケル——パーソンズとの狭間

本章では、シュッツ現象学的社会学とエスノメソドロジーの展開をめぐって考察を加え、これらの学派からの「社会理論」への寄与を考察したい。ただし、エスノメソドロジーの検討はシュッツを念頭においてのみ語られることをあらかじめ断っておきたい。一九六〇年代にアメリカで着目されたシュッツ現象学的社会学やエスノメソドロジーは、七〇年代に入って日本の社会学においても気になる存在として語られはじめた。ただしドイツ語圏であるウィーン生まれのシュッツの仕事に関しては、日本の社会科学においてはかなり早い段階で言及がなされていた。[1] それは、ドイツ語で書かれた『社会的世界の意味構成』というシュッツの著作が一九三二年という段階で公刊されていたからであった。

だが、かつて筆者がふれたことだが、この六〇年代という世界的な「叛乱」の時代を背景として、シュッツは「再発見」された（西原編［1991］第1章）。そして二十世紀後半を経て、ほぼ半世紀が経つ今日、シュッツ現象学的社会学やエスノメソドロジーの研究は新たな展開の段階にあるといってよい。まずこれまで本書でふれていないエピソードも交えてシュッツ理論の社会学における受容過程を簡潔に復唱し、次いでエスノメソドロジーを論題として〈意味社会学〉の展開と意義とを検討してみたいと思う。

シュッツは、ナチの魔の手を逃れ、パリを経て一九三九年にニューヨークに亡命したあと、ハイエクに依頼されていたパーソンズ『社会的行為の構造』の書評との関係もあって、パーソンズと書簡を取り交わしはじめた。パーソンズにとっては、過去の記憶の一こまにすぎないこの出来事は、シュッツにとっては、自らの思想の深まりにおいて重要なものであった。シュッツ自身は、五〇年代の初め頃まで、幾多の批判点はあるにしても、ともに行為論を志向するパーソンズと自分の学問が意外にも近い面があると感じていたようだ。五〇年代の早い段階までのシュッツの著作には、パーソンズからの引用がしばしばみられる。またシュッツがガーフィンケルに宛てた返信のなかからもそうした口吻が伝わってくる。(2)

しかし、パーソンズがＡＧＩＬ図式を本格的に展開しはじめる五〇年代の中頃、シュッツはパーソンズの発想に違和感を強く感じはじめたのであろう。そのころからシュッツの関心は、シェーラー哲学などの読みに向かっていく。五六年のグルヴィッチ宛のシュッツの手紙には「私はいま深くシェーラーに浸っています」と記されている（Grathoff［1985：395＝1996：417］）。五九年、シュッツはパーソンズ批判を公にしていくのも五〇年代からである。また、たびたび強調しているように、シュッツがフッサール批判を公にしていくのも五〇年代からである。また、たびたび強調しているように、シュッツはフッサールの遺稿が残されているベルギーのルーヴァンへ研究休暇をとって赴く予定であった（Wagner［1984：110］）。少なくとも公刊されていたフッサールの研究に問題点を見いだしていたシュッツは、未完のフッサールの草稿類にあたって、自らの考えとの異同を確認するつもりであったのだろう。フッサール草稿類に学んだメルロ＝ポンティの業績も大変気になっていたと推測できる。しかし残念ながら、彼の早すぎる死がその計画の実行を妨げたのであった。

ここで少し余談に聞こえるかもしれないが、シュッツの人柄の一端をも付け加えておこう。シュッツに直接薫陶を受けたネイタンソンによれば、亡命先で教鞭をとった大学院大学「ニュースクール」のセミナーにおいて、シュッツは現象学者としてだけでなく、世界を飛びまわって銀行の仕事をしている経済通として、何カ国語も自由に話し、しかも思慮深い語りで学生と接していたようだ（西原［1997］参照）。パーソンズほどの学派を生前に形成していたわけではなく、著書を一冊しか著していなかったシュッツには、しかしながら、その影響を強く受けた「弟子」たちが多数輩出することになる。シュッツの影響がやがて六〇年代に開花する下地は、こうしたシュッツの人となりが影響していたように思われる。

さらにもう一点、シュッツの再発見の素地となった時代的背景にも再度言及しておこう。時代は六〇年代。アメリカにおいて黒人解放の公民権運動からその後半のベトナム反戦運動、そしていわゆるスチューデント・パワーとして語られる学生運動、総じて戦後の覇権国アメリカの既成体制の権威に対するアンチの声が国内外で急速に高まる。社会学界においても、五〇年代末のミルズに続く形で、その当時の中心的権威パーソンズに対する批判の声が高まる。パーソンズの社会学理論は、概念図式のみで、社会化過剰な、人間なき社会理論であり、変動を軽視する保守的・均衡論的なものである、云々。変革を求める一方で、日々の生活を営む人びとの主体性に期待を寄せ、人間的なぬくもりのある生きた「人間主義」的な社会理論を求める心情に一致する形で、その象徴としてシュッツ現象学的社会学は〈再発見〉された。六二年、六四年、六六年とシュッツの主としてアメリカで書かれた論文がつぎつぎと著作集としてまとめられて公刊され、三二年の主著の英訳も六七年に刊行されたのだった。

この間のもう少し立ち入った説明は本書ですでにふれたし、筆者自身別の機会に書いたこともあるのでこれ以上は立ち入らないが（西原編［1991］）、そうしたパーソンズの「機能学派」とシュッツをはじめとする「意味学派」の対立という図式が、その時期から長く尾を引くことになったのは事実であろう（本書2章参照）。それは、社会学の発展にとって必要な過程であったと同時に、ある意味では不幸な出来事でもあったのではないだろうか。それは二重の意味で不幸であった、とここでは述べておきたい。第一に、「対立」という図式の強調により対立点が不当に強調されたという意味で、第二に、「対立」はやがて「統合」という理論の流れを産み出し、そして統合の対象としてシュッツは「切り詰め」られたという点において。それゆえ、シュッツ現象学的社会学が問題としようとした論点、〈意味社会学〉とその〈発生社会学〉的思考とがもつ問いの視点は不当に等閑視されてきたように思われる。この点を以下でも論じるべく、まずはシュッツとガーフィンケルの「出会い」から述べておこう。

さて、前置きがやや長くなったが、ハロルド・ガーフィンケルは、アメリカのネワーク大学、ノースカロライナ大学卒業後、一九四六年ハーバード大学大学院に入ってパーソンズのもとで研究を始めた。すでに、そのころの執筆とされている興味深い（バスのなかでの人種差別問題を扱った）小説「カラートラブル」（Garfinkel [1940＝1998]）で「知覚の衝突」を論じていたガーフィンケルの交流が手紙のやりとりではっきりとした日付をもつようになる性がある。しかし、シュッツとガーフィンケルの交流が手紙のやりとりではっきりとした日付をもつようになるのは、管見のかぎり、一九四〇年代後半である。四九年、ガーフィンケルは、それ以降シュッツから多くを学んでいた可能性がある。しかし、シュッツとガーフィンケルの交流が手紙のやりとりではっきりとした日付をもつようになるのは、管見のかぎり、一九四〇年代後半である。四九年、ガーフィンケルはシュッツに手紙を出す。しかもそのさい、すでに書いていたガーフィンケル自身の諸論文も同封されていた（なお、ガーフィンケルは、五二年に『他者の知覚―社会秩序の研究―』（Garfinkel [1952]）で博士号を取得、同年オハイオ州立大学で教壇に立ち、五四年にはUCLAに移る）。だが、手紙の文面から見るかぎり、シュッツはガーフィンケルの意見に全面的に賛成ということではなかったように思われる。それは、パーソンズ理論をもともとある概念と対象との一致理論（correspondence theory）に、シュッツ理論を大きなケーキからナイフで〝ショートケーキ〟を切り出すことによって対象が存在するようになるとみる同一理論（congruence theory）に位置づけるガーフィンケルの考えに、シュッツが疑問を呈していたといった点からも立証できるであろう（cf., 西原 [1994：100f.]）。

しかしながら、いま問題にしたいのは、その点以上にこの行き違いの背景となった彼らの思考・志向の違いである。のちにみるように、ガーフィンケルは五〇年代の中頃には、エスノメソドロジーという用語を創出し、自ら独自の研究の道を進んでいく。そのころシュッツは、先にみたように、パーソンズとは距離をおくようになり、いわば〈現象学返り〉をしていた。ひとたび交差するかにみえたシュッツとガーフィンケルの間の距離は、そのころにはかなり隔たってくるといってよいだろう。では、こうした事情を、今度はエスノメソドロジーの展開過程を押さえることで、いったんエスノメソドロジーの側からみていくことにしよう。

［2］ガーフィンケルとエスノメソドロジーの展開――三つの系譜

一般に、エスノメソドロジーも六〇年代の文脈のなかで着目されたといってよい。ガーフィンケルの『エスノメソドロジー研究』が六七年に出版されたからだ。しかし、この書の出版当初の社会学界における評価は、どちらかといえば否定的なものであった。とくに本国アメリカでは、書評などからみるかぎり出版当時はあまり評判がよくなかったようで、加えてグルドナーもエスノメソドロジーに懐疑的な言辞を表していた（Gouldner［1970：67f.］）。その主たる理由は、ガーフィンケルの文体の難解さとともに、その主張自体の難解さとかなり「過激」な内容にもあったからであろう。その「過激」さが何かは、おいおい考えていってみたい。

さて、シュッツとガーフィンケルの関係に関していえば、シュッツがどちらかといえば哲学的背景から主観性や日常性に着目して発言していたのに対して、ガーフィンケルはそれをいわば社会学化したという言い方が一般的にはなされている。当初エスノメソドロジーは、日本においても下田直春の著作『社会学的思考の基礎』にもみられるように、一面ではシュッツと同様ミクロ社会学の主観主義社会学ではあるが、他面ではシュッツとは異なって、それが経験的手法を用いるゆえに社会学として一応認められる、といった評価であったように思われる（下田［1978：115］）。

しかし、今日にまでいたれば、エスノメソドロジー自体も多様な展開を示し、興味深い知見をわれわれに与えてくれている。以下ではその多様な展開に関して、本書の視点から、筆者なりに多少の整理を試みてみたい。とにもかくにもまず確かなことは、エスノメソドロジー自体も一色ではないということだ。と同時に、シュッツと同様、エスノメソドロジーもまたその業績に反して、受容のさいに多くの誤解にまみれてきた。すでにふれたように、その着想が五〇年代に生まれたとされるエスノメソドロジーには、当初はシュッツの影響があったことは確かである。だがシュッツは、前述のように、五〇年代にはアメリカ社会学と自分の考えている学問が必ずしも一致しないことを強く感じはじめており、アメリカ社会学からはむしろ距離をとりはじめていた。実のところ、ガーフィンケルが依拠していたのは基本的には四〇年代のシュッツの業績である。[3] だから、五〇年代のシュッツの歩みとは必ずしもふれ合っていない。別の言い方をすれば、エスノメソドロジーはある時期からはっきりと独自な道を歩みつづけてきたということである。したがって、シュッツを横目で意識しながらも、エスノメソドロジーが投げ掛けてきたものが何だったのかを今日の時点で検証してみる作業こそここでの課題である。そこで、必ずしも一色ではないエスノメソドロジーの研究の流れの含意を、以下とりあえず三つの系譜として押さえることにする。まずは、出発点のエスノメソドロジーという第一の系譜から検討してみよう。

すでに本書3章で一部みてきたが、エスノメソドロジーは、その創始者ガーフィンケルによって、以下のように定義風に示されていた。「私は、日常生活の組織化された巧みな実践によってそのつど推し進められている諸々の達成としての文脈依存的表現およびその他の実践的行為のもつ合理的諸特性の探究を指して、『エスノメソドロジー』という語を用いる」(Garfinkel［1967：11］)。あるいは、エスノメソドロジーとは「社会のメンバーがもつ、日常的な出来事やメンバー自身の組織的な企てに関する知識の組織的な研究」であるとか、より正確には「ネオプラクシオロジー」(新実践学)という方が適切かもしれないなどと語っている(Garfinkel［1968：18］)。ここからまずとりあえず分かることは、少なくとも、エスノメソドロジーに関する主要論文を集めたガーフィンケルの『エスノメソドロジー研究』は、日常的、常識的活動のもつ合理性の析出に関心があったし、実際そこにはそうした論文が収められていた(たとえば「科学的活動と日常的活動のもつ合理的諸特性」論文)。それは、今日では比較的よく知られた数々の「違背実験」において示されたように、自明な常識的世界という日常世界が、ひとつの社会秩序として、いかにして人びとによる実践的推論に基づく日々の相互行為によって説明可能な形で達成されているか（「見られてはいるが、しかし気がつかれていない」背後期待）を示すものであり（Garfinkel［1967：36］）、そしてそのことによって、社会科学者が合理的な概念図式を、没合理的であいまいないわばカオス状態にある現実世界に当てはめて解明するというパーソンズ的な社会学方法論を批判する視点をもちえていた。

だからこそ、ガーフィンケルは、社会科学は社会の成員を二つの「判断力喪失者」、つまり社会学者が設定した社会のなかにいる人間＝「文化的な判断力喪失者」と、心理学者が設定した社会のなかの人間＝「心理学的な判断力喪失者」とみなしていると批判しえたのである（Garfinkel［1967：66f.］）。それは、六〇年代の文脈でいえば、主体性や主観性をもった合理的存在としての行為者像の復権である。シュッツ流にいえば、社会科学者による第二次的構成概念に対する、日常的な生活者の第一次的構成概念の復権であるといってもよい（Schutz［1962＝1982］）。

以上が、エスノメソドロジーの第一の系譜であろう。要するに、初期ガーフィンケルのエスノメソドロジーは、常識的相互行為による社会秩序の構成のされ方を問うものであった。そしてそのことが、現象学に影響を受け、現象学的転回（phenomenological turn）をなした社会学の登場とされたわけである。ただしガーフィンケルの『エスノメソドロジー研究』には、すでにヴィトゲンシュタインの「言語ゲーム」論への言及もみられる（Garfinkel［1967：70］）。このことでいますぐにどうこういうつもりはないが、だが、H・サックスとの出会いや影響を経て、やがてエスノメソドロジーはいわゆる言語論的転回（linguistic turn）を示すようになる。このことはエスノメソドロジーのその後の展開にとって重要な出来事である。つまり、「会話分析」の登場につながるからである。そこでエスノメソドロジーはまた新しい段階に入るといってよい。それをここでは、エスノメソドロジーの第二の系譜として、簡単に追っておこう。

ある意味で、自然言語を用いる成員の日常的な世界の探究、言語を用いた相互行為による社会秩序の達成といった考えの当然の流れとして「会話分析」は登場してきたといえる。会話分析の研究において、たしかに、問いと答えといった隣接対、会話の順番取り、沈黙、割り込み、会話の移行適切場の存在、さらに行為者は行為のさいの規則に必ずしも明示されていない事柄に対する一定の解釈の裁量があるという「等々の条項」などの知見が会話分析によって析出された。それは、いままでの社会学においてはあまり論じられてこなかった、行為の連鎖ないしはシークエンスによる秩序の「局域的構成」を示す視点である。そしてそのことによって、さらにあらためて行為とその意味の「文脈依存性」や行為（の意味）と文脈との「相互反映性」の議論が説得力をもって立ちあらわれてくる。

ただし、こうした研究の流れのもつ含意の把握は、エスノメソドロジー研究者において必ずしも一定してはいないように思われる。ある人はそこで、「等々の条項」に第一の系譜と同様に人間の主体性をみたり（北澤［1991］）、あるいは相互行為やそこにおける解釈装置の探究、認知社会学の方向を模索する者（Cicourel［1973］）もいた。だがさらに特筆すべきものとして、会話分析の手法を応用して、社会学的研究を推し進めた一群の研究者の仕事もあげなければならない。つまり、サックス流の会話分析は、会話の構造の分析、会話による秩序構成問題を超えて、日常的な会話に現れる権力作用を問う流れをも生み出した。アメリカではまず七五年にジンマーマンらの研究が、そして日本では、エスノメソドロジーの画期的な研究として数々の著作に再録された「性差別のエスノメソドロジー」（江原・好井・山崎［1984］）が登場する。それは男女の会話における「割り込み」の男性優位という数量的データをも示すことによって、差別の身体化やその局域的構成を切り出してみせた。ちょうどそれは、フーコーの権力論の視点――身体に浸潤する権力――と軌を一にする興味深い知見であった。ただしその試みは、エスノメソドロジーの手法を応用した研究であって、必ずしもエスノメソドロジーの独自な思想性の展開ではなかったのかもしれない(4)。おそらく、会話分析のエスノメソドロジー研究の理論的な含意は、今日の時点でいえば、別のところに向かっていたようにも思われる。そしてそれが、エスノメソドロジーの含意の第三の系譜を示しているように思われる。

先に、ガーフィンケルが早い段階で「言語ゲーム」に言及していることにふれた。いうまでもなく、言語ゲーム論はヴィトゲンシュタインによって提唱された考え方である。ヴィトゲンシュタインは『哲学探究』において、「言語と言語の織り込まれた諸活動との総体を『言語ゲーム』と呼ぶ」（Wittgenstein [1953：§7]）。そしてこの議論は、意味の問題についても新しい知見をもたらした。すなわち、ヴィトゲンシュタインによれば、言語における意味とは要するに使用（慣用）のことである（Wittgenstein [1953：§43]）。もう少し正確にいえば、意味とは相互行為を離れて外部に存在するものではなく、たとえば問いと答えのように、まさに相互行為のなかに埋め込まれているということだ。問いは、それに隣接する答えという対応行為の接続というシークエンシャルな行為連鎖によって、まさに「問い」として位置づけられ確定される。

このことは、オースティンが言語行為論において示した発話内行為の議論とも重なる（Austin [1960＝1978]）。まさにわれわれは言語（発話）によって行為を、たとえば約束という行為を、他者との間で相互行為的におこなっている。その意味でも、たしかに私的言語は不可能である。だが、エスノメソドロジーの主張はさらにその先に向かうことがある。それは、ヴィトゲンシュタインのいうように言語ゲームを説明してはならないという視点（Wittgenstein [1953：§654]）と重なり合う。どういうことか。たしかに、ヴィトゲンシュタインが語っていたように、言語の限界が世界の限界である。われわれは言語ゲームを説明しようとすると、それ自体、自己言及的に「言語」に依らないわけにはいかない。つまりそれは、言語ゲームの言語ゲームをメタレベルでおこなうことになる。この試みは無限背進に帰結する。つまり、われわれは言語ゲームからは抜け出すことができない。

この議論は、ある意味で、言語に依拠して社会科学が壮大な社会理論の体系をつくってきたことに対するアンチ・テーゼの意味をもつ。言い換えれば、さまざまな形而上学的な「大きな物語」をつくり上げてきた、あるいは社会認識の確固たる拠点を示す（存在しない、「外部」の支点ないしは固定点である）アルキメデスの点を追い求めてきた「近代」という知の地平に対する、その批判的視点を提出したことになる。そしてそこから、エスノメソドロジーは一気に「根拠を問わない」路線を選択し、ひたすらメンバーが互いに説明可能にしている相互行為的な秩序達成に関する「記述」に徹する、という道を歩む傾向が前面に出てくる。そしてそのことが、伝統的な社会科学の「第二次的な構成概念」による分析、しかもその科学主義的な「修復主義」[5]の思考と決定的に路線を分かつ点として捉えられるようになる。この点で、それはたしかに、伝統的な社会科学の視点のもつ問題性、つまり日常世界を没合理的であいまいだとみなす視点のもつ偽善性とすらいえる欺瞞性を暴く「過激」な視点となりえている。

さらに付け加えておけば、その点が意外にもルーマンの社会システム論の議論との親縁性を見いだすことになる。ルーマンも、ある意味では「大きな物語」を批判し、その社会システム理論を駆使して記述に徹する点において、明らかに近代性批判の意味を帯びていたからだ（Luhmann［1984］、三上［1993］）。このように、われわれはエスノメソドロジーのなかに、ひとつの近代性批判をみることができるように思う。今日、エスノメソドロジーは、その意味で、近代性批判の急先鋒の流れのひとつといってよいかもしれない。

［3］エスノメソドロジーの現在――相互行為と「意図」の問題

だが、そうした過激さは、単に近代の「大きな物語」批判の標榜だけにとどまるわけではない。近代的な思考、とりわけ「主観性」をめぐる問いに、エスノメソドロジーは鋭い分析のメスを入れたからだ。その典型は、「ヴィトゲンシュタイン派エスノメソドロジー」として知られているクルターの議論に端的に現れている。彼の著『心の社会的構成』(Coulter [1979=1998]) というタイトルはこの点を如実に示している。「心」はどこにあるのか。伝統的な近代的思考は、脳や(あるいはそれ以外の身体にも分散しているかは別にして)身体のどこかに、より正確にいえば身体の皮膚的界面の内部に位置していると考えてきた。しかし、クルターはそうした考え方を批判する。心はむしろ自己と他者との〈相互行為のなかに埋め込まれている〉という表現の方が適切であろう、と。それは、どういうことであろうか。

「意味」(や「意図」)という点からこのことを考えてみよう。意味は、相互行為のヤリトリのなかで生成し・確定される。あるいは、意味は文脈に埋め込まれているといってもよい。同じ発話でも、文脈が異なれば意味が異なる。「ソレ、トッテ」という発話は、たとえば「それは何か」という問いに対しては、「それ(は)、取っ手(である)」と説明的に答えることになるし、他者に向けて「それ、取って」と発話すれば、それは依頼という言語行為を行い、他者がたとえばソースを渡してくれれば、意味が確定されるというわけだ。あるいは、「コレガ、ワタシデス」という発話も、卒業写真を見ながら自分を特定して「これが私です」と他者に示すこともあれば、古びた写真を見ながら——若い世代には馴染みがないので——「これが(昔あった)渡し(船)です」と他者に説明するケースもあろう。こうした例はおそらく無数に思いつくであろう。

だが、この無数の例があるという点では、意味が文脈によって規定されるのと同様、意図も文脈のなかで確定されるのではないだろうか。つまり、われわれがはじめから「意図」をもって相互行為をするというあり方の方が、むしろ特殊なケースであることを暗示してはいまいか。たしかに「意図」は〈相互行為のなかに埋め込まれている〉という仕方で、われわれは日常的にしばしば振る舞っているように思われる。一例として、わかりやすい具体例をあげてみたい。ロボット風なコンピュータ内蔵の犬のおもちゃ、たとえば日本で売れた「アイボ」などの「賢い」犬のおもちゃのことを考えてみよう。飼い主の「お手」という言葉に、手(足?)を出すアイボ。「おいで」という声に反応して近づいてくるアイボ。まさにアイボは「意思」をもっているかのように反応する。

飼い主はおそらく、そこにかわいいアイボの「意思」や「意図」を見いだすのではないだろうか。指示どおりに動かないときは、「今日はご機嫌が悪いね」とアイボにある種の主観を帰属させることもある。あたかもそこに、意図や意味をもった主観性が存在するかのように。

ちなみに、私が「～を意図する」とは、私は「～をするつもりである」、つまり英語では「～を意味する」（I mean～）と表現上重なっているように、意図と意味とは非常に近い関係にある。意図および意味とは、行為主体単独で生起するのではなく、他者との関係のなかで、とくにこの場合むしろ他者が認定する振る舞いを経て確定、定着する。それを、他者による「意図の帰属」といってよい。それは子供の発達過程においても、養育者が子供の何らかの振る舞いに「意味」を与え、そうした相互行為のヤリトリによって言語を獲得して言語的な意味付与能力を発揮していく場面を考えてみると、よりいっそう分かりやすいであろう。意図や意味は、行動発達論的な意味での発生論の視点からみても相互行為の場に埋め込まれているし、成人間の日々のその都度なされる相互行為のなかにも埋め込まれている（ただし、エスノメソドロジーは「発達場面」を強調しているわけではない）。

このように、エスノメソドロジーは「いまここ」の日常的なその都度の相互行為場面が日々の「意味構成」の場である点を強調した。だから、サッチマンのいうように、「社会科学のための卓越した問いは、それゆえ社会的事実が基礎づけられているかどうかではなく、客観的な基礎づけがどのように達成されるのかということ」であり、「その客観性というのは、系統的（systematic）な実践、あるいは私たちの各自固有の経験や相対的な周辺環境を相互に理解可能にする成員の方法の産物である」（Suchman［1987＝1999：56-7］）。

したがって、今日のエスノメソドロジストは、〈心は相互行為のなかにある〉と強調する（上野・西阪［2000：38］）。その点は、心の存在を認めない極端な行動主義とはたしかに異なっている。だから西阪は、「ある意味で、心的な現象とは、ちゃんとあるわけです」といい、上野は「そう、だから現象としてみればいい」という（上野・西阪［2000：36］）。そうした立場からみていった結果、知性や知能は、単にロボット内部にではなく、環境も含んだより大きなシステムのなかにあるというように、分析の単位を変えることを彼らは提唱する。話を相互行為の場面に戻して補足し直せば、右で述べたシステムというのは、いわゆる「システム論が想定しているような因果的な相互作用」ではなく、「相互行為の参加者たちが自分たちの判断を互いに対して示し合いながら、その相互行為をいっしょに組織していく」、そうした相互行為のシステムのことである（上野・西阪［2000：79］）。状況のなかで参与者が組織化するという相互行為の組織化、あるいは、その都度の判断を成員がどのような手続きに従って下していくのか、それが秩序問題の根幹にある。その点からみれば、「規則に従う」とは、判断の一致を参与者がローカル（局域的）に達成すること、規則を判断のための資源、「リソース」として用いながら、判断の一致を達成していくことだといえよう（上野・西阪［2000：143f.］）。また相互行為という観点からみれば、「人間における個人や、その内面といわれていることも社会的に表示され、組織化される状況的実践である」し、そうした個人とか主体というものは、「ある種の社会的相互行為を組織化することを通して可視化されている」というふうにみられる（上野・西阪［2000：160］）。

かくして、こうした視点は、われわれにある種の視座転換を可能にしてくれる。たとえば、上野と西阪も指摘していることだが、「異文化コミュニケーション」研究にみられるように、はじめから文化を異にした「日本人」であるとか「アメリカ人」であるとか決めてかかるのではなく、そのアイデンティティ自体、その都度の相互行為の具体的な展開のなかでリアルなものになっていくのである（上野・西阪［2000：180f.］参照）。過激な例でいえば、いわゆる精神病のみならず、「骨折」という外科的な病気の概念でさえも、現在のわれわれの生活のあり方に根ざしているのであって、病院という組織が（あるいは専門家が）適切に組織化されたり、行為が適切に達成されるためのリソースであるといえるのであり、いつしか骨を（美的に・あるいは機能上望んで）自由に移し替えうるような時代が来れば、「骨折」という概念の意味も大きく変わってくるであろう。「個人」の「能力」や「逸脱」、あるいは「病気」といったものでさえ、実践を組織化し、可視化する相互行為状況において生じる出来事であるということを、単に文化相対主義的にいうのではなく、社会学的に記述していくということを、エスノメソドロジーの現在は目指しているといってよいであろう。

そしてこのエスノメソドロジーの視点は、一言で表現すれば〈相互行為による社会秩序の不断の達成〉を明示するという点で、筆者としてはその視点を「存立構造論的・関係発生的な発生論」という発生論の重要な視点と重なり合うと高く評価したいと考えている。ただし、その都度の相互行為の局所的な秩序に内在した徹底的な記述を目指すエスノメソドロジーはさらに一段進んで、「一般モデルを作るということを断念せざるを得ない」(上野・西阪［2000：195］)という地点までいく。しかしながら、局所的な秩序の独自性を記述することでもたらされる情報価値は十分に認められるにせよ、実はエスノメソドロジーの興味深い視点それ自身が、社会学のひとつの視点(探求モデルや方法モデル)を呈示していることになる点は否定できないであろうし、何よりもすべてをインタラクション＝相互行為から説明しようとするその方針も、ある種のスタイルをもったモデル形成であるといっておくことができるであろう。

そしてそのさい、「会話分析」に焦点化された相互行為分析という現在のエスノメソドロジーの焦点は、言語的相互行為に特化された比較的狭い相互行為観ではないのかと問うことができるように思う。もちろん、電話やインターネットの場面が記述されたり、ビデオを用いた研究も提唱され実践もなされているが、エスノメソドロジーの立脚点がヴィトゲンシュタインの言語ゲーム論の(その言語至上主義的解釈のもとでの)影響下に立つかぎり、いくらその言語概念は広いものだといわれても、新生児間の間身体的な秩序などの非言語的な場面にどこまで迫れるのかは課題として残るように思われる(本書9章以下、参照)。そして、そうしたいわば前言語的な身体関係＝間身体性の場面も、「秩序」や「制度」の形成にとって不可欠な論点になるように筆者には思われる。この間身体性に関する問題は、筆者としては、あらためて間主観性や制度を考えるときにより立ち入って考えてみたいと思う。そこでは、ここでみてきた存立構造論的・関係発生的な発生論と並んで、主として行動発達論的・

個体発生的な発生論が論じられるであろう。

話を本筋に戻そう。こうしたエスノメソドロジーの展開も、しかしながら、六〇年代以降の社会学における理論的対立の文脈の延長線上にある八〇年代の統合的な社会学理論においては、ミクロな日常的領域を扱う主観主義社会学として、シュッツらとともに切り詰められ、位置づけられ、統合の対象とされてきた。そして、そのことによって、すでにふれたようなシュッツやエスノメソドロジーが問題提起していた重要な問いのいくつかが等閑視され切り詰められてきた。切り詰めの対象としてのシュッツとエスノメソドロジー。それは、シュッツにとってもエスノメソドロジーにとっても、さらに伝統的な社会学にとっても、不幸な事態ではなかっただろうか。なぜなら、そうした切り詰めによって、発生・生成への問いや近代性をめぐる議論は、伝統的な社会学の内部では十分に深められなかったように思われるからである。

ここでは、近代性をめぐる議論の例としてあげるだけだが、二十世紀の後半に生まれ飛躍的に進展している分子生物学をはじめとする生命科学や脳科学などが、学問レベルだけでなく現実社会にも大きな影響を与えはじめ、それが確実に今日の二十一世紀には本格的に社会学の問題ともなるはずの時代の端境期にある現代において、この近代（モダン）という地平の問題圏はきわめて重要な問いである。と同時に、さまざまな発生論的な問題圏も今後いっそう、重要不可欠な問いとなるのではないだろうか。シュッツを嚆矢として展開されはじめた現象学的社会学の系譜は、こうした問題圏の基礎に迫る道具立てを準備してきたように思われる。エスノメソドロジーの相互行為発生論という立場も含めて、発生論的な相互行為に立ち返って、近代＝現代という時代性をもみつめつつ、社会性の行方を問うシュッツ的な問い、それは社会学がいまだ十分に解きえていない課題であるが、現代的な学問としての社会学が今後その役割を遂行していくうえでは必要不可欠な論点となると筆者は考えている。

［4］エスノメソドロジーのインプリケーション

このように本章では、シュッツとエスノメソドロジーの展開をみてきた。しかしながら、本章で語ってきたシュッツとエスノメソドロジーの立場は、ある意味でともに危うい面をもちながら、同時にある面で対立する位置にあるといえるかもしれない。「ある意味でともに危うい」というのは、シュッツの発生論的議論がある面では「非合理性」の称揚につながったり、あるいは「普遍的人間性」とでもいうべき「大きな物語」や最終的な根拠を問う思考に横滑りする可能性があるからである。またエスノメソドロジーについていえば、それが到り着いている「記述」の視点は、それが自己充足的に素朴に記述に徹するとすれば、現状肯定の、無批判的な記述にのみ流れる可能性があるからである。さらに、この両者が「対立する位置にある」というのは、コミュニケーションの根拠や基盤を問うというシュッツ現象学的社会学の発生論的方向は、あくまでも「根拠を問わない」というエスノメソドロジー的な「言説」と対立するように思われるからである。

しかしながら、筆者自身はこうした二つの立場を必ずしも両立不可能であるとは考えていない。エスノメソドロジーが提起しているある種の形而上学批判という意味での近代性批判の視点は、社会学研究者にとっても忘れてはならない重要な事柄だからだ。ただし、筆者としては、根拠を問うことの問題性を自覚しているつもりでも、以下の理由からよりシュッツ的な方向を模索すべきだと考えている。すなわち、人間社会の研究においては、社会科学的言説や形而上学的言説によるコミュニケーションそれ自体がその社会の構成要素であることを軽視してはならないということ、[6]そしてさらに、そもそものコミュニケーションは狭い意味での言語を超えて成り立っていること、こうしたこと自体を問わざるをえないからだ。しかもそのさい、われわれは、行為の単なる相互性にの発生論的な相互行為に基礎づけられながら、相互行為の枠を拡大し、それを世界大にまで押し広げる。さらに過去や未来という時間化の問題を加えてもよい。こうしたことについてもシュッツは、フッサールの視覚重視への批判にも関連させつつ、その社会的世界論において指摘していたと読むことができる。

事実シュッツは、五七年発表の「フッサール後期哲学における類型と形相」において、フッサールの『経験と判断』と『危機書』[7]を中心に類型と形相の概念を再検討し、受動的総合および能動性、受動性というフッサールの概念を批判しながら、次のように述べている。「これらに関するフッサールのあいまいな説明は、彼がそのすべての核心的な研究のモデルを、外的世界における客体の知覚にとること、より正確にいえば、こうした対象の視覚的な知覚にとるということ、このことから生じるものではないだろうか」。さらにその直後でシュッツは、音楽と数学（関数）の例をあげて批判を続ける（Schutz [1966：112＝1998：179]）[8]。そして、シュッツによるフッサール視覚重視批判の射程は、そこから社会的世界の全体にまで拡がっていると筆者は考えている。というのは、シュッツは、フッサールが「知覚の分析のさいに、視覚的知覚を使用したがる」が、「しかし社会的世界は、近くにもあるし遠くにもある」として、時空的な拡がりをもった社会的世界を語ろうとしていたからである（Schutz [1966：81＝1998：135]）。このようにシュッツのフッサール視覚重視批判のねらいは、視覚限界内を超えたさまざまな他者たちとの関係を配視する議論を射程に入れることにある。それが、五五年の「シンボル・現実・社会」論文（Schutz [1962＝1983]）とも結びつくことは容易に推測できるであろう。

シンボルの発生と生成、原初的な役割の発生と生成の問題などの発生論的問題圏を睨んだ相互行為を可能にする社会関係の問題は、そうした拡がりをもつものである。だが、現代社会学ではこの問題圏は本格的にはいまようやくあらためて問われはじめたといえる。だからこそ、エスノメソドロジー的近代性批判をくぐりながら、もう一度根源的な問いを立て直すこと、それが社会学の現状において求められているシュッツやエスノメソドロジーの問いかけではないだろうか。

少なくとも本章の範囲内では、［1］で述べたように一九六〇年代からの問いをめぐる機能と意味の〝対立〟という歴史的文脈——したがってその後の「統合」の文脈——でのシュッツとエスノメソドロジーへの了解は、きわめて時代制約的であって、シュッツやエスノメソドロジーが提起してきた問いを適切には捉えていないこと、このことが再確認できた。そう再確認できた時点で、とりあえず本章を閉じたいと思う。むしろ、新しい世紀に入った現在は、社会学理論における一九六〇年代的な問いをめぐる時代制約的な論争の終わりと、にもかかわらず重要な問いを内包していた六〇年代以来の根源的な（発生論的な）問いそれ自体の立て直しという、新たな戦いの始まりという転換期なのかもしれない。この後者に関して、とくに発生論的な問いとの関係で、さらにもうひとつの重要な系譜、G・H・ミードの理論を次章で検討しておくことにしたい。

8章　G・H・ミード理論の基本視軸——発生社会学への系譜

［1］　ミードの前提的視座——心・行動・プラグマティズム

本章では、筆者なりの視角からG・H・ミードを取り上げてその示唆的論点を論じてみたい。しかしそれにしても、いまなぜミードなのか。それは、筆者がそこに発生論のひとつ（とくに行動発達論的・個体発生的な発生論）の古典としての重要性を見いだすからである。ミード研究に関する筆者の関心は、まずもってこの一点にある。

ミード理論はしばしば、社会行動主義（social behaviorism）の立場に立つといわれている。実際、ミードの主著のひとつとされるCh・モリス編『精神・自我・社会』には、ミードの立場を「社会行動主義」と位置づけている箇所がある（Mead［1934：6, 91＝1973：9, 100］）。ただし、今日のミード研究では、それは没後出版となったこの著作の編者による造語だと明らかにされている（伊藤［1997］）。しかしながら、たとえばかつてマーチンデールがミードの立場を「社会行動主義」に位置づけたような（Martindale［1960＝1974］）外在的視点からではなく、筆者はミード理論内在的にみても彼の理論があえて「社会行動主義」と呼ばれるにふさわしい面もあると考えているので、本章では「社会行動主義者」ミードを筆者なりの視角から論じてみたいと思う。

さて、行動主義（behaviorism）は、いうまでもなく一九一〇年代はじめに、ワトソンが自らの「科学的」心理学の立場を表明するために用いた語である（Watson［1930＝1980］）。よく知られているように、ワトソンの主張は、心理学を「科学」化するために、おもいきって内観法やあいまいな主観的推測を排し、測定可能な指標をとることを目指して科学的に測定可能な「刺激」（S）と「反応」（R）とをみる視点、つまりS—R図式を採用することにあった。言い換えれば、ワトソンの行動主義心理学は、「心」や「精神」などをいわば測定不能なあいまいなものとしてブラックボックスにして直接問わず、実験に基づく測定可能な科学的方法を提唱したのである。ワトソン自らのこの「科学」的心理学に対する自信は大変なもので、あたかも行動主義心理学に従いさえすれば、「われわれはすべての健康な子を金持ちで、すばらしい人にすることができる」（Watson［1930＝1980：372］）といった言葉さえ吐いていたほどであった。

たしかに、マウスやラットや鳩などを用いた実験心理学は「学習」や「記憶」などに関して多大な成果をみせた。しかし、動物を用いた実験の積み重ねで、どこまで人間の心に迫れるのかは当然にも疑問がないわけではない。相互行為を問わずして、意味や意図や意識を個人主観に素朴に帰属・還元させてしまうことのもつ問題性は前章でみてきた。さりとて、現在われわれ各人は、意図を内包する〝心〟をもっているものとして行動しているという自明性のうえで、相互行為をおこなっているという事実性も否定することはできない。心それ自体は実体ではないにせよ、心や主観への注目は社会分析にとって不可欠である。少なくとも、そうした心を扱う以上は、ともかく心の存在をブラックボックスとしてしまわないで対処することが求められているのではないだろうか。ミード自身もいう、「……精神あるいは意識の存在は、さまざまな意味で認めないわけにはいかず、それを否定することは、必ず不合理な結果を生む」（Mead［1934：10＝1973：13］）。

のちにふれることになるが、主観的な意味付与に着目するヴェーバーの「理解」という手法も——心理学的にはプリミティヴなものではあれ——、精神の活動をブラックボックスとはしていなかった（西原［1998a：191ff.］参照）。心の存在を一応は認めること。ただし、より的確に心の把握を目指そうとするならば、その場合、「心の社会性」にも目を向けること。少なくとも、心を独立自存の実体としてしまうことは、近代的な二元論的思考を繰り返すだけであるのだから、われわれとしては、心の社会的構成ということを問題にしなければならない。ミード自身の社会「行動主義」も、その方向性においてベルクソンやプラグマティズムなどとともに、「精神と自然の二元論」(Mead [1964 : 307]) を乗り越えていこうとするものであると示される。

もちろん、筆者の社会理論の戦略も、はじめから心を実体化してしまわないことにある。そして、いかにして心が社会的に構成されるのかをも検討し、そのことによって、最終的には「社会」なるものの実像により迫ることができるのではないかと考えているわけである。実は、ミードが採ろうとした戦略も、この方向にあったのだろうというのが筆者の読みである。その読みの延長線上で、われわれはミードの理路をあらためてミードの「発生論」と呼んでおくこともできる(「ミードの発生論」という表現は、加藤 [1995]、小川 [2000] でも用いられる)。そして、その発生論が、行為の観点、とくに相互行為から議論を立てる発生論であれば、われわれはそれをも「発生論的相互行為論」とまずもって呼ぶことができるであろう(西原 [1993a])。

こうした文脈において、われわれはミードの行動主義を「社会」行動主義と呼ぶ。その場合の「社会」は、すでにある既存の社会を指示するのではなく、まず自他関係を核とする対他者的な社会関係性を指している。しかも、ミードが「行動」(behavior あるいは act, conduct) という語に着目するのは、自覚的・意識的な意味付与という高次の精神活動をはじめから前提としないための方策であって、それは、いわば身体的な行動レベルでの相互作用から、人間の精神的な相互作用の成立を論じるための方策であるといってよい。つまり、生体と環境との関係(対物、対人の関係を含む)から説き起こし、場合に応じて進化論的な系統発生的議論も視野に入れられる。そしてさらにこうした生体間の関係から、とくに人間行為のレベルでは「自己と他者」との関係において、「時間」をも射程に入れてさまざまな「発生」を論じたのがミードであった[1]。われわれは、『精神・自我・社会』におけるミードの鳥のコミュニケーションや闘う犬の例へのミードの言及を容易に思い出すことができるし[2]、ヴァイトクスがまとめたようなミードの〝進化〟の議論も知っている（Vaitkus［1991＝1996］）。

したがって、ミードの立場は、「発生論」的で「社会」的な「行動」主義、つまり「発生論的社会行動主義」でなければならなかったのだと述べておきたい。そこで次に、ミードのこの立場をより鮮明にするために、行動をめぐるいわゆるプラグマティズムという思想動向にも言及しておくことにしよう。プラグマティズム（pragmatism）とは、しばしばアメリカ流の功利主義ないしは実用主義として、事の本質に迫らぬ実利的なご都合主義の（ブルジョワ的な）安易な思想とみられることがある。[3] 実際、そうしたプラグマティズムの受容の歴史があったことまでは否定しないが、プラグマティズムの創始者たち（パース、ジェームズ、デューイ）にあっては、こうした実体主義的了解とはだいぶ様相を異にしている。たしかにパースのいうように、「ある対象の概念を明晰にとらえようとするならば、その対象が、どんな効果を、しかも行動に関係があるかもしれないと考えられるような効果をおよぼすと考えられるか、ということをよく考察してみよ」（Peirce［1877＝1968：89］）という出発点をプラグマティズムはもつ。この論点をミードを経由してみていくと、行動（＝プラグマ＝実践）とは、単なる実利的なものというよりも、生きていくための生の実践であり、対他的な実践を含む人間の基底的な活動全般を包含するものであるとみなすことができるように思われるのである。

というのも、後述するように、少なくともミードにとって、生物体（有機体）が生きるということが彼の議論の出発点にあり、人間という生物体も、したがってその精神も自我も、自他関係という基底的な相互実践（＝「相互行為」「社会過程」）において生成するものと捉えられているからである。その点で、ミードにとって身体運動を柱とする実践とは、「心的なるもの」の生成を論じる出発点であった（Mead［1964］）。しかしながら、実践があるところすべてに心的なものが出現するわけではない。脳の神経組織の爆発的な「進化」に関しては、いうまでもないことだが、われわれは残念ながらまだその「進化」に関してはうまく説明できるところまではいっていない。だが、いくつかの前提や推理を働かせることはできる。人間がある種の記憶力をもち、ミードの言葉を用いれば「遅延反応（delayed reaction, delayed response）」（Mead［1934：99, 117＝1973：107, 126］）ができるという能力をもつということは一定の説明力のある事柄であろう。それは、いま生きているものがもつ「時間性」ともかかわる論点である。

さらに、社会学理論に対するミード理論の意義ある示唆のひとつとは、ミードおよびプラグマティストたちが「問題状況」について語ってきたことであろう。実践（行動）において、いま事がうまく運んでいるときは、われわれはそれをとりたてて反省することはない。しかしひとたび、それがうまくいかずに問題状況に直面したとき、人は反省的に過去の記憶と照合したり試行錯誤を行ってその状況を乗り越えようとする。プラグマティズムが問題にする実践の要諦とは、そうした「現在」のいわば生（活）の実践（pragma）を「生成」という局面から議論の柱に据えたことにある。われわれも実践＝行動という用語を、こうした基底的な場面でも考えなければならない。(4)

ところで、すでにふれておいたが、現象学に基盤を求めていたシュッツは、行動主義に対して一見かなり強い口調で批判をおこなう（Schutz［1996：131-133］）。その批判の論拠は、実験と数学だけが科学的方法とされる物理学主導であって、結局のところシンボルや言語が問われない行動主義は、用いている語が不明瞭なまま、いわば「個人」や「内観」（経験）を軽んじている点にあった（5章注（3）参照）。しかし、このことによって、シュッツはミードに批判的であったというのは、きわめて早計である。少なくとも、これはワトソン流の行動主義に向けられた批判であり、そのワトソンを批判していたミードへの批判一色ではない。そしてさらに、この「行動主義批判」が書かれた一九四三年という時期のシュッツという問題も無視できない。(5) シュッツのミード観も「微妙に」変化していたからであった。筆者がすでに繰り返し指摘したように、一般的にいってシュッツはたしかに日常的な「十分に目覚めた成人」をモデルに日常世界を描こうとしたことは間違いない。しかしながら、音楽論を境に一九五〇年代のシュッツは、日常世界を可能にする地平をよりいっそう問題視するようになる。その議論はまさに、「中間領域」(Zwischenreich, middle ground) に立つシュッツが、哲学的・高踏的な超越論ではなく、しかも単なる実証的な科学知でもない日常という審級の中間地点から、日常世界の生成とその帰結とを両睨みする社会理論の展開に——悩みながらも——足を踏み込もうとする地平でもあった。[6] その点では、シュッツ理論とミードのプラグマティズム的な思想面とは十分にふれあう点があったのではないだろうか。

加えて、その五〇年代という時期、シュッツの教え子のネイタンソンは、『G・H・ミードの社会的ダイナミックス』(邦訳名『G・H・ミードの動的社会理論』) を上梓しており、その前後シュッツはネイタンソンとミードに関しても議論を重ねていた時期であった (本書5章参照)。少なくともネイタンソンとともに、ミード理論の意義を積極的に論じるに値するという姿勢は、シュッツも共有していたことは間違いない。ただしここでは、シュッツがミード理論にネガティヴであったという〝誤解〟を疑問視しておくにとどめておこう。ミードを論じる本章での課題はミードの行為論の基軸を考察することであり、そのことによってミード理論のもつ筆者にとっての示唆の核心に迫ってみたいと思うからである。

[2] ミード行為論の基本視軸——発生論の視座

ミードは『行為の哲学』などで、行為 (act) を四つの局面に分けて論じている (Mead [1938 : 3-25])。それらは、衝動、知覚、操作、完成、である。しかし気をつけなければならないのは、これらの局面が必ずしも順番に行為の諸段階として示されているわけではないということであろう。ある場合にはこの四局面のいくつかを満たさなかったり、ある場合にはいずれもが他の局面と絡みながら事が進むといったような、そうした事態の基本的な局面が四つ示されたままである。

だが、何よりもミード理論にとって、衝動（impulse）は、刺激（stimulus）とともに、その出発点として重要なものである。ただし、刺激に関しては注意を要する。何をもって刺激とするのかという点で、そこにはすでに選択作用が加わっているからだ。ここには「種」なりの選択の型があるといってもよかろう。いずれにせよ、ここに選択があることは間違いない。そしてそれは、知覚に関しても同じことがいえるであろう。すべての音、すべての風景が知覚されるわけではない。さらにたとえば牛にとっては草が摂食行動の対象、つまり食物として捉えられるその「パースペクティヴ」性[7]はミードがとくに主張するところである（Mead［1964：275ff.］）。そしてそのさい、この草食という実践・行動こそがとりわけ重要となろう。パースペクティヴ性は、選択にかかわるここにおいて、きわめて重要な視点となる。そこに関係（発生）こそ本源的であるという〈関係の第一次性〉が示されるからだ。

さらに――すぐあとで確認するように――人間にとっては、手のもつ重要性がミードによってひときわ強調されている[8]。そしてシュッツも、この点への着目が「ミードの偉大な功績」（Schutz［1962：223, 307＝1985：29, 200］）であるとしばしば述べている。手は、「操作」をするさいの重要な器官である。それは、単に道具を用いる動物としての人間の特徴づけ（Mead［1982：119＝1990：55］）だけではない。それ以上に意義深いのは、「手」による行為の「操作」局面とその対象との「接触経験」である。ミードはいう。手で机の上面を押すとき、そこには机からの反作用がある。手はそこで、机のもつ堅さという机の「態度」を取得する。態度取得は、社会学では役割取得と同じように相互行為の局面において強調されてきたものだが、ミードのいうように、われわれはまず物の態度の取得を経験する。そうした経験が反照し、内自化されて、われわれは自分自身の物体的存在としての身体を知覚しはじめる。ただし人間にとって、他者は単なる物的存在である以上に、自己に反応する（reaction＝対応行為をする）存在である。そうした行為と対応行為の連鎖が、人をして、他者と他の単なる物とを区別する重要な分岐点となるであろう。

そして、ここまで語っておけば、ミード行為論がこうした議論でいかなる研究の視座をとっていたかが再確認される。それもすでにふれてきたことだが、ミードははじめから精神や自我や心といった高次の精神活動を前提として議論を組み立てているのではない。そうではなく、そのような精神や自我といったものが、いかにして「社会的」(＝相互行為的)に形成されてきたのかを論じようとしているのである。本書はそれを「発生論」として位置づけてみてきているわけだが、ミードに関して社会学でよく知られているのは、とくに行動発達論的で個体発生論的な場面であろう。それは、今日では発達心理学が論じる事柄でもある。ある部面では、われわれもまたそこに着目する(本書11章参照)。

また同時に社会学は、ミードの議論のなかに「役割」ないし「役割取得」という概念をも見いだし、子供の発達において社会システムの役割体系が内面化される事態を「社会化」という概念でもって示して積極的に取り上げてきた。しかしながら、これはミードの議論のある種の「一面化」である。ミードがなそうとしたことは、はじめから役割ないし役割体系という「物象化」された社会事象を前提にするのではなく、むしろそうした役割が形成され、固定化・物象化されるプロセスを論じようとしたと理解すべきである。その点で、精神や自我といった高次の精神活動も同じであり、前述したように、それらが形成される過程をミードは論じようとしたわけだ。しかもそのさいポイントとなるのは、自己と他者との間の相互行為という実践的な「社会過程」であったのである。

ミードは精神や自我やシンボルの生成にとって社会過程が先行することをしばしば強調した。この「社会過程の先在性」は、たとえばクーリーが「我思う、ゆえに我在り」としたデカルトを批判して、むしろ「我々思う、ゆえに我在り」であると論じた点と重なっていた(Cooley [1909 : 9＝1970 : 9])。しかし、ミードはそのクーリーの議論を「想像力」(imagination) を前提とした主観的な意識中心の議論であると批判していく (Mead [1956 : 293-307])。その論旨は、意識的な主観性成立以前のいわば身体的なレベルの〝主体〟からの問い直しの主張であったのではないだろうか。だが、その〝主体〟を「主我」といってはならない。「主我」は「客我」の成立と同時的に立ち現れるからだ。「meがなければIもない」(Mead［1934：182＝1973：194］)というミードの表現はそのことを的確に表している。社会学の概説書や一部のシンボリック・インタラクショニストにおいては、しばしば「主我」に主体性や創造性の源が見いだされ、その「主我」が「客我」という社会的な自我を解釈・修正するかのようにして、しかもそのさいにゲームの段階からプレイの段階という「発達」過程を経て「社会化」する自我という像も取り結ばれる。しかしミードの議論のポイントは、そうした自我の成立の前提を社会的な相互行為においてまず問うことにあったのであり、自我(主我と客我)の成立を当然のように自明視し前提にしているわけでは決してない。

では、その基本視軸とは何か。後期のミードの言葉を用いれば、それは「周縁から中心に」(Mead［1938：156］)である。人は、有機体あるいは生物体としてまず存在する。そして、それは他との関係を取り結びつつ、生存する。食物摂取はその有機体の生存にとって死活問題である。加えて、乳児にとって他者(たとえば母)との交流も、授乳場面にみられるように、それを欠いては生すらおぼつかないという死活問題であろう。だが授乳期の幼児は、まだ明確な自己意識をもっていない。自他の区分が明確ではない。はじめは、いわば自他未分の渦巻き状の社会関係が存在するだけだ。第三者的にみれば出産後の個体としての分離は明らかであるが、そうした第三者的な視座を早い段階の幼児はまだ獲得していない。この視座の獲得は、まず他者や他物の認識から始まる。では、その間の論理構成をミードに即して追ってみよう。

意識ないし自己意識の契機にあって――ミードの文脈からいえば――まず問われるのは「問題状況」の出現であった。ミードが「心的なるもの」の発生を論じるのはこの場面である。前述したように、日常経験でもしばしば体験することであるが、事がうまく進んでいるときには、その進んでいる事柄に関して反省する機会をなかなかもちにくい。事態の進展が困難に直面したとき、われわれはいままでのやり方を反省し、思索を巡らす。幼児にあっても同様である。いままでのやり方ではうまくいかない状況が出現したとき、そこで意識的な取り組みが始まる。そして「避けられない問題を解決しようという意識的な取り組みというものは、結果として、個人の世界に対して、それがその問題にかかわりをもつかぎりで、心的なものをもたらす」（Mead［1964：10-11］）とミードはいう。

この点はさらに、前述した接触経験ないしは圧力経験の議論とも重なり合う。物を〝自ら〟の手を媒介にして押しても動かないということがある。そこに、〝自分〟ではどうしようもない他物の存在を知覚する契機がある。その体験において、子供は、そうした他物の「反応」、つまり物の「態度」を取得するようになる。つまり、「子供が自分の身体の表面を他から区別するのは、自分の身体によってではなく、物によってのみ可能になるのである」（Mead［1932：119＝1992：150］）。かくして、「有機体の対象は、有機体のなかに、有機体に対する対象の働きかけを呼び起こし、したがって対象にそうした圧力の内的性質が授けられ、物的対象の内部が形づくられるようになるのである。物がこうした内部を獲得するのは、有機体が物の態度を取得する場合に限られるのである」（Mead［1932：122＝1992：153］）。こうして「幼児は最終的に、自分に対する物の働きかけを通じて、ひとつの事物として自分自身に至るのである」（Mead［1932：122-3＝1992：154］）。

このような物の経験は、他の身体という「物」の経験にも当てはまるであろう。しかし、他の身体という「物」は対応行為という反応をおこなう。しかもそれは、単なる接触経験や圧力経験を超えて、（身体的拘束をふくむ）「暴力」的な反応でもありうる。物の圧力経験によるこの内部性の獲得は、身体という物体のさいには、暴力の源としての怒りといった内部性を伴う場合がある。プリミティヴではあれ、そうした経験上の問題状況が、「自己」の存在とその内部性をより気づかせることになるであろう。だが、この機制のみではまだ精神や自我の生成を説明し切ってはいないだろう。そこで次なる問題は、本書3章でもふれたが、まず「声」にある。

比較的よく知られていることではあるが、ミードは有意味シンボルの生成を声（有声身振り）のもつ特権的な位置において考えている。自他関係において、声という聴覚的な感覚は、視覚的なものと大きな差異をもつ。人は対面状況において、他者の顔は見えても、自分の顔を見ることはできない。言い方をかえれば、その場合、自分の顔の表情を視覚的に他者と共有することはできない。しかし、音声の場合はそれが可能である。「音声身振りの場合、顔の表情よりも、人は自らを捉えやすく、そして自らをコントロールしやすい」うえに、「有声身振りは、他人が応答するのと同じように、自分自身の刺激に反応する能力を与える」(Mead [1934 : 65, 68＝1973 : 72, 74])。人は、自らの発した音声を、他者が聞くのとほぼ同様に聞くことができる。音声は、自他が共有できるものである。そして、この共有という事態が、自他の相互行為におけるさまざまな経験的なヤリトリのなかで一定の意味をもつものとして特定化され、有意味シンボルの生成が可能になる。そうミードは考えた。

なお、論理的にはこの「共有」は証明されないとみることもできる。なぜなら、この共有を証明するには、さらに上位の審級の判断が必要であり、しかもこの判断の妥当性もさらに上位の判断によって証明されなければならず、この事態は無限に続くからだ。しかしながら経験的には、共有が問題状況として立ち現れないかぎり、こうした〝証明〟は、具体的ヤリトリのなかでの関係継続という相互行為のなかで、「実践」的には乗り越えられていると考えるべきであろう。

［3］ミード発生論的相互行為論のインプリケーション

ここまでミード理論の基本線を本書の問題関心にふれあうかぎりでみてきたわけだが、こうした限られた論述のなかだけでも、われわれは社会学にとってもつミード理論の重要な示唆とそのインプリケーションをみていくことができる。

われわれはまず以上において、音声という第三の存在に着目することができる。音声は、あたかも自他においてヤリトリするキャッチボールのボールのような物象化された事態として機能する（たしかに、それはリズムを伴う物理的な音の波である）。それゆえ、ここからは、かつてチャン・デュク・タオ（Thao［1973＝1979］）が系統発生面で、比較的最近ではやまだようこ（やまだ［1987］）が個体発生面で着目した「指さし」という相互行為における第三項への指示行動との議論の重なりを指摘できるように思われる。おそらく、「指さし」という少なくとも二者間で示される第三項と音声という第三項的媒介物（有意味的指示物）とは重なり合う。ともに第三のものがかかわっている。と同時に、第三のものを共有ないしは共有的に指示する行為は、共有者の「我々関係」性をも背後に予想させる発達上の大きな出来事であろう。それが基本的には、「共歓」および「共怖」といった情動（西原［1998a＝155ff.］参照）にも支えられた間主観的な関係である点は、ここでは指摘だけにとどめておく(9)。

さらに、もう一点、付け加えておきたいことがある。ミードのこの有声身振りの議論は、視覚を中心とした近代認識論を批判する文脈でも問題にすることができる。たびたびふれてきているが、ここでもまた、シュッツがフッサールにもみられる視覚優位の認識論を批判したことを思い起こしてもよいだろう（Schutz［1966：112＝1998：176］）。加えて、ミードはさらに、すでにふれてきたように、手という触覚のもつ接触経験の意味にも着目したのだった。そうした聴覚や触覚の議論は、「発生論」という局面ではひときわ重要な意義をもつことも再度確認しておきたい。というのは、どちらも「共振」という現象の典型例をなしているからである、と付け加えておくことができる。

こうした確認を経た後に筆者としては、さらにもう一点、現象学的社会学ないしは〈意味社会学〉とその発生論的視座にとっての重要なインプリケーションについてふれておきたい。それは、ミードが「意味」を定義するその仕方にある。ミードは対象の「意味」を、単独の行為者においては、その使用という行動と結びつけて論じる立場をとる（Mead［1964：88］）。ここで問題とするのはそうした意味の生起する〝場〟の話である。ミードは意味を「三重の関係」(三者関係)において論じていた。意味は、「第一の生物体と身振りとの関係、第二の生物体と身振りとの関係、そして与えられた社会的動作のその後に起こる諸局面と身振りとの関係」(Mead [1934:76=1974:84])から発生すると述べる。ここでわれわれが着目したいのは、先の「問題状況」の議論との関連である。繰り返すが、自他関係が円滑に進んでいるときには、こうした関係性それ自体にはさしたる着目がいかず、むしろ問題的事態が生じたとき、つまり第二の生物体のその後に起こる身振りの諸局面が問題的なものとして生じるときに、この関係それ自体が第三の局面として問題視されるという事態である。

これまた筆者がすでにたびたび指摘することだが、対面する他者と順調に事が進んでいる場合にはわれわれはあえて「仮面」を取り替える必要はない。相手の「問題的」な反応いかんで、われわれはまじめな顔になったり、ふてくされた表情になったりしてある種の「演技」を余儀なくされる。あるいは、他者が、対面状況から〈不在の他者〉へと変じる場合や、〈不在の他者〉を引照して何事かをなそうとするとき、われわれは第三の存在に目が向く。いまここに存在しない不在の第三者は、対面状況にあった第二者に依存する記憶表象という作用において立ち現れる。第二者から第三者への移行は、そうした記憶表象という作用を促進する。なお十全を期すためには、ここで先の「接触経験」との関係で、ミードのいう「離隔経験」にも言及しなければならないが、ここでは離隔対象の存在の知覚が接触経験に基づくという指摘、および「シンボル」という「隔離対象の世界」について語ったミードという側面(Mead [1982:117=1990:50-51])に着目しておくだけにしよう。

というのも、こうした着目点に、われわれはシュッツのシンボル論を重ねてみておくことができるからである。シュッツのシンボル論は、不在の第三者(別の現実=意味領域)を捉えるために、日常生活の現実=意味領域に属する身近な現象を媒介にメタフォリカルな表象(観念)を指示するという機制であったことを思い起こそう。念のため、シュッツのシンボルの考え方を再掲しておく。すなわち、「シンボルとは、……間接呈示的指示関係であって、そのなかで、対関係のうちの間接呈示する側はわれわれの日常生活の現実内のひとつの対象、事実、ないし事象であるが、他方その対関係のもう一方である間接呈示される側は、われわれの日常生活の経験を超越している観念を指示する、そうした間接呈示的指示関係である」（Schutz［1962：331＝1984：166f.］）。もちろん、そうした表象（観念）自体もまた記憶される。われわれはこうした議論に、表象を論じようとするさいの基盤も見いだすのだが、発生論的相互行為論における各種の三者関係的局面は、制度化および制象化（制度化の表象化に基づく機制）における〈社会生成〉にとって重要なさらなるインプリケーションをもつであろう。この点が本書12章の議論の中心になるので、いまここではミード理論のインプリケーションの一端として予示的に指摘するにとどめておくことにしたい。

最後に、以上で示したインプリケーションをより広い社会理論的な地平で論じてみたい。先にミードが発達の場面において、プレイの段階とゲームの段階を論じたことにふれた。この議論における他者関係は、特定の「意味ある他者」と「一般化された他者」の差異として論じられたこともよく知られている。しかしこの議論は、社会学でしばしば論じられるような、単に役割の内面化による社会化の議論だけに局限されないことにもふれておいた。むしろ、意味ある他者との関係においては「模倣」という機制が、また一般化された他者との関係においてはある種の「記憶表象」という問題がポイントである。

「模倣」——実は、ミード自身はその先行者ボールドウィンの自我発生論における模倣の意義の強調（Baldwin［1897］）には否定的（Mead［1964：99ff.］）であったが[10]——については、ごっこ遊びで示されるような〈不在の他者〉（＝第三者）を記憶表象的に思い出しながら行動をなぞる例を示しうる。もちろん、この模倣行動が相互行為の頻繁な繰り返しのなかで半ば習慣的に身体化された没意識的な振る舞い（ハビトゥス）であることも少なくない。だが、こうした記憶表象としてはプリミティヴさをもつ模倣行動は、組織化され「一般化された他者」の諸行動の表象を可能にする準備段階であるといえよう。自他という二者関係から三者関係の経験をふまえ、自己が他者たちと区別されるようになる自己意識の水準で、他者たちの組織化された諸行動をひとまとまりのものとしてメタフォリカルに表象することができるようになる。すでにふれたように、ジンメルが三者関係が客観性の基盤であると述べたことを、この文脈で思い起すこともできる（Simmel［1908＝1994：287］）。自己が、他者たちという第二、第三の他者の物象的集合性を客体視できるということ、このことが実は規範の生成の重要場面を語る基盤でもあるのだ。

相互行為における他者の具体的な負のサンクションの記憶を媒介に、現前する「第三者」がさらに独立自存した〈第三者〉という「物象」としてメタフォリカルに表象される。ここに、現前する「第三者」から、対面的な三者関係をも媒介にしながら、不在の、表象される〈第三者〉への転換がある。家族とのメタフォリカルな表象としての国家、という「家」の例を考えてみればよい。国「家」という場合によっては不定型な形象が、身近な「家」族とのメタファーによって把握されるシンボル的な機制。そしてしかも、これには、シンボル化を強制する権力関係や過去の表象と未来の表象という時間様相も絡み合う。

ミードはその時間論において、リアリティを現在にしか認めない（Mead［1938：1］）。過去は現在という地点から、現在という時点において与えられる。その過去の表象をこれからおこなおうとする自らの行動の試演として表象するならば――そしてこの点はデューイが行為を論じるときに強調したことだが（Dewy［1922＝1995：188f.］）――われわれは予期的に過去の表象を未来に投影し、その行動の意味づけをおこなうことができる。まさにシュッツが行為の意味を自らの行動の企図において考えたケースと同様に、行為の意味づけは、そうした予期的表象にあるといってよい。そしてそれが、「自己分裂的自己統一」において自らの行動を規制（自制）する機制として機能するならば、われわれは規範の一端を語ることができる。[11] と同時に、われわれは「役割」や「制度」というものの発生論的な位置をも語ることができるのである。規範としての役割や制度の自存化も、こうした表象の議論なしには不可能であろう（本書11章、12章、参照）。

したがって、規範を語るさいには、すでに存在する「一般化された」既定の規範のみを安易に考えてはならない。その規範が、みてきたように、過去の相互行為の残像としてあるということは、具体的な他者ないしはそれとの相互行為が規範を形づくるものであることも示しているし、しかもその相互行為の相手はもはや現前しない単なる過去の他者であるのではなく、いまも記憶表象のなかで生き続けている〈第三者〉、つまりいまは第二者としては対面状況にないが（表象においてはいま立ち上がる）〈第三者〉的な〈他者〉であるということが重要であろう。その点を見据えて、ミードは、単に「一般化された他者」というだけでなく、社会関係において「組織化された」一般化された他者を語ったのではないだろうか。そうした規範を核に、表象の「組織化」された像は「一般化」された形で捉えられる。ミードはまさに、表象という事態における〈社会生成〉の関係論をも、ゲームの段階で語ったことになるのではないだろうか。

［4］ミード理論からの発生論的示唆——発生社会学へ

前節の最後の〈社会生成〉論は、〈第三者〉としての有意味シンボルの獲得の議論とならぶ、ミードからの重要な示唆である。そうした、社会という関係性に関する表象世界の成立をまって、「客我」という社会的な自我も本格的に成立する。と同時に、「客我」の成立が、反照的・同時的に「主我」の成立を促す。そしてそれ以降、ほぼ同時に獲得された体系的な有意味シンボル、つまり言語を介して、主我と客我は対話をなすことができるようになる。そこでもつねに新たな「現在」における創発が生じることは間違いない。そこでさらにこの内的対話において、主我という〝主体性〟をもって、あたかもわれわれ人間が主体的存在であるかのような〝幻想〟を強めていくことも可能になる。だがあくまでこの対話の出発点は、生ける〝自己〟による具体的な他物や他者とのコミュニケーションとそれらの表象的内自化が肝要である。さらに議論を敷衍しておけば、この主体的な対話が、近代以降たとえば学校教育における作文や日記という作業によって強化され、主我が異様といえるまで強調されたという歴史社会的過程については、前述の二元論、あるいは〝主体〟の突出という時代を問い直す意味でも、あるいはエリアスによる「私」の歴史的発生論を補強する意味でも書き添えておくことにするが、歴史社会論的・系統発生的な発生論に属する事柄についてはここでは指摘するにとどめておかざるをえまい（西原［2000］参照）。

ミードの「発生論」は、まさに以上のような議論の理路を踏んで社会学的な示唆に富んだ形で展開されているとわれわれは読むことができる。逆の言い方をすれば、こうした種々の読みを可能にするほど、ミードの議論は示唆に富んでいるものである。だから、筆者としては、ブルーマー流に主体性を強調する論者としてのミード像も、あるいはイリノイ学派と称される実証性を強調する論者としてのミード像も、ともに「問題あり」としてその評価にネガティヴにならざるをえない。むしろ、われわれとしては、そうした両面性を含みつつ発生論的相互行為論の文脈で展開された業績の「古典」的思索者として、G・H・ミードを位置づけることができるように思われるのである。[12]

ではなぜミードは、こうした発生論にこだわりを見せたのであろうか。ミード理論の研究史において、ヘーゲルとの関係はもっと問われてよいはずだと筆者は考えているが、いまここでは、より直接的な関係でもあったクーリーとの関係で、ミードの基本発想のひとつを再度示しておきたい。ミードは、クーリーのアメリカ社会思想への貢献に関する論考のなかでクーリーの業績を批判的に考察したのちに、最終部分近くでつぎのように述べていた。本書ですでにふれていることではあるが、重要なモチーフなのでもう一度繰り返しておきたい。

もしわれわれが、諸々の自己や他者がその内部で立ち現れる社会的行動を、外的世界から区別されたものとしての精神的なものが現れるのに先立つ状況に差し戻すことができるならば、社会構造の原因となるのみならず、その社会構造の批判やその進化の原因ともなる社会的パターンの始原を、何よりもこの根本行動に

までたどり直して考えることができるであろう。　（Mead［1956：306］）

われわれもこの視点をミードとともに共有したいと思う。ただし、本書の課題にとってミードの発生論だけで十分なものであるかどうかは別問題である。発生をたどり直す作業は、とくに社会事象に関するかぎり複雑な道筋をたどらなければならない。それは歴史社会的な道筋のみならず、幾筋もの社会性の回路を論じつくさねばならないからだ。それはおそらく、「無限」ともいえるような回路を論じる作業なのかもしれない。少なくとも、その主要なものだけをあげるだけでも――必ずしも社会学で十分にこの点が論じられてこなかっただけに――たいへんな作業が強いられることになろう。歴史社会論的・系統発生的、行動発達論的・個体発生的、そして存立構造論的・関係発生的といった本書の三区分は、そうした無限ともいえる幾筋もの社会性の回路を探究するための暫定的な方途である。

発生を論じる道筋はひとつではない。シュッツがその後期において音を回路にコミュニケーションの基底にある相互同調関係を論じたのもそうした道筋のひとつにすぎない。しかしこの道は、「声」を重視するミードにも関係する論点でありながら、シュッツ独自のものである。ミードはこの相互同調関係という点を必ずしも明示してはいないように思われるが、たとえそこにシュッツのミード批判の論拠があるとしても、問題は安易で強引な理路を決定することではなく、ひとつひとつ議論を積み上げていくことであろう。

このようにミードを論じてきた本章においては、当座必要なかぎりで発生論の核心と思われる基本線が描かれてきただけである。まだまだその道を豊かにする作業は必要だとしても、いまここでは以上の論述をもって満足することにしたいと思う。少なくとも、ミードをはじめとするこうした社会学の古典的業績のなかには――現代社会学は無視しがちではあるが――まだまだ豊かな鉱脈があることを示しえたことで、ひとまずこの章を閉じたいと思う。問題は、こうして得られた発生論的な知見をいかに現代社会学の問題に有効活用していくことができるかの例を示すことが求められているということにあろう。それが発生社会学の方向性である。

実は、〈社会生成〉をより詳細に論じるべく、いくつかの回路のうちで、権力や制度を中心とする社会理論の再考への筆者なりの問いが、その有効活用の途上にある。本章はこのような側面での〈社会生成〉を問う作業の一環としてあると再度確認しつつ、次に社会理論へのより具体的な回路に踏み込みたいと思う。

第Ⅲ部　社会への問い

——権力と制度をめぐる発生社会学と間主観性の社会理論

9章　間主観性への問いと社会理論への回路——ニック・クロスリーの冒険

まず、社会理論への回路を模索する第Ⅲ部の冒頭で、一連の議論の基層にある筆者の現在の社会理論的な問題関心を示しておきたい。一九八九年以降、世界はドラスティックに変化している。東欧・ソ連等の社会主義の崩壊は、同時に資本主義を基礎とする自由主義的な民主主義の「一人勝ち」的勝利をもたらしている。現時点ではF・フクヤマのように、この流れはしばらくは不動であろうという見方が当然視されているかのように思われる(Fukuyama [1992])。だがそれが、合意に基づく新たな社会構想の「可能性」なのか、あるいは新たな時代の暴力発動による新しい「抑圧」なのか。それは、にわかには判断しにくい。

九〇年代、鉄のカーテンは開かれ、広範な国際化も進捗している。いうまでもなくそれは、インターネットに代表されるグローバルな情報社会化と表裏一体をなしている。国際社会化と情報社会化を伴って世界の資本主義化(と同時に、先進国における高度な消費社会化)が進展し、その事態に対応して情報やモノの交流だけでなく、ひとの交流も活発化している。主としてヨーロッパで、移民や難民、外国人労働者などの問題が市民権をめぐって大きな争点をなしつつ、同時に「多文化主義」なども大いに語られる。二〇〇二年のイギリス女王即位五十周年を祝うパレードの先頭は、色とりどりの民族衣装を着た多民族が踊りながら行進し、「多文化共生」が前面に押し出されていた。

一方で、いまあげたイギリスの例が旧大英帝国の名残である点は否定できないとしても、その例が今後の課題として異なった「民族」や「文化」の「共生」への模索を象徴していることは間違いない。ＥＵの発足と拡大、しかもユーロによる統一通貨の実現は、部分的ではあれヨーロッパから発するひとつの新たな時代の幕開けであることは確かである。だが他方で同時に、現実に一部では政治的な数字となって社会的インパクトを与えつつある「ネオ・ナチ」の台頭に象徴されような、「反動」の動きもある。あるいは、「共生」とは名ばかりで、それは地域的、階層的な「棲み分け」にすぎないというシニカルな見方もできる。

さて、こうした社会的な問題関心に社会学や社会理論は今日どう対応できるのであろうか。共生を謳いあげるアメリカやイギリスが、イスラム圏の一部と戦闘状態にある、あるいはその準備を早くから進めていたという大きな問題も二十一世紀の初頭の特徴的事態である。それを「文明の衝突」の時代であるといって客体視することもできる。また、文明の「衝突から対話へ」と唱えることもできる。しかし何よりもまず、こうした時代にあらためて問われなければならない重要な論点のひとつが、基底的な社会関係のあり方から、権力、制度、国家（ないし脱国家）に及ぶ一群の社会科学基礎論的な社会理論的問題圏であるように思われる。そこで本章の問いは、次のようになる。すなわち、筆者が大いに関心をもってきた現象学的社会学は、これらの問題群に一体どうアプローチできるのか。本章が論じようとするのは、そのアプローチの先行研究を検討して、現象学的社会学がこの問題圏にいかなる視座から迫るのかという点を再度明確にすること、この一点である。

［1］現象学的社会学の現在的意義——間主観性と生活世界

こうした問題関心に促されて、本節ではさっそく現象学的社会学の「社会理論」の視点がもつ可能性に焦点をあてみたい。ただし、現象学的社会学の視点に関しては、筆者自身はすでに繰り返し論じてきているので、ここで詳述するつもりはない。ここではまず、現象学的社会学の「社会理論としての可能性」に絞って簡潔に論じるつもりである。論点は二つである。第一に、前述のような問題関心のもとで、ミクロ社会学であるとされるような現象学的社会学の位置を再確認すること、第二に、そうした問題圏にアプローチしようとするとき、現象学的社会学はどういった概念装置でそれをおこなうのかという点に関する基礎的視座を押さえておくこと、以上である。

さて、まず最初に述べておきたいことがある。前述のような、一見したところ政治的ないし国際関係的な問題関心は、だが今日、よく考えてみれば「マクロ」な問題ではないということである。多文化共生とは、いってみればわが家の隣に〝異文化〟の人びとが住んでおり、学校や職場が多様なエスニシティ・ナショナリティで構成されているといったように身近な問題でありうる。さらに、マクロな経済問題でもある通貨問題は、ユーロといった統一通貨の使用においてはまさしく日々の生活にかかわる「ミクロ」な問題でもある。ここでいいたいのは、マクロにみえる大きな社会現象も、実はわれわれの生活にかかわっているのだから現実の自分たちの問題として考えなければならないという（なかば倫理的な）能書ではない。そうではなく、社会学においてしばしば論じられる「ミクロ―マクロ問題」とは擬似問題にすぎない、あるいは少なくとも記述の方便としての便宜的なものにすぎないという論点である（張江［1998］参照）。あるいは百歩譲って、ハーバーマスのいうような「部族社会」の時代であれば、国際社会は遠い存在であったかもしれないが、世界の食材が日常の食卓にも登場するような時代にあっては、ミクロとマクロは切り離しえない問題であるということだ。

それゆえ、たとえば現象学的社会学は社会学理論上においてミクロ社会学であり、○○社会学はマクロ社会学であるというような無用なレッテル張りは、もう辞めた方がよいであろう。そのそれぞれの視座に立つ社会学がいかに根本的に世界のリアリティに迫れるのかという点でこそ競い合うべきであろう。社会学全体においても、理論系の社会学は現実をみない言葉遊びの抽象的な空論であるとか、実証系の社会学は理論を使っているのに自らの主観性や理論性を軽視し、些末な事例や数値に幻惑された無批判で全体性を欠く思想であるといった批判合戦は、互いの切磋琢磨という意味では無意味ではないが、ときに人的、学的な交流を妨げ、場合によっては相互に排除さえもするような場として機能するとき、それが社会研究の発展にとってマイナスの効果をもつことは明らかである。

もう一点、関連事項に言及しておく。現象学が「意識哲学」だとされ、現象学的社会学が「主観主義」社会学だとされてきた点に関してである。これは有効な批判であろうか。いかに世界の食材が日々の食卓にも登場する時代だとはいえ、日常生活者がその産地の国々で生活しているわけではないし、そこに旅する機会も、時間的、空間的、経済的に限定されている。行ったこともない他国は、まさに想像でしか推し量れない「同時世界」＝「同時代者の世界」（シュッツ）である。その想像に、学校教育やマスメディア、あるいはインターネットが関与しようと、それが主観的な推量の世界であることは間違いない。意識や主観性を重視することが軽々に否定されるべきでないことは、この一点をもって例証されるであろう。

だが、以上には但し書きが必要である。主観主義のミクロな社会学として位置づけられてきた現象学的社会学はさらに、筆者が本書でもたびたび強調してきたことだが、パーソンズ批判としての二十世紀六〇年代の社会学史的文脈ではとくに意義があったとしても、現象学も現象学的社会学もその後、著しい展開を遂げている。五〇年代末に亡くなったシュッツのそれまでの思索を活かしながら、それから半世紀も経とうとする現在、シュッツの議論をただ繰り返すだけでは創造的な現象学的社会学の発展の可能性は閉ざされてしまうだろう。もちろん、このことにはシュッツ内在的な研究それ自体を否定する意図はまったく含まれてない。シュッツ研究と同時に、シュッツの読み直しやシュッツの当時の視点を現在的に活かしていく冒険的な研究の意義をも指摘したいだけである。そしてそのさいの有力な概念装置の代表が、「間主観性」と「生活世界」に関する論点である。

簡潔にふれよう。現象学にとって初発の主観性への問いは、その問いの深化とともに、より基底の「間主観性」が問われてきたこと。しかも、間主観性への問いは、身体も含めた主観性への問い、つまり「間身体性」を内包する問いであること。したがって、生活世界論も、単なる日常生活の世界というだけではなく、身体的生（生命）にも配意する根源的な「生」世界論であること。そして、社会理論としては、間身体的でもある間主観的な生活世界論は、その生成の源である相互行為論に立ち返るべき〈意味社会学〉として、類似の視点を一部共有する他の潮流（シンボリック相互作用論、エスノメソドロジーなど）とともに展開されてきたということ、以上である（西原［1998a］参照）。

さて、こうした展開をふまえるとすると、ここでの出発点は個人の意識ではなく、むしろ〈相互行為を柱とする間身体性をふくむ間主観的生活世界〉の問題である――ただし、こうした表現はまどろっこしいので、本章ではこれ以降、基本的には間主観性（形容詞的には間主観的）ないしは（その論点を強調する視座として）間主観性論と表現することにする。その含意は、少なくとも三つある。①意識ないし主観・主体が間主観的に構成されること、②権力や制度なども間主観的に構成されること、③にもかかわらず、間主観性という用語を選択するのは、人びとの間での主観ないし意識の問題も依然として重要であることを忘れないためであること。それは、依然として主観が社会的影響を世界に与えるという点だけではなく、さらに次の二点、すなわち生命としてのわれわれの存在にかかわる点と、意識・主観それ自体が間身体的な基礎をもつという点に論点が及ぶからである。

こうした概念装置による研究視角は、社会学が目指すべき社会理論への寄与が射程に入れられている。結論を先取りすれば、その核心は社会学が当然主題にすべき社会の生成と存立の機制の解明、これである。この点に関連して近年、興味深い試みが現象学的社会学に関連してなされているので、以下ではその試みに論及しながら考察を進めたい。

[2] 間主観性への問い——クロスリーの試み

イギリスの若き俊英の社会学者ニック・クロスリーの試みは、ある種の統合理論のようにみえながら、現象学的視座に立脚する社会理論研究の冒険的な試みである。すでに四冊の著作と多数の論文を公刊しているが、彼の主著は現在までのところ『間主観性』と『社会的身体』の二つであるといえる。(1) 本章では、前者『間主観性』に依拠しながら彼の「冒険」をたどり直してみたい。彼のそこでの試みは、おおよそ次の二点に集約される。まず第一に「重層的な」間主観性の概念を整理すること。第二に、その整理に基づいて示された間主観性論を用いて社会理論への回路、とりわけ「公共性」論への道を問うこと、つまり間主観主義の立場から民主主義やシティズンシップという「公共性」の問題への回路を模索することである。要するに彼の立場は〈間主観性論と公共性への問い〉と要約できるであろう。そこで、まず第一の点を追ってみたい。

クロスリーは、「間主観性という概念は重層的なものである」(Crossley [1996 : 1]) として、その重層性をフッサール、ブーバー、ヘーゲルなどの考えを手がかりに論じる。フッサールの『デカルト的省察』では、デカルトの方法的懐疑が志向的意識(主観ないし自我)と存在のあり方とを問うための「判断停止」をおこなう現象学的還元の過程として捉え直され、そのうえで志向的意識の構成的な働きが示された。しかもそこでは、他者とかかわる論点も括弧入れ=還元ないし排除されて、「自己に固有な領域」が確定されて論じられた。それが「超越論的自我」の問題である。しかしながら、このフッサールの議論が多く難点を抱え、論争を呼び起こしてきたことはよく知られている。独我論の問題である。ただ独り自我だけが世界を構成するとするならば、他者も自己が捉えたものにすぎないこと、その他者を理解すること、あるいは自己と他者との相互行為やコミュニケーションはいかにして可能となるかということ、こうしたいくつもの問題が生じてくる。また方法的にもシュッツが強烈に批判したように、「自己に固有な領域」を確定し記述するためには、自己でないもの、つまり他なるものをすでに前提にしている(Schutz [1966：59=1998：109])。その意味で、自己と他者とは切り離しがたく結び付いている(2)。

こうしてフッサールは、自我の「自己移入」による他者の「類比的統覚」などといって、自己が捉えた・自己と類比的な他者の存在を苦労しながら示しつつ、結局は他者の問題をうまく論じることができなかった。そうだとしても、しかしながら――やや逆説的に聞こえるが――そこに問われるべき問題があることは明確に示したことになる。それは、先の筆者の問題関心からいえば、主観の問題が主観を問うだけでは解けないという問題であり、その論点は主観(自己)と主観(他者)との関係、あるいはそれらが織りなす間(between)ないしは間世界(interworld)の問題、つまり「間主観性」の問題圏に位置するのである。このようにフッサールは独我論的な問題を残しながらも、現象学の祖として示唆に富む知見も残し、そして間主観性の問題系へとわれわれの目を向けさせてくれたのである。

さて、この間主観性の問題の所在をさらに明確な形で示してくれたのは、ブーバーである。彼は『我と汝』(Buber [1958])において、人間主体の二つの態度に応じて、世界が人間主体にとって二つであることを示す。他者との関係でいえば、他者をコントロール可能な客体(「それ」)として経験する「我―それ」関係と、自他が相互関係を取り結ぶが、自／他であることそれ自体を覚識さえしないで融合しているような「我―汝」関係である。ブーバーの神学的背景は別にして、ここで示される「我」は固定的な実体ではない。それは関係のなかで、他者へと向けられる態度において構成される。人はこの二つの関係を生き抜く。ブーバーは「間」の存在論を示したのだ。しかも、ブーバーが示したのはそれだけではない。彼はさらにいくつかの点で興味深い論点を提示した。まず彼は、「我―汝」関係の重要性を説いた。それは、いわば疎外論的あるいは実存主義的な文脈にも絡むが、合理化され産業化された世界で「我―それ」関係が支配的になっているという時代診断に対するひとつの対応でもある。と同時に、ブーバーは自他関係の類型を示すことによって、この関係には「非対称性」があることも示したことになる。さらに加えて、「我―汝」関係の重要性は、「個体発生的―心理的なレベル」（Crossley［1996：13］）でもみられる点の指摘がある。この点は、アニミズム的な「我―汝」関係から諸人間間の関係を区別するさいの、言語ないし対話的な問題ともかかわってくる。自他関係の構成は、ブーバーによれば、特定の形式の「呼びかけ」のなかでなされ、それは通常は言語的でありうるし、そしてそれは言語共同体の問題ともかかわってくるのである。この言語論的問題も彼の示した重要な論点のひとつであった。

だがそれ以上にいま問題にしたいのは、クロスリーがブーバーの二つの選択肢の間に第三の可能性を論じた点である。筆者はすでに、フッサールの『デカルト的省察』において他者が自己投入によって類比的に構成される点にふれたが、その場合、他者はブーバーのいう「それ」ではない。少なくとも他者は、自分と同様な「主観」「主体」として構成される。この関係をクロスリーは「それ―汝」関係と表現し、ブーバーの類型論はこの第三の可能性を掴み損なっている、と彼はみる（Crossley［1996：15］）。この含意は、クロスリーの間主観性の二つの区別との関係で、すぐあとで述べることにする。

さて、右で述べたように、社会関係の非対称性の問題を含む関係性にブーバーは敏感であった。だがこの問題は、ヘーゲルの主題でもあった。それゆえクロスリーは、ヘーゲルも取り上げる。そしてそこでもっとも着目されるのが、ヘーゲルの「承認を求める闘争」という論点である。ヘーゲルはこの点を、早い段階のいわゆるイエナ講義から論じているが、クロスリーが主として依拠するのは『精神現象学』である。そのなかの自己意識の起源に関する議論において、ヘーゲルは十全な自己意識を人間に特有な欲望、つまり欲望の欲望、あるいは欲望されることの欲望、すなわち承認への欲望から論じる。それは次のヘーゲルの言葉に明確に現れている。「自己意識は、それが他者に向けられて存在するとき、およびそうした事実によってのみ自らのなかに存在し、自らのために存在する。つまり、自己意識は承認される場合にのみ存在するのである」(Hegel［1807：B4］)。意識は自らを覚識するときには脱中心化されなければならない。しかし、ここで重要なことは、その意識の働きそれ自身ではなく、意識を他者と関係づけてヘーゲルが論じる点である。そして、そこに着目することによって、われわれはマルクスも着目したヘーゲルの有名な「主人と奴隷」の議論に目を向けることができる。主人が主人であるのは、奴隷による承認を要件とする。逆もまた真である。ヘーゲルはこの議論から、主人階級と奴隷階級といういわば集団レベルの議論を行ったり、歴史を、承認を求める闘争による一連の社会関係の継起であると論じたり、また別の箇所では家族、市民社会、国家を論じていくが、クロスリーの着目は、こうしたヘーゲルの議論にみられる欲望に基づく闘争を射程に入れた自他の「関係主義」(Crossley［1996：20］)にある。

現象学の学説史的文脈では、こうした自他の闘争ないしは相克が、サルトルの「まなざし」をめぐる議論や、言語ないし発話を組み込んで自他のコミュニケーションを論じるメルロ＝ポンティの議論と繋がっているが、この関心はひとまずおいておこう。クロスリーは、欲望と承認を求める闘争に関するヘーゲルの議論を媒介にして間主観性の自我論的形態を導こうとしていたのである。

そこで、これまで論じた三人の思索者の視座からクロスリーが引き出す基本図式を確認しておく。クロスリーは、ブーバーの「我―汝」関係から間主観性の根源的位相、つまり「根源的間主観性」(radical intersubjectivity)を取り出す。それは「自己意識の欠如と他者へのコミュニケーションの開け」(Crossley［1996：23］)を意味する。この位相に対置されるのが、間主観性の自我論的位相、つまり「自我論的間主観性」(egological intersubjectivity)である。この論点は、先に見た『デカルト的省察』段階のフッサールの議論から引き出されてくる。つまり自我論的間主観性は、「自己を他者の位置に想像的に移し入れることによって、他者性を経験する自己移入的な志向性」(Crossley［1996：20］)を意味するのである。すでにみてきたようなヘーゲルの「承認を求める闘争」は、クロスリーにおいては自我論的間主観性の関係に位置づけられ、ブーバーの「我―それ」関係はクロスリーの図式からは除外されている。そこで、このように示されたクロスリーによる間主観性の区別、すなわち根源的間主観性と自我論的間主観性に関してもう少し立ち入って検討してみたいと思う。

［3］根源的間主観性と自我論的間主観性の生成

根源的間主観性は、少なくとも筆者にとっては非常に重要な論点であるので、まずクロスリーがそれをどのように捉えているのかを本節の最初でもう少しみておこう。この根源的間主観性は、さきにはブーバーをヒントに語られたが、クロスリーがもっとも着目するのはメルロ＝ポンティである。メルロ＝ポンティが経験論と主知主義をともに批判して「知覚」を重視したことは、まさに彼の初期の主著『知覚の現象学』（Merleau-Ponty［1945］）が示すところである。経験論者は知覚を物理的感覚と考え、対象の刺激が知覚を引き起こすとみる。だがこの考え方では、ある描かれた点が文脈によって文字「i」の一部であったり、ピリオドであったりすることを十分に説明できないし、また反転図形のような知覚も十分に説明できない。なぜなら、対象の見えはわれわれの見方によって変わるからである。では、要点は見る主体の側にあるのだろうか。主知主義者はそう考える。だがそれでは今度は、主知主義的な知覚は決して間違いを犯さない（なぜなら主観がとらえたものが事実的知覚なのであるから）だけでなく、知覚する構成的な自我は、対象それ自体が何であり、またその対象とどうかかわるのかという点も十分に説明できない。

このような経験論や主知主義の難点を乗り越えるために、メルロ＝ポンティは「知覚」を次のように考える。知覚は、形式を伴って懐胎している世界に問いかけ、その世界全体に住みつくようなまなざしである。ただし、クロスリーのいうように、次の二つのことが留意されねばならない。このような「知覚意識は、まず第一に実践的意識であり、そうしたものとしてそれは前反省的、前対象的、前自我論的である」(Crossley [1996 : 27])。と同時に第二にそれは、「形式を求める能動的な尋問」であって、「他者性への開け」であり、関与である(ibid.)。経験論は知覚の客体を前提にし、主知主義は知覚の主体を前提にする。しかし、「知覚は生体とその環境との弁証法的関係に根づく原的過程であって、そうした過程が知覚の主体と客体を生み出すのである」(ibid.)。まずもって、こうしたクロスリーのメルロ＝ポンティ理解に筆者も同意する。

さて、メルロ＝ポンティの知覚分析は「主観身体」を中心になされる。知覚はつねにどこかからの「見え」であり、そこではまず(主観)身体が要点になるが、そのさいには知覚するものと知覚されるものとの能動的な関与が問われることは前述のことから明らかだろう。この論点を相互行為場面で考えてみよう。前反省的で身体的な知覚はつねにパースペクティヴ的なものである。自己と他者は同一時間に同一空間を占めることはできないが、これら知覚者たちはお互いの知覚野に入り込むことができる。他の人間的意識も他者性への開けとして、間世界内的空間(intermundane space)に入り込む。こうした議論が可能な主な理由は、まず知覚の文脈では感覚と意味とが分離できないからであり、また知覚は外的世界についての内的表象ではないからであり、そして他の人を知覚するということは単純にひとつの物的対象としてそれをみるということではないからである。他者はそれ以上の「意味」を帯びている。あたかもそれは、小さく書かれた「。」が文の終わりを意味するように、である。自他は、互いにそれぞれが意味的な影響を与えうる。もちろんこの相補性は相互行為のひとつの可能性にすぎないが、その相補性のモデルに明確に現れるように、自他は互いに意味に影響されつつ、ひとつのコミュニケーションとして互いに応答を求め合う場合がある――ただし、このことが「調和」をすぐに意味するわけではなく、闘争というケースにも当てはまることに留意する必要はあるが。

以上の論点は、主観身体はその環境とともに「システム」を形成しているといってもよいだろう。諸主体の行為は絡み合い、かかわり合う。クロスリーの表現を借りよう。「各々［の諸主体］は、他者によって、また他者への指向を通して動機づけられ調整される。しかしこのことは、自己や他者のいずれかを意識的に措定することも、そうすることを反省的に覚識することもなしにおこなわれるのである」（Crossley［1996：32］）。それはすでにふれたように、ミードの「犬の闘い」にみられる「身振り会話」と重なり合う。相互に攻撃し、身構え、反撃する犬を思い起こせば十分であろう。言語的コミュニケーションにおいても同様のシステムがみられる。対話場面に典型的なように、そこにひとつの共通な基盤が構成される。これらの過程においては、メルロ＝ポンティのいうように「パースペクティヴの混交」が起こり、われわれはまさに「他者の思考が生まれいづる時」にそれを把握し合うといった「往復運動」がそこにある（Crossley［1996：33］）。こうした共在のシステムは個人には還元できず、個人よりも根底的であり、「行為はその意味と存在理由を、そのシステムから引き出してくる」（ibid.）。クロスリーはさらに、こうした議論をヴィトゲンシュタインの痛みの分析――この文脈では、われわれは他者の痛みについて考えるのではなくて反応するのだ、というヴィトゲンシュタインの論点が重要だ――や、シュッツの「相互同調関係」――メルロ＝ポンティの場合はどちらかといえば視覚的、空間的な像が描かれがちだが、シュッツは音楽における（共演や視聴などの）時間地平の共有にみられるような時間性への着目があった――に言及しながら、それらを根源的な間主観的事態として記していくのである。

さて、では自我論的間主観性はどうか、そしてそれと根源的間主観性との関係はどうなっているのであろうか。クロスリーは、これらの問題に対して、まだ社会化されていない存在、つまり幼児の間主観性から考察を開始する。幼児、とりわけ生後四十二分という新生児が大人の「舌出し」行動の模倣を行うという発達心理学の知見を引き合いに出しながら、幼児は生まれながらにして根源的間主観性の一形態への性向をもっており、自我論的間主観性は「第二次的で派生的な可能性」（Crossley［1996：58］）であるとみる（われわれはそこにトレヴァーセンの指摘（Trevarthen［1979］）との重なりをみることができる）。ただし、こうした模倣は単なるまねではない。それは、「発達の非常に早い段階で、身体の等価性（相手の舌／自分の舌）についての生きられる意味を論証している」

(Crossley［1996：51］)のである。話すことを学ぶとき幼児は、自分は見ることができない自他の（内部の）喉頭であるにもかかわらず、喉頭の調整を模倣する点はメルロ＝ポンティも指摘している。こうした主観身体間の身体的等価性に関する生きられる意味である間身体性は、時間的な「相互同調」などとともに「コミュニケーションの原基」であるとクロスリーはみるのである。加えてここには、子供とその養育者との関係の（承認を求める欲求に基づく）「相互承認」というかなり複雑な関係も介在するが、この点は指摘だけにとどめておこう。

だがこのように述べてきたのは、こうしたコミュニケーションにおいてこそ自我が出現するからである。つまり、自我論的間主観性の検討は、その自我の発生を論証しつつなされなければならない。ここでクロスリーは、メルロ＝ポンティに加えてミードを用いる。それはよく知られたIとmeの論点であるが、クロスリーはIが「主観身体」と同様なものだと認めたうえで、「meが構成されるのは……Iが想像上の様態で構築し予測する行為に対して、予期的に反応することを通してである」(Crossley［1996：56］)点を強調する。というのも、この点こそ、最終的に「一般化された他者」の態度取得（役割取得）を論じるさいのひとつのポイントになるからである。

いわゆる鏡像段階のことを考えてみよう。十二ヵ月から十四ヵ月の子供の六五％が達成でき、二十ヵ月では十分な認知がなされるとされている鏡像における自己認知は、Iの認知ではなくmeの認知である。それは他者の観点から見られた想像的な性格をもつ。鏡は単なる反映ではない。それはつねに、それ以上の、空想や希望などをもって与えられる意味の像であるmeなのである。

ただし、歴史的にみても鏡像は普遍的なものではないことには留意が必要であり、鏡像はむしろ比喩的なものだとここでは解すべきである。クロスリーは十分に指摘してはいないが、相手の表情や視線の読みは、現在および今後なされる相手の（自己に対する）行為を読み、反応する準備態勢のひとつであると考えられる。ただし、目の見えない子供も自己性に到達する。それゆえ問題はむしろ、時間性をともなう相互行為における「他者鏡」ともいうべき鏡像効果であろう（廣松・増山［1986］）。少なくともmeを単に自己による自らの過去への反省や再帰性にのみ位置づけるとすると、ミード解釈も不十分となることは確かである。

［4］自我論的間主観性と社会理論への回路

さて、こうした少々長く感じられる記述のうえで、ようやく自我論的間主観性と社会理論を語る一歩手前まで来た。クロスリーは、再度ミードのよく知られた概念、プレイとゲームに言及する。プレイにも発達段階があるにせよ、それが特定の「意味ある他者」の役割取得であることはよく知られている。しかもそれが複数の役割の取得に至れば、そこからゲームの段階への移行はそれほど難しくはない。そしてそこにおいて「一般化された他者」の役割取得がなされているという見方が、社会学基礎論では常識化している。しかし「一般化」された他者が眼前に存在しているわけではない。あるいは、相互行為から離れてどこかにそれが存在していると考えるべきでもない。存在しているのは、複数者の間での相互行為のヤリトリである。加えて――クロスリーも引用する――ミードの次の言明は着目に値する。「子供は絶えず自分の周りの人びととの態度、とりわけ子供をある点でコントロールする人びとの役割、および子供が依存する人びととの役割を取得する」(Mead［1934：160］)。この点で、クロスリーが指摘しているように、『一般化された他者』は、共同体の声というよりも、むしろ共同体に代わって語り、共同体の内部で権力をもつ人びとの声なのである」(Crossley［1996：65］)。

それゆえ、自己性の発達は同時に今日の民主的共同性（＝公共性）[3]においては、「シティズンシップ」の議論への入門なのである。個性や自我を重んじる個人主義的な自由主義の時代において、このシティズンシップが抱える問題性、つまり共同体レベルでの同調と個人レベルでの差異や個性というアンチノミー的状況に関しては、ここではとりあえず登記するだけにするが、自我論的間主観性は少なくともある種の想像力によって自他を結び付ける。その近代市民社会的なあり方が問われうるのである。かくしてここに、反省的で再帰的な能力の獲得をもって生成した近代的な自我の織りなす自我論的間主観性が、本章の［2］でみたように「自己を他者の位置に想像的に移し入れることによって、他者性を経験する自己移入的な志向性」によって成り立つ。だからこそ、その近代的自己の想像力による他者像が問われうるのである。その自他関係のあり方は大いに問われうるべきである。ただしその特性は、クロスリーのいうように「われわれと他者との関係の個人化された機能にすぎない」(Crossley［1996：71］)点を再度押さえておくことが重要であろう。それゆえ、「自我論的態度は基層にある基盤としてつねに必ず根源的態度を伴う」のであって、「自我論的間主観性とは相対的に反省的な距離をとること」にすぎず、「それは決して絶対的ではない」(ibid.)とする点に筆者も同意したい。

さて、このように自我論的間主観性が位置づけられてきたが、さらにこうした間主観性論が社会理論、とくにいわゆる公共性論とどう切り結ぶのか。紙幅上やや駆け足にならざるをえないが、次の論点に移ることにしたい。クロスリーは「間主観主義者」たち、たとえばミードが国際社会を論じ、またメルロ＝ポンティがしばしば社会理論に言及することに大いに着目するが、しかし同時に、それまでの間主観主義者は、比較的ミクロな間主観主義の議論から一気にマクロな問題に取り組み、その間の議論が抜けてしまっていることを見咎める。たとえば「メルロ＝ポンティの間主観主義は、社会理論を始めるための適切な哲学的立場であるが、それを展開して社会理論や社会研究や社会批判のための効果的な図式へと進むための十分な概念用具を与えていない」(Crossley［1996：76］)というわけである。

そこで、クロスリーがこの欠落を埋めるものとして着目するもの、それがシュッツの仕事であった。すでにシュッツに関しては、根源的間主観性の議論でもその「相互同調」論に関してクロスリーによる適切な論及があったが、ここでは「具体的な間主観性」論への着目の好例としてシュッツが取り扱われる。ここでシュッツの議論を繰り返す必要はないので、ここではクロスリーが取り上げた諸項目の確認だけにとどめておく。それらは、行為と行動の区別、動機の分類、相互行為の分析、対面的状況から同時代者などとの社会関係のあり方の分析、そして類型（化）や記号の問題、さらによそ者論、差別論などの共同体にかかわる論点である。

クロスリーはこの「具体的な間主観性」への回路に着目しながらも、だが同時にシュッツが十分には指摘しえなかった諸論点――それはやや「無い物ねだり」的でもあり、部分的にはシュッツ自身も的確に言及している点が含まれる（本書11章以下参照）――をも折出する（Crossley［1996：95］）。まず、「具体的な間主観性」論の展開とはいえ、シュッツが現実の経験的な共同体の考察を十分におこなっていない点。しかも（脱）産業国家といったレベルの社会統合への論及が十分ではないこと（この論点は官僚制や新たな情報伝達技術および輸送技術の問題なども関連する）。また法や強制・暴力の問題、そして階級的ヒエラルヒーに関する問題、とりわけ社会の物質的再生産やそれにともなう欲求・価値・欲望の（交換の）問題、これらもシュッツは十分に論じていないとする。そして最後にクロスリーは、超個人的な視点からみられるさまざまな社会システムという「記述レベル」――それゆえ、その安易な実在化には留意を促しつつではあるが――への考察がシュッツに不足していることを指摘して、シュッツの思考をより現代社会理論的に発展させることを提唱する。それが、ハーバーマス理論を批判的に考察しながら論点を拡大しつつ、フーコーやフクヤマなどの議論も交えて『間主観性』の後半部を使って論じる権力や公共性への問いの回路なのである。

［5］間主観性と、権力および公共性をめぐる問題圏――ハーバーマス批判

ハーバーマスの理論も社会科学の領域で広く知られている現在、それをここで体系的に復唱する必要はないであろう（佐藤［1986］参照）。クロスリーがハーバーマスに着目するのは、ハーバーマスが現象学の間主観性概念

に着目すると同時に、システム概念にも関心をもっているからである（Crossley［1996：99］）。生活世界とシステムをめぐる一連のハーバーマスによる議論のことである（Habermas［1981］）。クロスリーの着目は、後述するように、システムと区別される生活世界内の「公的領域」にある。だがクロスリーは、ハーバーマスのよく知られたテーゼ「システムによる生活世界の植民地化」の議論よりも、ハーバーマスがマルクス主義の知見である物質的再生産の側面を自分の社会理論に導入したことを評価し、その点に着目する（Crossley［1996：123］）。そして、クロスリーのハーバーマス批判も、実はこの点に関連してなされるのである。

すなわち、ハーバーマスの問題点は、彼の理論が「間主観性の身体性を無視する傾向がある」（Crossley［1996：124］）点に存在すると指摘される。それには三つの問題点がある。第一に、（意識哲学への回帰を畏れるあまり）知覚や情動などが十分に論じられていない点。第二に、（シンボル化や言語の主体、つまりコミュニケーション的実践にかかわるはずの）身体の再生産にかかわる物質的再生産が十分に論じられていない点。第三に、身体的な経験でもある他者との共在が十分に論じられていないハーバーマスの狭い言語観。こうした問題は、ハーバーマスの生活世界概念の問題性（したがって彼のシステム概念、および結局のところ彼の間主観性概念の問題性）と重なってくる。クロスリーはこの点を、「間主観性と権力」ないしは国家の問題として考察しているように思われるので、この問題を一瞥してみよう。

権力に関するクロスリーの見解は、権力が間主観性を必要とし、間主観性に依拠しているというものである（Crossley［1996：124］）。「すべての間主観的関係は権力関係である」というわけではないが、「権力関係はつねに間主観的である」（ibid.）。こう考えるクロスリーにとって、ハーバーマスの権力概念は「能力―結果」モデルに依拠しているようにみえる。つまりハーバーマスにおいては、国家が他の行為主体の意思に逆らっても一定の結果を確保することができる能力をもつかぎりで、国家は権力をもつと考えているようにみえる（Crossley［1996：128］）。それが問題なのは、権力は行為主体に還元することはできないという一般論のレベルにとどまらず、まずもって国家を取り巻く内外の情況、たとえばEUにみられるような脱国家的な情況、あるいは国家の意思決定過程における内部闘争のような諸過程、あるいは民主主義にみられる「妥協的形態」などが軽視されるからである。国民国家は独立の権力者ではないというクロスリーの表現（Crossley［1996：129］）は、こうしたことを認識したうえでの言説である。

以上のような言明のひとつの狙いは、ハーバーマスに続いてフーコーの権力概念を再検討したうえで示される二つの重要な論点提示にあるように思われる。すなわちそれは一方で、権力の技法に関心のあるフーコーの問いが――国家といった社会的行為主体の固定的な能力として暗黙のうちに権力を実体化してしまうハーバーマス的問いではなく――「権力の構成のされ方を問う」回路をもっている点への着目である。周知のようにフーコーは、『権力』という用語は、当事者間でのひとつの関係を指し示すものである」（Faucoult［1982：217］）としたわけだが、そこに間主観性の論点をクロスリーはみているのである。

だが他方で、クロスリーは単にフーコーを間主観主義者に仕立てるためにこの議論をしているわけではない。そうではなくクロスリーは、こうした議論から「権力は……生活世界を必要とする」（Crossley［1996：141］）という論点を引き出し、そしてヘーゲル流の「主人と奴隷」の弁証法なども念頭において、「生活世界もまた――コミュニケーション的行為の場であると同様に――権力関係の場である」として、ハーバーマス流の権力論と「システムによる生活世界の植民地化」テーゼとを批判するのである。ジェンダーやエスニシティの問題において明示されてきたように、権力が「生活世界のなかで産出される」（Crossley［1996：148］）点にクロスリーはとくに着目する。そして、以上のようなクロスリーの視線は、現代社会の現状をふまえつつシティズンシップの問題へと向けられていく。それは、間主観性論の具体的な側面＝「具体的な間主観性」のより規範的で政治的な次元の可能性をクロスリーが切り開くための試行である。

今日、公共性論との関係で注目を集めている「シティズンシップ」の概念は、通常、民主主義政体のよりいっそうの充実をめざす政治レベルでの市民性ないしは市民権のあり方をめぐる論点とかかわると考えられており、間主観性とはあまり関連がないとされがちである（Crossley［1996：150f.］）。しかしそうではない。間主観性のうちでもとくに自我論的間主観性は、匿名的、非対面的な「他者」との間でみられる反省的な間主観性でもあった。他者との共生における（自我論的）間主観的結び付きを（法を含む）制度的なシステムにおいて実現するために考察されるべき権利や義務の再検討と、それを実現する社会運動への着目（Crossley［2002］）、それがクロスリーの開拓する地平である。その内容それ自体は、ジェンダー論的な社会構成への批判を含む自由主義的な民主主義論であり、その点に関してはここで深入りする必要はなかろう。つまりシティズンシップの問題が、自我論的間主観性によってその民主主義的基礎が与えられるべきだとクロスリーが論じる点を確認しておけばよい（Crossley［1996：156］）。

ただし、誤解は禁物である。クロスリーが主張しようとしているのは、公共圏における理想的発話状態に基づく「討議倫理」（ハーバーマス）の実現は、コミュニケーション的で間主観的な実践を通して「教えてもらって学ぶ」ものであって、それは「生活世界にルーツをもち、生活世界によって保持され、生活世界を通して伝えられるものである」（Crossley［1996：162］）という点だ。したがってクロスリーの主張は、行動発達論的な意味での個体発生的過程における根源的間主観性の理路を軽視するどころか、その理路を重視することで成り立っているのである。それは、公共性のあり方の探究を発生次元において捉え直す視座であるといえよう。

著書『間主観性』の最後の方でクロスリーは、ポスト社会主義時代における「自由主義者」フクヤマの『歴史の終わり』の議論にある程度同意している。[4] だが、「法令や宣言書のなかに大事にしまわれているかのような自由主義的な民主主義と、その現実の実践との間には、かなりのギャップがある」点を指摘して、フクヤマを批判する（Crossley［1996：167］）。問うべき問題はむしろ、「それによってわれわれの社会が可能となるものであり、それによってはじめてわれわれがわれわれとなるものである」ところの、根源的間主観性に基づく自我論的間主観性を見据えた間主観的事態である「われわれの社会生成（social becoming）の現場」の解明である（Crossley［1996：173］）。

「間主観性は、それ以上には還元不可能な一種独特なものであり、われわれのアイデンティティの生成原理、われわれの主体的行為の生成原理、そしてわれわれが生きる社会の生成原理である」（ibid.）。クロスリーは、民主主義との関連においてもこの問題をきちんと論じることの必要性を説いていることになる。そしてそうする努力こそが、「社会生活の現場という布地（fabric）の糸をときほぐし、まずいかにしてそれが一緒になってできあがっているのか」を問うことである。間主観性論は「われわれ自身の存在……に関する実存的な問い」であると同時に、「われわれが属している世界はいかなるものであるのかを考察すること」である（Crossley［1996：174］）。クロスリーの試行が、公共性論を射程に入れつつ間主観性の問題に果敢に挑んだ労作であることは間違いない。

［6］小　括――クロスリー社会学の冒険

このようなクロスリーの試みを、筆者は高く評価する。もちろん、そこに問題がないわけではない。とくにこの段階のクロスリーは、間主観性論という主題の限定以上に、やや安易にハーバーマスの二分法（生活世界／システム）に乗る形で後半部の議論を展開したように思われる。[5] それゆえ、少なくとも後期フッサールの「生活世界」概念の重層性に関しては言及が必ずしも十分ではない。[6] クロスリーによって間主観性の重層性は大いに論じられたが、シュッツ研究者でもあるスルバールが生活世界概念を、普遍文化的な層、個別文化的な層、学批判的な層、倫理・解釈学的な層、構成理論的な層と整序している試み（Srubar［1997］）と比べてみると、この面での論及に今後の課題があることは間違いない。

しかしながら、クロスリーのこの試みが現象学出自の概念、ここでは間主観性の重層性の指摘をおこない、かつそれをも越えてポスト社会主義時代における多文化共生の問題に直面しつつグルーバル化する社会での「公共性」や「シティズンシップ」のあり方を問うという問題圏に迫ろうとする姿勢（冒険！）である点は評価に値するであろう。この到達地点を再考し、さらにこの地点からわれわれがいかに考察を進めていくかがこの冒険の次に問われている事柄である。と同時に、一方では「呼びかけ」に基づく間主観的関係による（言語あるいは情報を含む）シンボル形成という問題と、他方では間主観的に構成されるナショナリズムや国家意識といった問題系は、それら両者がクロスリーがここで描いた間主観性論と密接にかかわりながらも、当座は系列を異にする間主観性論のもうひとつの課題系列だということができる。本章でこのような間主観性論にかかわる現象学的社会学の新たなアプローチと社会理論への回路の存在を確認したところで、ひとまず章を閉じておくことにしたい。

そして次なる課題は、意味社会学の視座から、権力や制度の議論の系譜を回路として、筆者なりの社会理論の基礎論を描く方向性を示すことである。

10章　権力と支配の問題——ヴェーバー理解社会学の発生論的解釈替え

［1］ヴェーバー方法論の射程——行為と理解をめぐって

本章では、社会理論の基礎論として、社会関係のいわばタテ軸つまり上下関係の問題のひとつの柱となる「権力と支配」の問題について考察する。そのさい本章で依拠する意味社会学の系譜は、ヴェーバー理解社会学である。すなわち、ここでは筆者なりの意味社会学の立場からするヴェーバー理解社会学の「発生論的」解釈替えが試みられる。

さて、すでにふれてきたように、シュッツはヴェーバー理論に大いなる関心をもっていた。とくに彼は「修学時代の早い時期」から「社会諸科学、わけても社会学の哲学的基礎づけ」に関心を抱き、「ヴェーバーの仕事、とりわけ彼の方法論的諸論文」に魅せられていたと告白している（Schutz［1977：41］）。しかし同時に、シュッツはヴェーバーにとって重要問題のひとつである「主観的意味の理解」がさらに「哲学的定義を要する」という点にも気づいていたのであった。そのさいシュッツがヴェーバーの方法論的諸論文の何にひきつけられたのかという点は、たしかに学説史的にはわれわれの興味を惹く点ではあるが、本章での議論の関心は必ずしもそこにあるわけではない。本章の限られた狙いは、以上のシュッツの関心方向との関係で、つまり「主観的意味の理解」

の「哲学的基礎づけ」の側面に留意しながら、ヴェーバー理解社会学の視線をあらためて取り上げ直して批判的継承を試みつつ、「権力」や「支配」といった社会理論的問題を考察する方向性を示すことにある。そこで、あらためてヴェーバーの方法論の基本視線を本章なりに描き出すことから始めたい。

といっても「八方破れの体系性」と称されたこともあるヴェーバーの仕事を、いまその方法論に限って概括することがここでの論題ではないし、また方法論論議においても、その文字どおりの社会学方法論を検討するつもりもない。というのも、そもそもいわゆるヴェーバーの方法論議論が単なる社会科学の「方法論」のレヴェルでは語りえないのではないかという点も、ここでのひとつの問題提起だからである。それゆえ本章では、ヴェーバーの方法論論議の二、三の鍵概念を追うなかで、この局面でのヴェーバーの視線の核心——その意義と可能性——を明るみに出したいと思う。そのために、ここでまず論及する領域は、ヴェーバーの学問論—科学論(Wissenshaftslehre)と、ヴェーバーの議論の核にある行為論および認識論とに限定する。

さて、ヴェーバーの学問論=科学論というと、ひとはヴェーバーの「価値自由」(Wertfreiheit)と「理念型」(Idealtypus)の議論をその代表的なものとして思い起すであろう。“Wertfreiheit”は、しかしながら不幸な歴史を背負った用語である。この用語は、それが使われた背景や文脈を切り捨てられて、一人歩きを始めた。今日でも欧米も含めた社会科学のいくつかの文献には、Wertfreiheitを単純に没価値性ないし価値判断排除と(日本語に)訳せるような誤用がみられる。もちろん、たしかにヴェーバーはある文脈では、社会科学の科学たるべき要請として価値判断排除を語っている。たとえば講壇社会主義者シュモラーとの対決の文脈、あるいは方法論諸論文のひとつとして書かれた「社会科学および社会政策的認識における客観性」(以下では『客観性』と略記する)論文の一部においてである。

しかし、ヴェーバーの学問論—科学論は、ヴェーバー自らも表明するように、「歴史学派の子」であると同時にリッケルトおよび西南学派の新カント派の認識論的背景のなかから生み出されてきたことを思い起しておこう。

ちなみにリッケルトは、自然科学と対比される文化科学の特性を「価値関係」（Wertbeziehung）に見いだしていたのであった（Rickert［1986–1902］）。ヴェーバーが大病後、あらためて学的営為に取り組みはじめた最初の著作『ロッシャーとクニース』（1903-06）や『客観性』論文（1904）のなかには次のような記述が見いだせる。

> われわれが価値と呼ぶものは、単なる『感情内容』との対比において、ひとつの態度決定の、すなわち分節され—意識された肯定的、否定的な『判断』の内容となりうるもの、まさにこれであり、かつこれのみである。（Weber［1973：123］）

> あらゆる文化科学の超越論的前提とは、……われわれが意識的に世界に対して態度をとり、かつ世界にひとつの意味を付与する能力と意志とを具えた文化的人間（Kulturmenschen）である、ということなのである。（Weber［1973：180］）

> 『文化』とは、世界生起（Wetlgeschehen）の意味のない無限性のうちから人間の立場において意味と意義とをもって考えだされた有限な一片である。（Weber［1973：180］）

> 特殊な『一面的』観点から離れては、文化生活、もしくは……『社会現象』の端的に『客観的な』科学的分析というものはない。（Weber［1973：170］）

これらの著作、とりわけ前者『ロッシャーとクニース』は、たしかに「二つの流出論」、つまり「『民族』や『国家』などという「『集団概念』の実体化」と「『個人』や『人格性』という『個体概念』の実体化」の批判として読みこむことも可能な、認識論的には重要な文献であるが（中野［1983：30f.］参照）、「彼はまた、成熟した方法論をもっていなかった」（Tenbruck［1959＝1985：90］）ともいわれている。

そこで『客観性』論文からの引用と合わせて考えつつ、その認識論的―方法論的視点を次のようにきわめて簡潔に先取り的に表現してよいだろう。すなわち社会科学の学的認識とは、一定の価値観点からなされた一種の「類型化」的把握なのである、と。この視点は、いうまでもなくヴェーバーの「理念型」論につながる。理解社会学が企図する主観的、個性的事象の把握をめぐる議論といえども、こうした理念型的―類型的把握の視点を抜きには語りえない。もっともいまここでは、シェルティング（Schelting［1922＝1977］）やパーソンズ（Parsons［1939＝2000］）が示したような――そして今日の社会学では共有財産になっている――ヴェーバーの理念型の区別（たとえば個性化的理念型と一般化的理念型）には深入りしなくともよい。ここでは、理念型の構成それ自体が研究者―観察者の側での価値に導かれてなされるという点を再確認しておくことで十分である。そもそもヴェーバーによれば、『客観性』論文で示されたように、社会生活を扱う科学は「経験的実在の思惟的整序」ないし「概念構成によって事実を思惟的に整序」することを核とするのであって、無前提な認識などありえない。「中立」というのもひとつの立場の選択である。

ヴェーバーにおいて当時重要であったのは、つまり彼にとって喫緊の課題は、「倫理的」要請を無前提や中立を装って「科学的」と称する輩であって、彼らに対しては価値判断排除をとりあえず対置せざるをえなかったのである。しかしヴェーバーがその言明にのみ終始していたならば、批判対象者と同じ穴のムジナであろう。「価値判断排除」もひとつの立場選択だからである。それゆえ、ヴェーバーにとっては、少なくとも議論が悟性に訴えている箇所と感性に訴えている箇所を自ら明確にすること（Weber［1973：157］）、そしてそのうえで自らの立場を対象化して、明確化すること、このことが重要であったのである。たとえば、一列横ならびの三者において、左端の者にとっては真中の立場の者も右にいることになるし、右端からみれば左に見える。いわばどの立場に立って見ているのか、自らが立脚する価値は何なのか、こうした価値の対象化、相対化によってえられる価値自由の視点こそ、ヴェーバーが見透かしていた論点であり、その要点であったのである。

Wertfreiheitが素朴な没価値性のみを意味するとすれば、そもそもの研究対象の選択すら可能でなくなるであろうし、しかもそうであれば、『政治論集』のみならず、ヴェーバーが自らの実質的な経験的研究（たとえば『プロテスタンティズムの倫理と資本主義の精神』『古代農業事情』など）の終わりに、つねに彼自身が強烈な問題意識を吐露していること、このことが説明できなくなってしまうだろう。ヴェーバーのWertfreiheitは、素朴実証主義者のいう意味での「価値判断排除」では決してありえない。むしろ「何が探究の対象となるのか、またどこまでこの探究が因果連関の無限のなかに拡げられるのかを規定するものは、研究者および彼の時代を支配する価値理念である」（Weber［1973：184］）。

このように、ヴェーバーは彼の学問論―科学論において、いわば研究する側の主観性にも光を当てた。では研究される側の人間の「主観性」についてはどうなのか。そこに周知のヴェーバー理解社会学の行為論的視座がより際立って立ち現れてくる。そこでまず簡潔に、よく知られていることではあるが、ヴェーバー行為論を研究者―研究対象者という視点を念頭におきながらその問題圏も一瞥しておこう。すでに何度かふれてきているように、ヴェーバーにおいて（Weber［1972＝1953］）、社会学とは「社会的行為を解明的に理解し、それによってその経過と結果を因果的に説明する一科学」である。「理解」社会学は、その出発点において「行為」や「意味」といったタームが鍵をなす。行為（Handeln）とは、行為者によって主観的意味が付与された行動（Verhalten）のことであった。単なる「まばたき」のごとき有機体の状態変化は行動ではあっても行為ではない。意識的に他者に片目をつぶってみせる（ウィンク）ならば、それは主観的に有意味な行為となろう。しかもこのウィンクの場合は、明示的に対他者的な社会的文脈にある。ヴェーバーは、社会的行為について次のようにいっていた。『社会的』行為とは、行為者または諸行為者によって思念された意味（gemeinter Sinn）に従って他者の行動に関係させられ、かつその経過においてこれに方向づけられている行為のこと」である。その語のうちに少なくとも、行為のヤリトリが〈自己―他者〉においていま実際に相互的、対面的になされる社会的状況が一方の極にあり、そして他方の極には、たとえば自己が既存の社会的なるもののもとで社会化されているかぎり、すでにして社会的であるという状況がある。後者の視点に立つかぎり、行動と区別された行為それ自体からしてすでに「社会的」なものである。ひとは一定の言語・文化という「社会的なるもの」のもとで自らの行動に反省的・反照的・再帰的（reflective）にかかわることで意味付与できるようになるからである。そしてこの reflect がシュッツの『社会的世界の意味構成』における意味規定の核心の問題系であることは、いうまでもないであろう。

だが、ヴェーバーにおいて（Weber［1972：11f.］）、偶然生じた自転車同士の衝突はそれ自体、社会的ではあっても「行為」ではない。また、「外的行為でも、それがただ物的対象の動きへの期待に方向づけられるときには、社会的行為ではない」。さらに、行為対象である他者の範囲に関していえば、それは「不特定多数でまったく未知の者」まで含み、しかも「他者の過去の、現在の、または将来の期待される行動に方向づけられる」という点まで拡げられている。したがって、ヴェーバーの「社会的行為」とは、他者の現前や他者の存在との何らかの関係行為のフュア・ウンスな（＝われわれ観察者の視点のことであって、フュア・エス＝当事者の視点ではない）事実性ではなく、主観の側での他者志向の事実性、つまりその行為者本人が主観的に何らかの「他者」（の行動）を考慮に入れるときに「社会的」行為が成立するという構図になっているように思われる。

こうした定義的言説は、とりわけ方法論レベルにおいてはその定義を与えるもの（この場合はヴェーバー）自らの仕事を呪縛しかねない両刃の剣である。ある意味で定義づけは大切なことであるが、それは同時に、しばしば指摘されてきたように彼の方法論研究と経験的研究との乖離という問題が生じるゆえんでもある。ヴェーバーのいうように理解社会学という「狭い枠」の自覚は重要であるが、その枠に閉じこめられていたならば経験的研究は成り立ちにくいであろう。さらにわれわれがたびたび本書でみてきたように、言語以前的・身体論的な自他関係、クロスリーの用語を使えば根源的間主観性、こういった側面が議論から抜け落ちているとすれば、その方法論・基礎論に基づく社会理論は不十分なものとならざるをえない。

ちなみに、ヴェーバー理解社会学の方法の〝提唱〟以降、自らがその〝方法〟の嫡子だと自認して経験的研究をすすめた例はあまり多くはない。パーソンズは、ヴェーバーから多くを学び主意主義的行為理論（voluntaristic theory of action）を展開すると公言しながらも（Parsons［1937］）、後期には社会システム理論の立場に立って明らかにヴェーバーから距離をとる（Parsons［1951］）。初期のパーソンズやヴェーバー研究者として著名な学者たち（たとえば前出のテンブルック（Tenbruck［1959］）など）をふくめて、ヴェーバー学派といわれるような——デュルケーム学派と対比してみれば——きわめてルーズな学派的流れは存在していたともいえるが、それでもその人たちは理解社会学の〝方法〟をストレートに踏襲しているということはできないであろう。この点ではシュッツにしても然りであるといってよい。シュッツも結局のところ、理解社会学の〝方法〟を直接応用して経験的事象の分析を本格的に押し進めたとはいいがたい。こうしたことから例証されるように、もしヴェーバーが実際にその方法に囚らわれていたとするならば、「経験的研究」や社会理論構築をすすめる前提となるヴェーバー方法論自体は、それとしては不完全・不首尾な道具立てだったといえるであろう。ただし、こうした断定はヴェーバー理解社会学の意義と限界にかかわってくることなので即断は避けよう。ここではさらに「理解」（的方法）に関しても急いで簡潔にふれておくべき事柄がある。

理解社会学における「理解」とは先の定義でもみたように行為の解明的理解であるが、では行為の何を解明的に理解するのか。その核心は、行為者によって行為に付与された主観的意味、思念された意味、要するに動機である。しかしこれらの一連の用語は多くの曖昧さにつきまとわれている。「主観」「意味」「動機」……これらのどれひとつとってみても学問的には多くの検討事項を要するテーマであった。シュッツがこの点を問題にしたことはすでにみた（本書4章および6章）。ヴェーバー自身はたしかにこれらにひとわたり必要最低限の検討を加えたのち、すぐさま行為理解のための具体的方策に目を転じる。すなわちそれが、主観的に思念された意味が付与された行為を、いいかえれば動機準拠的な行動を、その「内側」から理解するための合理的方法としての彼なりの「類型」論である。だがそれは正確に言い換えれば、研究者―観察者の側から、つまり行為者の「外側」から、研究対象が有すると思われる行為（意味、動機）の類型を適用して、行為者の内面を判断しようとする〝方法〟である。そのさいのひとつの具体例として示されるのが、よく知られている目的合理的行為、価値合理的行為、情動的行為、伝統的行為であった。

そこで次に、方法論としての行為類型論に対して若干の考察を加え、そのうえでわれわれが本章で着目しうる論点を引き出しておこう。

［2］ヴェーバー行為類型論の批判的継承――社会生成への問い

たしかに、ヴェーバーの行為類型論は大枠としては経験的研究に生かされているといえよう。たとえば、ヴェーバーが『プロテスタンティズムの倫理と資本主義の精神』で示した骨子は次のように述べることができる。伝統的行為が人びとにおいて支配的であった時代が、プロテスタントの価値合理的行為の出現によって転換点に遭遇する。予定説にもとづく宗教的倫理に導かれ、救いの確証を求めるべくこの世での成功を夢見て世俗内労働に勤勉にいそしみ、かつ享楽や放縦を放棄するプロテスタントの価値合理的行為は、結果的にいわば予期せざる事態として、富の獲得にとっては目的合理的行為であったのだ。神と富、倫理と営利が、観察者の視点からみれば、非常に巧みに総合されていた事態をわれわれはここに見いだすことができる。しかし非日常的な宗教的熱狂は、やがて峠を越して日常化する。そして富や営利が、神や倫理を打ち負かすという「価値の転倒」がみられ、いまやかつての手段が目的と化す。そして「精神のない専門人、心情を欠く享楽人」が生まれる。かくして、プロテスタンティズムの倫理は資本主義の精神の形成に少なからぬ関係をもった、という仮説が構成される。大枠としては、このように行為類型は記述に役立ち、仮説構成に有用である。ヴェーバーの歴史社会論的な比較社会学は、まさに類型論（理念型論）のもつダイナミズムを感じさせてくれる。

だが、仮説構成に役立つとされるこうした方策は、いつでもどこでも社会学的観察に有効といえるのであろうか。この方法自体それほど独自なものなのか。あるいはこれは社会科学のみにみられる独自な方法なのであろうか。さらに当座の文脈でいえば、右の例において当事者がどこまで本当に主観的意味を有していたのか、その意識性の程度はどれくらいであり、それをいかに検討しうるのか、等々。ひるがえって、そもそも思念された意味とは何なのか。行動と行為の区別はどこまで可能なのか。プロテスタントの振舞いはどこまで「行為」たりえたであろうか。……一見してこうした問いがいくつでも噴出するであろう。問題点を洗い出せばキリがないかもしれない。

もちろん、これらの問いに逐一答えることがこの小論の目的ではない。ここではこうした問いを提示するにとどめておいたうえで、なおかつヴェーバー理解社会学の行為論的視座がもっていた意義について、問い直すことが狙いである。そこであえていおう。ヴェーバー理解社会学は、一部の認識論的な方法論議を除いて、その方法・技法が重要なのではない。その方法それ自体はあまりに一般的すぎるし、方法論議としても曖昧な点が少なくない。ではなぜわれわれはヴェーバーの方法論論議に惹かれるのであろうか。それは、人間行為をともかくも重視しようとしたその議論の方向性とともに、その議論が方法論というよりもむしろ、ヴェーバー行為類型論を柱とする行為論全般が、社会の生成と存立を考察するさいの思考のヒントの宝庫だからである。

行動、行為、社会的行為、種々の理解の様式、そして各種の社会関係……、これらは社会的世界の意味的構成の基本的な構造、骨組、ないし形式であり、ヴェーバーの『社会学の基礎概念』は理解社会学からする、そうした構造形式の存立構造論的・関係発生論的な類型学的描写として解釈することが可能なのである。「社会学は類型―諸概念を構築する」、しかも類型は「一義的」で「比較的無内容」でなければならない。ただし、こうした方向は必ずしも単なる形式社会学ないしは無内容な関係だけを抽出するかつての関係学と重なるわけではない。なぜならヴェーバーはこうした（日常的）社会の存立構造を、単に外からフュア・ウンスにみるのではなく、不十分だとはいえ、フュア・エスに、つまり当事者意識から、行為者の主観的意味に着目する形で再構成していこうとしていたからである。

もちろん当事者意識に即した記述は、一見エゴロジカルな構成となっている。それは、ヴェーバーの記述に一定のデメリットをもたらすだろう。だから、その克服のために主要な一点だけでもここでふれておかなければならない。それは、先にふれておいた「社会的なるもの」の位置づけに関する問題系である。端的にいおう。「主観性」「思念」「意味」「動機」「行為」「理解」「コミュニケーション」等々、そのいずれもが「社会的なるもの」「社会性」を前提にしている。たしかにハーバーマスがいうように、ヴェーバーは意味理解を標榜しながらも「言葉がもつ意味（Bedeutung）のモデルを用いて『意味』（Sinn）を解明していない」といってよい（Habermas [1981：377]）。だが、ギデンズは「理解とは、それ自体社会における人間生活の存在論的条件に他ならない」といい（Giddens [1976：19]）、またヴァルデンフェルスも「理解は、……真の相互諒解が成立するための必要な条件」であり、「言語の理解は、あらかじめすでに言語のなかでの相互諒解を意味している」とも言い添える（Waldenfels [1980＝1987：286-7]）。

主観的意味の身体論的かつ言語論的な解明、しかも主観的意味の「社会性」を見失わないレベルでの解明こそ、社会の意味的存立構造論にとってともかく不可欠な点であろう。つまり、単なる言語論的な解明だけが社会性の解明のすべてではない。言語以前的な社会性や間主観性（間身体性）の問題圏も問わざるをえない。しかも、先にもふれたように、主観性に対して単に間主観性を対置して事足れりとするだけでも不十分である。言語や意味の発生論的機制をも射程に入れて、ようやく社会の存立構造への本格的な問いが成立するからである。ただし、ヴェーバーに対して好意的にいえば、こうした点の解明の萌芽はヴェーバー自身においても一定程度、定礎されていた。それがヴェーバー行為論の視角、とりわけその行為類型論それ自体であったわけだ。

もちろん、こうした好意的な解釈を行うためには、より詳細に後述するように、ヴェーバーの「行為」概念は広義に捉え返されなければならない。すなわち、行動との境界を明確に画された行為概念でなく、ヴェーバー自身のいう行動概念の一部をも含めた〈行為〉論的視座が求められるであろう。さらにまた、社会性の議論もきちんとその出発点から論じられなければなるまい。その出発点とは、すでにたびたびふれてきているように、〈自己―他者〉関係を原基とする発生論的な相互行為論であるわけだが、この作業への知的刺激の一源泉こそ、われわれが批判的に継承すべきヴェーバー行為類型論にあるように思われる。……もっとも、こうした言明はここではまだかなり抽象的であり、いうまでもなく多くの具体的説明と場合によっては別の道具立ての導入も必要だろう。そこで次に、こうした問題視角を内に秘めながら、権力や支配の問題を射程に入れつつ、ヴェーバーからの社会理論展開への方途を探りたいと思う。

［3］支配論の行為論的基礎――行為・権力・支配

さて、「私は、結晶や金属や多くの物質と同じように、音響的存在である」と記したのは、晩年のメルロ＝ポンティである（Merleau-Ponty［1964＝1989：200］）。そして、いま文脈を問題にしないでいえば、ヴェーバーの思考を「現象学」だと語ったのもまた同じメルロ＝ポンティである（Merleau-Ponty［1955＝1972：32］）。こうしたメルロ＝ポンティの言説をふくめて、フッサールとそれ以降の現象学の展開は、社会科学の諸問題を考えていくときに興味深い視点をわれわれに提供してくれていた。ここでは筆者なりの意味社会学の視点から、あらためてヴェーバーの行為・権力・支配をめぐる視座の問い直しを図り、ヴェーバーのこれまであまり着目されてこなかったいくつかの基本軸の抽出をめざしている。そしてそれらを、権力を核とした、存立構造論的・関係発生的な発生論の視座に立つ社会理論への回路の出発点に据え直したいと思っている。

　権力論は、ミシェル・フーコーの登場以来一変した。前章でもすでにふれたように、フーコーの業績はもちろん大きい。ただしそれは、フーコーの権力概念それ自体が卓抜だったからでもなければ、フーコーの議論の切れ味が見事であったからでもない。むしろそれは、一九八〇年代のフーコー自身がいうように「私の目的は、……私たちの文化において人間が主体化され（＝服従を強いられ）ているさまざまな様式について、一つの歴史を構想すること」であって、「私の研究の統一的主題は権力ではなく、主体なのである」（Foucault［1984：234］）という点にあった。フーコーが描いてみせた、知と権力の親密な関係のもとでの権力による主体の形成、そしてまたそうした権力を日々の相互行為に浸潤する微細な権力として捉えたことこそ、非常に興味深いものであった。

　だがフーコー的権力論は、こうした興味深い核心的諸論点以外の、権力論のもう一つの核心の問題を忘却させる役割を結果的に果たしたように思われる。それは端的にいえば「暴力」の問題である。フーコーの『監獄の誕生』の冒頭で示された八つ裂きにされ引き回されたダミヤンの処刑の例のような〝暴力性〟は、十九世紀に入ってから西欧において消え失せ、権力は直接的にはむしろ暴力を用いないことにだけ特徴があるかのように語られてきた。（もちろん、フーコーの権力論が、あまたの既存の権力論の問題性を、たとえば自己批判を忘れた古いマルクス主義的権力論の一面性や機能主義的権力論の保守性を再考するには大いに刺激的であることは、筆者としても繰り返し強調しておかなければならないが。）

　しかし、ここで指摘しておかなければならないのは、フーコーの登場の後、権力論に関する言説が「棘」を抜かれたのではないかという点である。微細な権力がどこにでも存在するということは、近代の勝利ではあれ、その権力からは蟻地獄のようにどうあがいても抜け出すことのできない日常と化すという、よく語られるフーコー論のことをいっているのではない。ここではフーコーの受容において、権力の核心的事態である暴力の問題が相対的に地位低下しているように思われる側面についてのみ語っている。そして、そうであれば、権力の姿はますます見えない存在に転じていく。

ここではこうした問題意識のもと、あらためて相互行為と権力／暴力の問題を考えてみたい。そのさいの検討の対象はフーコーではなく、本章前半に引き続きヴェーバーの行為論である。その再検討のうえで、ここでは権力を問題とすべき位層を提示することが狙いとなる。要するに、筆者がいま着目しているのは、シュッツとは一見異なった視座からみているように思われるかもしれないが、検討素材としてはシュッツと同様な、ヴェーバー理解社会学と現象学的な系譜であって、以下での主題は、ヴェーバー理解社会学における権力と支配の議論を、今日の（筆者なりの）意味社会学の発生論的視点から再検討することなのである。

そこでまず、ヴェーバーの議論に関して最小限の確認のみ行なっておこう。第一に確認されなければならないのは、「主観的意味の理解」という彼の理解社会学の方法論的視点であろう。このことを単純にヴェーバーの方法論的個人主義などと片づけてはならない。あるいはまた、行為論に立脚する彼の理解社会学の方法論を単純化して合理性偏重などと片づけてはならない。そして、ヴェーバーは主体主義者（主観主義者）であるという想定も一考を要することがらである。なぜなら、後に示すように、ヴェーバーにおける（主観的）「意味」の「意味」は多義的かつ多層的であるからであり、またヴェーバーの「主観／主体」は、必ずしも自己意識的・対自的なそれではないからである。したがって、前節でもみたように、「行為」も広義に解されなくてはならない。

ヴェーバーは主観的意味が付与された行動（Verhalten）を行為（Handeln）と定義づけたわけだが、社会的行為は自他の一方向的ないしは相互的な指向性をもって定義づけられた（Weber［1972：1］）。この（社会的）行為概念を、他の行為者に対する当該行為者の意識性や目的性だけに限定して解釈すると「主体主義者ヴェーバー」像が結果する。しかし、そうするとヴェーバーが留意していた行為類型の境界的な事例が落ちこぼれてしまう。ヴェーバーは、周知のように、情動的な（affektuell）行為（ないしは感情的な（emotional）行為）や伝統的な（traditional）行為も、一定の留意を保ちながら、目的合理的（zweckrational）行為と価値合理的（wertrational）行為とともに、いわゆる「社会的行為の四類型」に含まれるものとして指摘してきた（Weber［1972：12］）。

だが、少なくともいま示した情動的行為および伝統的行為の位置づけは微妙である。[1] ヴェーバー自身、純粋に反射的な模倣（Nachahmung）の例をあげながら「厳密に伝統的な行為は、一般に『有意味的に』方向づけられた行為と呼ばれうるもののまったく限界に、かつしばしばその彼岸に立っている」（ibid.）とし、それが「意識的に保持されうる」場合には価値合理的行為の類型に近づいてくると述べる。この点は、情動的な行為に関しても同様の規定が与えられている。「ある直接的情動の発散、そういう欲求を満たす人間は、情動的に行為する」が、それが意識的に発動されれば、価値合理化、および／または目的的行為の途上にあることになる（ibid.）。こうした言明は何を意味するのだろうか。ここでは「合理性」概念には回収しきれないヴェーバーの行為概念こそ着目点である。

結論を先取りすれば、ヴェーバーは、意識性や目的性が十分には対自化されていないような「行為」も、結果的に彼の行為類型に参入させていたことになる。そうであれば、考えられるのは、少なくともヴェーバーの「行為」の定義や「行為」類型の設定に齟齬・矛盾があるとみるか、あるいはヴェーバーの（主観的）「意味」概念の多義性・多層性を考えるかのいずれかであろう。筆者自身は、彼の経験的な研究・分析、および彼の他のさまざまな概念規定からして、基本的に後者の立場をとる。ヴェーバーの「意味」は、必要に応じて、即自的で無意識的・没意識的な場合も含み、したがってヴェーバーの「行為」類型には即自的で無意識的・没意識的な情動的および伝統的な行為も含まれうる。こうした点は、当然ながら社会的行為のさまざまな問題圏とかかわってくる重要な論点となろう。そこで次に、理解社会学と社会的行為論に関してヴェーバーが論じた別の文献をも検討の射程に入れながら、発生論的相互行為の諸相を検討してみたい。

ヴェーバーは『社会学の基礎概念』（以下『基礎概念』と略記する）を書く以前に、もうひとつの重要な基礎理論の文献、すなわち『理解社会学の若干のカテゴリー』（以下『カテゴリー』と略記）を著していた。そしてこの『カテゴリー』で展開された行為論において、ヴェーバーはゲマインシャフト行為（Gemeinschaftshandeln）とゲゼルシャフト行為（Gesellschaftshandeln）を区別していた。ヴェーバーによれば、ゲマインシャフト行為とは、「人間の行為が主観的に有意味に他の人間の行為に関係づけられている場合」（Weber［1973：441］）の行為のことである。他方、ゲゼルシャフト行為とは、ゲマインシャフト行為が、「制定された」諸秩序に基づいて懐かれた期待に有意味に指向し、その諸秩序の制定が目的合理的になされるとき、かつそのかぎりでの行為のことである（Weber［1973：442］）。そしてさらに彼は、いわばそれらの中間形態として、「諒解行為」（Einverständnishandeln）を指摘する。すなわちそれが、言語共同体におけるゲマインシャフト行為（ただし、これに関してはあまり踏み込んだ記述はない）とともに示された、貨幣を媒介とする行為によって成り立つ関係としての「市場」におけるゲマインシャフト行為である。ヴェーバーによれば、「諒解」とは、「ゲマインシャフト行為のなかには、目的合理的に協定された秩序がないにもかかわらず、（1）結果的にはそうした秩序が効力をもっているかのように経過し、しかもそのさい、（2）この特定の結果が個々人の行為のもつ意味関係性（Sinnbezogenheit）によっても規定されているような」行為である（Weber［1973：452-3］）。

だが、この諒解なる概念は『基礎概念』では消失してしまい、市場での交換に関する例解は、ゲマインシャフト関係（Vergemeinschaftung）ではなく、むしろゲゼルシャフト関係（Vergesellschaftung）の純粋な類型として示される（Weber［1972：22］）。さらに他の文献の別の箇所では、「市場ゲマインシャフト（Marktvergemeinschaftung）それ自体は、人間が互いに関係する実際の生活の関係のなかで、最も脱人格的な（unpersönlich）ものであ

図1

(『カテゴリー』)		(『基礎概念』)		暴力 闘争 権力
ゲマインシャフト行為		社会的行為	社会関係	
	人格ゲマインシャフト	情動的行為 伝統的行為	ゲマインシャフト関係	
諒解関係	市場ゲマインシャフト	価値合理的行為 目的合理的行為	ゲゼルシャフト関係	
ゲゼルシャフト行為				

る」(Weber [1972：382]) としつつ、「市場がその固有法則性に身を任せるところ、それはザッヘ（事物）のみを顧慮し、人格や同胞性義務と恭順義務、人格ゲマインシャフト (persönliche Gemeinschaft) に支えられた自然のままの (urwüchsig) 人間関係を顧慮しないのである」(Weber [1972：383]) とされている。いまここで着目したいのは、市場ゲマインシャフトや『基礎概念』で消失した諒解関係それ自体ではない[2]。われわれが関心をもつのは、むしろ「人格ゲマインシャフト」の内実および『基礎概念』における行為関連の諸カテゴリーの位置の問題である。それに関する図1を参照願いたい。

『基礎概念』においては (Weber [1972：21f.])、まず第一にゲマインシャフト行為が社会的行為として定義づけられ、なおかつ第二にその社会的行為が立ち上げる社会関係の類型として、「ゲマインシャフト関係」(家共同態、恋愛関係など) と「ゲゼルシャフト関係」(市場等) があげられるようになる。そして、そうした社会関係においては、社会的行為の四類型との対応も論じられる。すなわち、ゲマインシャフト関係は情動的行為と伝統的行為が、ゲゼルシャフト関係は価値合理的行為と目的合理的行為が、対応する行為類型として順にあげられる (この順番に注目されたい)。こうした諸類型が、単なる歴史的概念でないことは明らかであるが、いずれにせよわれわれが着目したいのは、先にみたように、それ以前には、「……人格的ゲマインシャフトに支えられた自然のままの人間関係」に対応する社会的行為が、『基礎概念』での情動的行為、伝統的行為であるという点にある。

そして、さらに着目すべきは、ヴェーバーによってゲマインシャフト関係において言及されるのは「闘争」(Kampf)であるという点である。『カテゴリー』においても、「『闘争』と呼ぶような人間のゲマインシャフト行為」が語られ、また「闘争は、潜在的には、あらゆる種類のゲマインシャフト行為一般にわたって内在している」とも述べられていた(Weber [1973:463])。また、『基礎概念』においても「非常に親密なゲマインシャフト関係でも、実際にあらゆる種類の暴力発動(Vergewaltung)がなされるのが極く普通のこと」である(Weber [1972:22])と論じられている。このように闘争や暴力発動は、ゲマインシャフト関係においても基本的な事態でありつつ、社会的行為全域に及んで後にみる「権力」の母体をなすものであろう。本章の後述部分にとって、こうした指摘は重要な視点となるので、とくにこの点に着目しておきたい。ただしその前に、本節の企図からして、ここであらためて情動的行為と伝統的行為、および「ゲマインシャフト関係」にもう一度戻っておくべきであろう。

ヴェーバーは、『基礎概念』において、「行為」の境界にある事例として伝統的行為とともに情動的行為をあげるが、先に注意を促しておいたように、ゲマインシャフト関係という社会関係の規定にさいしては、この情動的行為を真っ先にあげる。これらの、行為というにはあまりにも境界的な類型である(だからそれらは、ヴェーバーの定義上、行動でもありうる)二つの類型は、いずれもそれが意識化されたならば、前述の行為の規定から容易に予想されるように、価値合理的行為(ときに目的合理的行為)に転化するにもかかわらず、ヴェーバーはあくまでもこの類型にこだわりつづける。人間社会における価値合理性のもつ重要性とともに、この二つの境界的類型はわれわれにとってもとくに目を離せない重要性をもつ。

こうした論点をふまえて、また後述の議論も先取りしつつ、筆者としてはここで暫定的に次のように述べておきたい。おそらく――いまだ筆者の仮説の域を出ないが――、ヴェーバーの行為類型は、①実質上「行動」のレベルをも問題にしながら、②情動的行為を基礎にして、③伝統的行為が歴史の土台をつくりつつ、④価値合理的行為を宿命づけられた人間が、⑤近代において目的合理性という価値合理性を優先する目的合理的行為が優勢になった事態（もちろん、⑥時には情動的行為や伝統的行為が価値合理化されて、部分的に重んじられるときもありうる）を的確に描くための方策であるとともに、⑦人間社会の発生論的議論を、発生論的相互行為の議論から立ち上げていく思考を的確に表すもの、と捉えられるであろう。前節で筆者は、ヴェーバーの行為論を広義の行動を基盤にして再構成することを提唱したが、ここにおいても議論の水準は変わらない。

では、こうした暫定的な確認をふまえて、本章の主題である「権力と支配」の問題に焦点化しよう。そこでは、こうした確認（ないし仮説）が、どう展開されるのかもわれわれの関心のうちにある。

［4］権力と支配をめぐって——その発生論的な読み

周知のように、ヴェーバーは権力（Macht）を、「社会関係のなかで、抵抗に逆らっても自己の意思を貫徹しうるあらゆる可能性（Chance）」（Weber［1972：28］）とか、「自己の意思を他者に押しつける可能性（Möglichkeit）」（Weber［1972：542］）などと定義する。この概念は社会学、政治学などにおいて古典的な定義としてしばしば引用・参照されるとともに、その一見荒削りな定義のためにしばしば批判の対象にもなってきた（前章参照）。しかし筆者にはその批判の多くが、権力概念の定義の仕方の問題にすぎないように思われる。端的にいえば、権力概念を広くとるのか狭くとるのかによって、この規定に対する評価が変わるということである。

ヴェーバーの場合は、まずは一応狭くとっていると理解することができる。なぜなら、ヴェーバーは、「権力」とは位相を異にする「支配」（Herrschaft）という概念を別立てで用意しているからである。だからこそ権力とは、自己の意思を他者に押しつける力（Macht）一般ということができる。その基盤が、先にみたようにゲマインシャフト関係においても遍在する暴力発動や闘争という事態である。だが、それらを力一般と表現できるならば、その点では彼の「権力」は実はより広い概念だともいえるだろう。なぜなら、その規定は暴力一般を含む無限定なものであり、事実、ヴェーバーは権力概念に一定のさらなる条件が付け加わる限定された地点でのみ「支配」を語ったからである。(3) この点についてはすぐ後で述べるが、その前に確認しておきたいもうひとつの問題がある。

すなわちそれは、「権力」の定義に現れている「意思」(Will)の問題である。すでに本書で関連する論点にはふれているが、「意思」はヴェーバーの主観主義・意識主義を端的に表現している、と思われがちである。しかしながら、筆者としては、この「意思」も広義に捉えられるべきであると考えている。なぜなら、その概念には行為の主観的意味(動機)として、情動的なものや伝統的なものが含まれうるからである。ヴェーバーの主観的意味なる概念も、単に対自的で自覚的、意識的なレベルでのみ概念化されていたわけではないことを繰り返しておこう。ヴェーバーの権力概念は、こうした情動を含めた対他的社会的行為の「力」の作動場を問題にした、といえるのではないだろうか。力一般は元来、自然物に対しても働くし、他者にも向けられる。その発動が、直接的にせよ間接的にせよ、他者に向けられた場合がとくに「権力」という力である。しかしながら、それだけでは「支配」関係を構成するものではない。ヴェーバーの権力の定義は、対他的相互行為におけるより基底の事態を示唆するとともに、支配の可能性の条件を述べたことになる。さて、それでは「支配」とは何か。

ヴェーバーによれば、支配は「利害布置(Interessenkonstellation)による支配」と「権威(Autorität)による支配」に大きく区別される(Weber [1972 : 542])。利害というある種の物質的な力による支配。その力一般に関しても興味深いが、ここでは指摘だけにとどめておこう。ヴェーバーの「支配の社会学」の関心はとりあえずは主としてより後者、つまり(対他者的関係、人間関係における)権威にこそある。そこでヴェーバーは、支配関係の要件としては「一定最小限の服従意欲、すなわち服従意思」(Weber [1972 : 122])をあげる。したがって繰り返し述べているように、「権力」関係がすべて「支配」関係であるわけではない。支配とは、端的にいえば「特定の(またはすべての)命令に対して、挙示しうる一群の人びとのもとで、服従を見いだしうるチャンス」

つまり服従者という行為者の主観的な意味や動機の重視があげられているのも容易に理解できる。

そしてここでは、なるほど物質的な利害状況であれ、情動的、伝統的、価値合理的、目的合理的であれ、「これらの動機に、通常はもうひとつの別の要素、すなわち正当性信仰（Legitimitätsglaube）が付け加わっている」（Weber［1972：122］）とヴェーバーがいう点に着目できる。さらに彼は、「あらゆる経験に照らして、いかなる支配も、その存立のチャンスとして、単に物質的な、または単に情動的な、あるいは単に価値合理的な動機だけで、甘んじて満足しようとするものではない。むしろ、すべての支配は、その『正当性』に対する信仰を喚起し、それを育成しようと努めている」として、「支配の種類を、それぞれの支配に典型的な正当性の要求を標準として区別することが目的に合っている」とする（Weber［1972：122］）。よく知られた「支配の三類型」（Weber［1972：124］）である。すなわち、①合法的支配：「制定された諸秩序の合法性と、これらの秩序によって支配の行使の任務を与えられたものの命令権の合法性とに対する信仰に基づけられたもの」、②伝統的支配：「昔から妥当してきた伝統の神聖性と、これらの伝統によって権威を与えられたものの正当性とに対する日常的信仰に基づけられたもの」、③カリスマ的支配：「ある人と彼によって啓示されたり作られた諸秩序の神聖性、または英雄的な力、または模範性に対する非日常的な帰依に基づけられたもの」、である。

こうした類型は、行為の四類型と同様、混合型として現実には存在するのが常であるが、社会学研究者はこれらの類型を理念型として用いながら現実分析をおこなう道具立てにするわけである。しかし、ここでの関心はその方法論にあるわけではなかった。われわれは、行為の四類型とこの支配の三類型との関係に主要な関心がある。まず、（そもそも法とは何かといった問題に立ち入らないとしても）近代法にみられるように、その制定手続きの依法性による合法的支配が、目的合理的行為と重なるのは明らかである。また、伝統的支配は定義上からも伝統的行為と重なる。そして、カリスマ的支配は、とりあえず「非日常的な」というその定義の一節に着目すれば、情動的行為に対応することがわかる。ヴェーバーはしばしば、カリスマが「熱狂的―情緒的」であることを強調した（Weber［1972：660, and passim.］）。

だが、価値合理的行為はいずれの支配の諸類型に対応するのであろうか。先にヴェーバーは、「いかなる支配も、その存立のチャンスとして、単に物質的な、または単に情動的な、あるいは単に価値合理的な動機だけで、甘んじて満足しようとするものではない」と述べていた。それゆえ正当性の喚起を問題にしたわけである。だが、この引用では三つの点が気になる。まず第一に、「単に」という副詞である。第二に、物質的、情動的、価値合理的という配列である。そして第三に、これらの言説と「信仰」との関係である。そこで、問われなくてはならないのは、「単に物質的、情動的、価値合理的」と略記できる一節である。それは、「物質的」が「利害布置による支配」に対応し、「情動的、価値合理的」が「権威による支配」に対応しているのではなかろうか。もちろん「単に」それだけで「支配の三類型」が成立するわけではなく、「正当性という信仰」をいずれも必要とすることになるわけだが、同時に少なくとも情動的、価値合理的な行為に支えられてこそ正当性の付与も可能となること、あるいは正当性の付与には情動的、価値合理的な行為が必ずまとわりつくということ、こうしたことを以上はとりあえず示しているのではないだろうか。

そうだとすれば、次に問われなくてはならないのは、信仰ないし帰依という問題である。だが周知のように、価値合理的行為の典型例のひとつは、いうまでもなく絶対的な価値への信仰（ないしは帰依）であった。したがって、信仰とは、そのレベルがいかなるものであれ、価値合理性とそれに伴う熱狂、没入などの情動的なものに裏打ちされたものであることは明らかである。だから、支配の三類型のいずれの正当性をも支えるのは、情動をともなうにせよ、価値合理的なものであるといってよい。

このようにヴェーバーにとって、伝統的行為や目的合理的行為と対比されて、情動的行為と価値合理的行為は、かなり特殊な基底的位置にあったように思われる。こうした議論から読み取れるのは、おそらくヴェーバーが、

図2

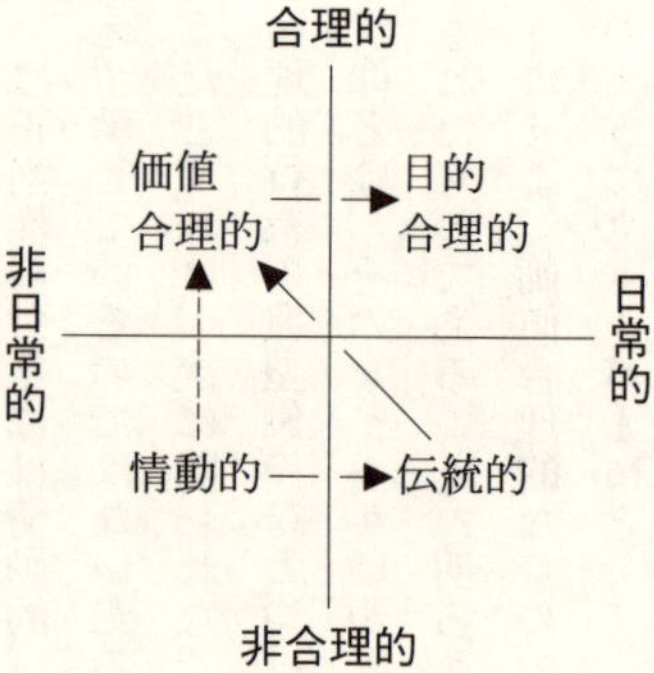

図3

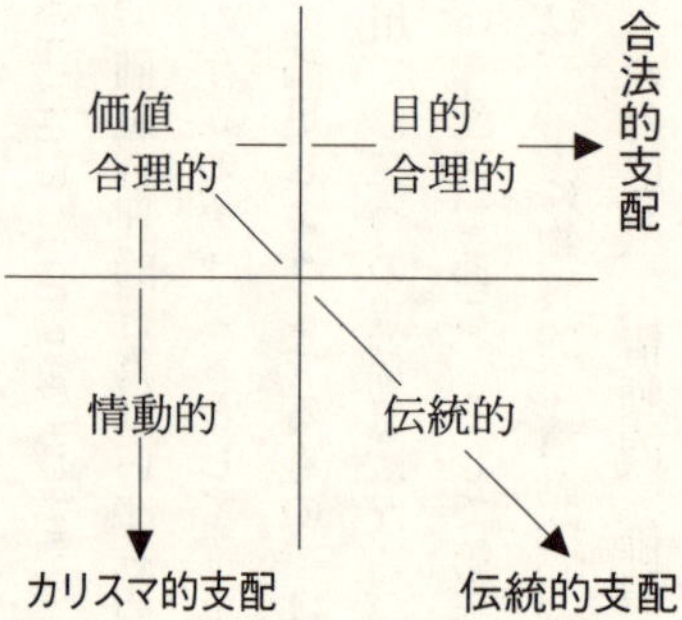

人間行為の基礎に「情動的―価値合理的」行為系列をおいていたのではないか、ということである。その情動に、他者への一体化や他者への暴力発動が含まれるわけだが、ここでは次の点に目を向けておこう。すなわち、こうした行為類型の諸関係のうちには、情動的行為の日常化＝伝統化が伝統的行為を形成し（もちろん情動的行為が対自化されれば価値合理的行為に転化する）、伝統的行為もそれが自覚化されれば価値合理的行為に転化し、そして価値合理的行為が――目的―手段の連関に価値がおかれるならば――目的合理的行為を産み出すという主要連関がある、と。それゆえ、目的合理的行為の対極には情動的行為が位置するということができる（図2参照）[4]。

ただしここで着目したかったのは、こうした類型の配置の論議それ自身ではない。とりあえず着目したのは、社会的行為論の基盤にヴェーバーが情動的なものをおいたこと、そして感情―価値合理性の系列のもつ意味合いに注目点があったことであり、こうした点こそまず指摘しておきたかった。そこで、さらに付け加えて支配の三類型に関して繰り返しておくなら、正当性の信念たる価値合理性を基に、情動的行為の系列において概念化すればカリスマ的支配が、伝統的行為の方向で概念化すれば伝統的支配が、目的合理的行為の方向で概念化すれば合法的支配が立ち現れるといってよい（図3参照）。

加えて、たとえば「官職カリスマ」（Amtscharisma）に関するヴェーバーの指摘にもあるように、つまりカリスマの充当の対象が官職(や「社会組織」「社会制度」)といったモノに転態し、「膠着」するときに強固な官僚制が出現するというヴェーバーの指摘を考え合わせてみるならば[5]、近代の合法的支配を支える近代官僚制それ自体の存立も、それに正当性が付与されているかぎり、ある種のカリスマ性に支えられていることは明らかである(Cf., Weber[1972:674-5])。(それゆえ、ヴェーバーの行為論のより基底の位置に——座標を90度左回転させて、第二、三象限を下方にしてみるならばいっそう分かりやすいが——、情動—価値—カリスマの系列があるとみることができよう。)

[5] 小　括——カリスマと暴力の位置、そして制度へ

そこで最後に、節を改めてカリスマを問題にしながら、権力の問題圏をさらに考えてみたいと思う。もちろんそれは、ヴェーバーの権力と支配の概念の再検討に促されながらも、それを越えて、われわれの議論を呈示するためでもある。本章の問いの限定上、ここではカリスマの政治社会学的な分析に立ち入るつもりはない。そうではなく、カリスマ的な支配関係とはいかなる人間的な結び付きなのか、という相互行為的・社会関係的な水準が問題である。そしてそこから、ヴェーバーに示唆された権力や支配の問題を考え直したいと思っている。

まず少なくとも確実にいえることは、この関係においては、ヘル(支配者)と被支配者は、歓喜(共歓)も伴いながら感情的に一体になることである。あるいは、ヴェーバーの別の表現を用いれば、「カリスマは、家共同態とならんで、共産主義の第二の、家共同態とは異なった偉大な歴史的担い手である」(Weber[1972:660])。しかもヴェーバーは、それらが容易に日常化することを強調しながら、同時にその純粋型は「発生」期においてのみ立ち現れることをも強調する(ibid.)。逆にいえば、「発生」期にはカリスマ的な一体化を想定することでは

じめて、この支配が成り立つことがわかる。われわれはそうした事態を、情動を基礎としたヴェーバーの社会的行為論の「発生論的な読み替え」とみることができる。

だとするならば、当面はヴェーバーの政治社会学的文脈を越えて、カリスマそれ自身の基底に目を向けるべきであろう。そこで、リンドホルムのカリスマ概念を取り上げてみよう。さまざまなカリスマ論を検討した後、リンドホルムがまとめあげたように、カリスマ論のパラダイムが主張しているのは、「社会は自己と他者の深い情動喚起的な交感」、つまり「理性ではなく生きられた生命力をもたらす交感をその基礎としている」という点であろう（Lindholm［1990＝1992：359］）。コミュニケーションの基底にリズムを中核とする「相互同調関係」をみたシュッツを彷彿とさせる記述であるが、リンドホルムの記述のかぎりでは、先の発生論的な読み替えをここでは「生命論的な読み替え」といってもよい。

ちなみに、ヴェーバーのカリスマ論（あるいはそれと結び付けて論じられる人民投票的な指導者民主主義論）がナチズムと親和的であったといった論点は、それはそれで刺激的な指摘ではあるにせよ（Mommsen［1974＝1994］）、われわれの関心はそこにはない。われわれは、リンドホルムの言葉を借りたように、自己と他者との生命力の交感が、たとえ歪曲された形にせよ、カリスマ的支配にみられ、それが信仰や帰依と相通じる情動や価値にかかわる側面にこそ関心があった。すでにみたように、ヴェーバーの行為類型は情動的行為を出発点とすると解しうる。そしてその点において、現象学や現象学的社会学の諸知見を参照するならば、われわれには興味深い問題領域がみえてくる。

それは、メルロ＝ポンティが本格的に先鞭を付けたような間身体論的な問題領域であり、現象学的社会学においても生命論的な人格や「行為の準備態勢」としての「気分」などを指摘したヴァイトクスの指摘にも通じるものである（Vaitkus［1991＝1996］）。また日本の現象学的思潮においても、たとえば木村敏の「気分」やアクチュアルな領域の「あいだ」の指摘、あるいはシュミッツの議論を受けた小川侃の「雰囲気」の問題領域などと重なるであろう(6)。

筆者自身は、そうした問題圏を、すでに本書でシュッツに示唆を受ける形で「発生論的相互行為論」の問題として、とりわけ「リズム・共振の問題圏」や「エロス・共感の問題圏」などとして示唆してきた。いまここでこれらの問題圏を再述するつもりはないが、筆者は、発生論的相互行為論の具体的な例示として、「間生体的諸力」論を例示してきたつもりである（西原［1998a］）。そしてそこで、「一体化―結合する力」に対する「離反―分離する力」の問題をも考えている。そして、その後者の典型例が、「身体的暴力の問題圏」であった。ヴェーバーは、暴力それ自体の問題に関して正面から扱っているわけではないが、すでに繰り返しふれたように、彼はしばしばゲマインシャフト関係のレベルでも、したがって情動的行為や伝統的行為の水準でもそれを論じてきた。「闘争」や「あらゆる種類の暴力発動」が、彼によってふれられた論点の例であった。そのうえで、彼が論じたのは力の問題である。そしてそこで、相手の抵抗に逆らっても自己の意思を貫徹する力の存在が示されたのである。

もちろん、ヴェーバーにおいて、権力はすべて支配とはいえないが、支配は必ず権力を伴う。ヴェーバーは、何よりも、自己の意思を他者に押しつける可能性としての「権力」という力の所在を、支配という社会関係のひとつの出発点としてきたことは間違いない。自他が身体的な〝個体〟として存在しうるかぎり、他者への何らかの力の押しつけは不可避である。そしてとくに、物理的な圧力や強要などといった事態は、痛みや恐れなどの情動をともないながら、身体的存在としてのわれわれにとって不可避な事態である。だから、ヴェーバーによって「不可避な事態としての権力」観が示されたといってよい（西原［1996］）。そして、支配のうちでも、カリスマ的支配は、人びとの情動的一体化の存在を気づかせてくれた。カリスマ的なるものもまた、より基底の（発生論的な）相互行為における（結び付ける）力の一種であると了解しうる。

つまりヴェーバーにおいては、ゲマインシャフト関係のレベルで、情動と価値とカリスマの系列の一体化的な力の存在が示されるとともに、他方で、神々の争いにも至るような生成的な「闘争」状況が展望されたわけだ。暴力・権力が、諸価値の自覚化に由因する「神々の争い」へと複雑に重畳し合いながら、「支配」レベルの政治社会的なダイナミズムが描かれた。「結合と分離と支配の社会学」、これがヴェーバーの理解社会学のより発生論的な基底のダイナミズムである。より基底の相互行為状況における、一方での主として「結合する力」としての情動の問題圏（およびその典型的な基礎としての「リズム・共振の問題圏」）と、主として「分離する力」としての「暴力の問題圏」。そして支配関係という上下関係。そのさい権力の問題とは、まずもってより基底におかれた身体的暴力の問題ではないのか。

権力は、正当性の付与を媒介とする巧みな共同産出物（主人と奴隷の弁証法）の形で支配という社会関係を創り出すが、いずれにせよその基礎には（暴）力が存在する。近代に至って、巧みな装置で（たとえばフーコーのいうパノプティコンによって）、その力が「見えない」としても、あるいはその力が「遍在」するようになったとしても、力そのものが弱くなったり、いわんや無くなってしまったわけでは断じてない。昨今の日本の権力論の言説が、こうした力（暴力的権力）と切り離された地点で語られがちな現状に対して危惧の念を抱くのは、筆者だけであろうか。軍事力に代表される力の増大とともに、微細な力の所在とその力学の解明が、より基底のレベルで求められているような気がしてならない。

だから、より原初的、より基底的な身体的暴力の問題を過小評価することはできない。それが権力と支配の可能性の条件の重要なひとつだからだけでなく、おそらく人間存在の生の場面を構成するより基底のファクターでもあるからだ。(7) こうした問題の所在を、本章ではシュッツが依拠したヴェーバー理解社会学のなかから描き出しておきたかったのである。少なくとも、ヴェーバーは、概念装置としてこうしたより基底の論理の鉱脈をもっていた。その中身への立ち入りはヴェーバーによって必ずしも十分におこなわれなかったけれども、そのための一定の道具立ては装備され、方向は指示されていたように思われる。それゆえ、その中身への本格的な立ち入りは、シュッツを含めた次世代の課題であった。そしてその課題は、意味や理解の問題への問いに通じ、その問い直しの一端がシュッツによって先鞭が付けられはじめた作業であったわけである。

だが、そうしたシュッツの道行きとは一見異なる方向をヴェーバーは示してきたように思われるかもしれない。本章が抽出してきたのは、あらためて表現し直せば、「情動—価値—カリスマ」軸と「暴力—権力—支配」軸という、日常性を支える発生論的な軸の存在であった。しかしながら、この両者の違いは表層上のことであって、筆者自身としては、少なくともここでいう「結合と分離」と、シュッツのいう「協調と反目」（Schutz [1964＝1991：119]）の重なりをみている。そしてそのうえで、「権力と支配」を射程に入れてシュッツ現象学的社会学を中心に意味社会学の発生論的思考に基づく社会理論のさらなる深化を語りたいと思う。

そして最後に付け加えるとするならば、これらの問題圏の位層は、メルロ＝ポンティの「前交通」（précommunication）の問題圏と同次元のものである。「音響的存在」として、共振・協和だけでなく、不協和をも作りだす関係も射程に入れながら、身体的存在としての行為者の社会的な相互行為を基層から問い直すこと。その問い詰めが、おそらくヴェーバー行為論をより現代的に活かしていく道のひとつであり、さらに本章本文ではふれなかったが、（後述する）制度化や物象化の機制を論じていく道でもあるように思われる。したがって、以下の二つの章ではこうした議論を承けながら、とくに制度化に照準を合わせて発生論的検討をおこなうつもりである。

メルロ＝ポンティがヴェーバーの学を現象学と呼んだその視点は、「彼［ヴェーバー］の研究は、すべてのことが人間に関係づけられ」ていたと説いたヤスパースの言葉（Jaspers [1932＝1965：49]）と同じく、こうした一種のアクチュアルな人間論に目を向けたからだろう。われわれとしては、そうした現象学の視点と、社会学の行為論を兼ね備えたヴェーバー理解社会学の視点とを、意味社会学のひとつの出発点に立つ業績として捉え直しておきたいと思う。それは、本章の範囲内でいえば、棘を抜かれた機能主義的な権力論に、あらためてヴェーバー出自の「力」の概念を復活しようとする作業でもあったのである。

11章　制度の発生をめぐる系譜——社会理論への発生論的アプローチ

［1］社会学と制度論の系譜——問いの限定

公共性論への回路や権力の問題に後続する本章と次章では、制度に焦点を当てて、発生論的相互行為論からする社会理論を問うことにしたい。制度発生を問うことが、〈社会生成〉を問う発生社会学的な社会理論へのひとつの重要な回路だからである。だがそもそも、制度（institution）は基本的には目に見えない存在である。もちろん、法律の条文のように制度の内容を記載した文（法文）という目に見える形で表されているものもある。しかし、法文はある一定の考えを文章にしたものであって、いわばその背景にあるのは法的規範とでもいうべきある「考え」からなる「理念的」なものである。そしてそれは、目に見えない存在でありながら、われわれの行為を方向づけるなどして何らかの影響を与えうるものと考えられる。それゆえ、制度はしばしば「理念的存在」であると語られてきた。[1]この議論は、たしかに一定の説得力をもつ。制度はいわば、われわれの不可視の外部に、かつそれを表象するわれわれの意識（主観性）の内部にあるかのようにみえる。

だが、なぜわれわれは、しばしば制度と呼ばれる必ずしも目に見えないものに突き動かされているのだろうか。いや、そもそもそうした制度とは一体何であるのか。こうした問いは、われわれ自身がすでにつねに制度のなかに住まっているゆえに、きわめて自明な答えが予想されるようにみえながら、いざそれを問おうとするとスルリと手のひらからこぼれ落ちるような柔らかな難解さと、さらにこれを問うこと自体がアルケー（始原）を求めて無限後退を余儀なくされるような危険な奥深さとを同時にもっている。

たとえば、これまでのいくつかの制度への問いは、何らかの出発点として通常あまり意識しない側面を仮設したり、あるいは常識的な慣習的行為に無批判に依拠して「そもそも人間は……である」として議論を開始する傾向がある。具体例をあげれば、ゲーレンの哲学的人間学は、人間にとって制度のもつ「負担免除」の機能に焦点化して制度を定義づける（Gehlen［1961＝1970］）。制度があれば、その都度その都度の規則作成や決定などの負担が免除されるというわけである。議論としてはきわめて興味深いこの論点に対して、われわれとしては、やや唐突に思われるかもしれないが、フーコーの「人間学」批判を対置することができるだろう。すなわち、フーコーはいう、「人間は……ものの秩序が知のなかで最近とった新しい配置によって描きだされた、ひとつの布置以外の何ものでもない。新しい人間主義のすべての幻想も、人間に関する、なかば実証的でなかば哲学的な一般的反省と見なされている『人間学』のあらゆる安易さも、そこから生まれてきている。それにしても、人間は最近の発明にかかわるものであり、二世紀とたっていない一形象」にすぎない（Foucault［1966＝1974：22］）、と。制度を論じるとき、われわれとしても「そもそも人間は……である」式の安易な人間学をいきなりもち込まないようにしたいと思う。だが、より基底への問いは社会学においても問われつづけなければならない、という立場に本書は立っている。そこでわれわれはこうした陥穽に留意すべく、議論の焦点をもっと絞ることにしよう。

本章での問いは、〈制度はいかにして発生・生成するのか〉に関して日本で論じられてきた社会学の古典的・代表的な学的系譜を押さえ直すことである。そしてそのうえで、現象学の知見を参照して、制度に関する次なる問いの扉を開くことが目指されている。要するに本章は、社会学において陶冶されてきたものの見方や考え方、ないしは社会学的基礎論を批判的に再検討しながら、あらためて制度とは何かにアプローチするための序説としてある。したがって、念のためではあるが、ここでは各種の具体的制度、たとえば選挙制度や教育制度などといった既存の具体的制度を直接的・個別的に論じるものではないことをあらかじめ断っておきたい。焦点は、あくまでも〈制度一般の発生論〉にある。

そこでまず、二十世紀に展開された社会学を、十九世紀の古典的な社会学と区別して、現代社会学と称しておこう。現代社会学は、その出発点としてすぐれた何人かの社会学者を輩出した。デュルケムやヴェーバーやジンメルである。もちろん、二十世紀が単純に一九〇一年から始まり、そこに古典期の社会学と明確な断層があるというわけではない。また、その終わりも二〇〇〇年である必然性はない。(2)ここでは、一八九〇年代から一九九〇年代前半までを広義の二十世紀としておきたい。もっとも、こうした年代区分の議論は、今後の歴史の進展とそれにともなう綿密な検討をまたなければならないだろう。しかしながら、社会学の歴史を通してみるかぎり、一八九〇年代から活躍しはじめるデュルケムやヴェーバーの業績は、まちがいなく現代社会学の土台を構築し、いまもってわれわれに刺激を与えてくれる知的な源泉である。言い方をかえれば、今日までの社会学は、こうした世紀の転換期に現れてきた社会学的思考をいかに批判的に継承するのかという課題との格闘をめぐって動いてきたといってよい。パーソンズしかり、シュッツしかり、そしてまたハーバーマスやギデンズやブルデューしかり、である。もちろん、十九世紀の思想家のなかにも、社会学思想に多大な影響を与えた人びともいる。いうまでもなく、その代表的な存在はマルクスであろう。われわれとしても、社会学の諸概念を再検討するとき、マルクスの視座も無視することはできない。

さて、前置きが長くなったが、制度を考えようとするとき、デュルケムとヴェーバーの社会学の遺産は何であろうか、という問いから本論をはじめることができる。社会学の概説書風にいえば、デュルケムは社会学を〈制度の学〉として特徴づけ、ヴェーバーは社会学を〈行為の学〉として特徴づけた。この〈制度と行為〉という発想は、パーソンズの社会システム論はいうに及ばず、種差はあるにせよ、さらにその後のさまざまな学問分野の知見も取り入れた論者たち、たとえば右のハーバーマスやギデンズやブルデューといった今日の代表的な社会(学)理論研究者たちにも基本的に引き継がれているものである。ハーバーマスの「システムと生活世界」、ギデンズのいう「構造と相互行為」、ブルデューのいう「構造と実践」、といった具合に。[3]

しかしながら、デュルケム(制度)とヴェーバー(行為)の二つの視点を単純に統合すれば総合的な議論ができるといった素朴な統合であれば、説得力を欠く。われわれは、かつてバーガーらの議論が折衷主義だと揶揄された事例も思い出す。[4] 加えて、一九八〇年代ごろからは、言語ゲーム論の影響を受けながら、さらにまたルーマン流の新しいシステム論の展開もみながら、社会学においては「根拠を問わない」思考も台頭してきた。こうした点に関しては、筆者はすでに何回か素朴な疑義を呈しているので(西原[1998a][1998b])、今回はその疑義の骨子だけを呈示するにとどめておきたい。すなわち、こんにち社会学理論においては、相互行為が現になされているという事実性から議論を出発させて社会記述を行うことが社会学の当為であるという考え方が強まっている。最近では、「社会問題の構築主義」という立場も基本的にこの発想に立っているように思われる。[5] つまり、社会学の研究とは、社会現象のHow(いかにあるのか)を問うことであって、Why(なぜ)を問うことではないし、またそうすべきではない、という発想である。Whyを問うことは、議論の果てしない無限後退を余儀なくされ、モダンの発想がそうであったように、ありもしない「大きな物語」を構築することになる、というわけである。できることは緻密かつ丹念にHowという状態の記述であって、そのことによって学問の特権性にも囚われずにすむというわけでもある。

すでに6章でもふれたように、そうした問いかけの意義を筆者は決して否定するつもりはない。しかしながら、Whyを問わないということが現状維持の保守的な思考に陥るというイデオロギー論的な批判はさておき、学知の問いは、無限後退を覚悟のうえで問いつづけることにも大きな意義があるという考え方に本書は立つ。それが、安易なルポルタージュ的記述やジャーナリスティックな記述と異なった「学としての社会学」の視角のひとつであると考えるからである。あるいはその視角を、百歩譲って、「社会哲学」的な視角であるといってもよい。社会学のみならず、いずれの学問領域も各々の学問なりに自らの独自な視角を前提にし活動しているのであるから、その自らがよって立つ基盤的な視座への反省的まなざしがつねに求められる。宗教学における宗教哲学、教育学における教育哲学、法学における法哲学などと同様に、社会学が社会哲学をうちに含みつつ、自らの営みを問い直すという姿勢を欠くならば、それは自らの学問成果の切り詰めにしかつながらないであろう。

では、そうした社会学的視座からする制度の原理的探究とはいかなるものであろうか。あらためて問いの立て直しを行っておこう。それは、端的にいえば、制度とは何であり、それはいかに形成（発生・生成）されるのかである。そしてそのさい、まずは社会学がこの問いにどのようにアプローチしてきたのかが問われてよい。そうした問いの焦点は、ここでは社会学における〈発生論〉的な問いにある。今日の社会学が忘れがちな〈発生論〉という視座である。こうした前提と限定のうえで、以下では、制度をめぐる現代社会学における発生論的な問いかけの系譜を探ってみたいと思う。

［2］制度への現代社会学の接近――デュルケムとヴェーバー

まず、制度とは何かという問いに対する本書なりの定義は――論述のうえでは――一時棚上げしておこう。当面はまず、制度について語ってきた現代社会学の創始者たちの見解を追い、その後にこの点について考えていくことにしたい。

一九〇一年に、デュルケムは『社会学的方法の規準』の「第二版への序文」において、「社会学とは諸制度およびその発生（genèse）と機能に関する科学」（Durkheim［1895＝1978：43］）であると社会学を位置づけた。彼は同じ箇所で、制度は「集合体によって確立されたあらゆる信念や行為様式」であると定義づける。〈社会的事実をモノとしてみよ〉という彼の社会学の第一の方法規準によって、制度は単純にいわば物象化されたモノと前提されるかのようである。社会学の概説書であるならば、デュルケムは方法論的全体主義の立場をとり、社会と個人の問題がかかわる社会事象（たとえば自殺）を、社会集団、とりわけ道徳的・規範的なるものが強調される「集合意識」の観点から、つまり社会の側からアプローチした、などと書かれるであろう。事実パーソンズは、その主意主義的行為理論の骨組みのひとつとして、行為の目標、条件、手段などの要素とともに、デュルケムが強調した規範的な要素を導入した（Parsons［1937］）。規範として作用する集合意識の存在が、デュルケムによって重視されていたことは間違いない。既存の制度のもつ外在的性格や拘束的性格が的確に指摘されたからである。それを制度の「外在拘束的性格」と呼ぶことができる。

しかしながら、デュルケムが強調したのは、すでに物象化された既存の「集合意識」の側面だけではない。外在性や拘束性をもつ社会的事実を「行動、思考および感覚の諸様式」（Durkheim［1895＝1978：54］）からなるとみなしていたデュルケムの著作群を丹念に読むと、デュルケムが制度という集合的なものの「生成」過程を論じていることに気づく。その側面を象徴する語のひとつが、宗教社会学（『宗教生活の原初形態』）の文脈で語られた「集合的沸騰」（l'effervescence collective）という概念である。[6] この集合的沸騰という概念についてはさまざまな解釈があるが（大野［1993］）、中久郎によれば、「社会生命の最深層にある合一態であり、固定化された社会構造のうちに可能態として内在化され、構造に集合的生気を吹き込む原動力」（中［1979：214］）であるとされる。また中島道男においては、「formative life」として規定できる集合的沸騰こそが「制度の母胎」であり、そして「社会の起源を《原コミュニオン》に求め」ながら、デュルケム制度論の「制度化する制度」（ないしは「秩序形成能力」）の側面が指摘された、と論じられる（中島［1997：82］）。

人が集団を形成するさいの情動的な契機、あるいは何らかのイッシューをめぐって集団成員が燃えさかるとき、

「集合的沸騰」という状態が生まれる。荻野昌弘は、「新しい存在論」として、「デュルケームは、言語がもはや通用しなくなる瞬間の方が根源的であると考え」ていたとする興味深い指摘（宮原・荻野編［1997：3］）をしているが、この動き自体は、ターナー流に〈コミュニタス〉という表現で表すこともできよう（Turner［1974］）。また、ギュルヴィッチの「深層社会学」のように、「人々を熱狂させ、革新や創造に導く集合的行為」（Gurvitch［1950＝1970：102］）として、それを集団形成の深層にある事態だとみなすこともできる。本章は、デュルケム解釈の妥当性を詳細に議論する場ではないが、われわれは少なくとも、このように「読み解く」ことができるデュルケムの議論が、制度化する動きを「集合的沸騰」という概念を用いて捉えようとしていたことまでは確実に認めることができるであろう。ここではそれを、制度の「集合形成的性格」と呼ぶことができる（なお、デュルケムの〈発生論〉に関してはさらに後述する）。

他方、もう一人の現代社会学の功労者ヴェーバーは、前章でもみてきたように社会学において行為理論を展開した社会学者として知られている。〈行為の学〉としての社会学の立役者というわけである。主観的意味が付与された行動、つまり行為を議論の出発点にしながら、ヴェーバーは「社会学の基礎概念」を駆使しつつ、シュッツ流にいえば「社会的世界の意味構成」を説いたことになる（前章参照）。行為、社会的行為、社会関係（ゲマインシャフト関係、ゲゼルシャフト関係）、秩序、闘争、団体、結社、権力と支配などの社会生成的な「社会学の基礎概念」がヴェーバーによって論じられたのである（Weber［1973＝1953］）。

ヴェーバーの方法論の議論が出発点として単独の行為者から説き起こす独我論的な問題性は指摘されるにせよ、前章で筆者が論じたように、社会的行為の四類型に基づいた行為のヤリトリの議論、つまり社会的な相互行為を基盤にしたさまざまな社会関係とそれらによる秩序形成の議論は、本章の主題にとっても特筆すべきものである。なぜなら、われわれはここにヴェーバーにおける一種の「制度」形成の論理を読むことができるからである。ヴェーバーの（相互）行為・権力・支配は制度を考えるさいのポイントのひとつであるが、その理論に関してはすでにふれているので繰り返しを避けておく。いま確認しておきたいことは、次の点である。つまりわれわれは、ヴェーバーにおけるこの側面の制度論を制度の「行為論的性格」と呼ぶことができるということである。そのうえで、本章ではさらに別の例をあげて、ヴェーバー社会学の異なった相の議論を示しておきたい。

すなわち、制度を考えるとき、われわれはヴェーバーの宗教社会学的・歴史社会論的な仕事も忘れることができない。ヴェーバーは、今日においてもっとも問題とすべきは資本主義（「……西洋近代においてわれわれの生活を支配しつつあるもっとも運命的な力は、いうまでもなく資本主義である」（Weber［1920＝1972：9］））と考え、この資本主義という体制が歴史的にいかに生成の過程を経てきたのかを、宗教、とりわけプロテスタンティズムの倫理との関係で問題にした。ここでは、比較的よく知られているその論理を詳細に追うことも控えるが、ヴェーバーは少なくとも資本主義の精神をルターのベルーフ［職業］概念やカルヴァンの予定説にまで立ち返ってその生成の例証を求め、世俗内禁欲の倫理がいかに資本主義の精神と親和的・適合的に社会の合理的再編を促したかをかなり説得的に論じた。もちろん、ヴェーバーは、「気の抜けた魂」（Weber［1921＝1965：329］）である官僚制という「制度」とともに、強力なコスモスをつくり上げている――『プロテスタンティズムの倫理と資本主義の精神』の本文末尾で記されているような――資本主義が、「精神のない専門人、心情を欠いた享楽人」を生み出し、「この無のものは、人間性のかつて達したことのない段階にまですでに登りつめた、と自惚れるだろう」と批判することも忘れなかった（Weber［1920＝1989：366］）。それゆえ、ヴェーバーの官僚制に関する分析の特色を制度の「組織論的性格」と呼ぶことができるのであれば、「資本主義の精神」論の方法は制度の「歴史生成的性格」の解明と呼ぶことができるであろう。前章ですでにふれているので、ヴェーバーに関しては、これくらいにしておこう。

次に、以上みた現代社会学草創期の二人の社会学者に加えて、制度の問題に興味深いアプローチを行った他の二人にも言及しておきたい。一人はマルクス、もう一人はジンメルである。

マルクスの制度論は、もしそれを本格的に論じるのであれば、権力論や必ずしも十分に展開されなかった国家論まで含めて周到な論述が必要であろう。それゆえこの箇所では、われわれにとって興味深いアプローチのひとつの例だけを、つまり彼の価値形態論だけを例として示しておくにとどめたい。すなわち、マルクスが『資本論』の冒頭で展開している価値形態論は、周知のように商品間の関係を、A：「単純・個別の（相対的）価値形態」から、B：「全体的な・展開された（相対的）価値形態」へ、さらにC：「一般的価値形態」へと考察を進め、そして第三項の排除によるD：「貨幣形態」の成立をザッハリッヒに論理的に説くものであった（Marx［1867＝1965］）。ただし、マルクスは「彼らは考える前にすでに行っていたのである……ただ社会的行為だけが、ある一定の商品を一般的等価物にすることができる」のであって、「それだから、他のすべての商品の社会的行動が、ある一定の商品を排除して、この排除された商品で他の全商品が自分たちの価値を全面的に表すのである。このことによって、この商品の現物形態は、社会的に認められた等価形態になる。……こうして、この商品は貨幣になるのである」（Marx［1967：101＝1972：159］）。こうした問題は、人びとが自分たちの「異種の生産物をひとつの人間労働として等置する」のであるが、その人たちは「それを知ってはいないが、それを行う」ことで労働生産物をひとつの「社会的な象形文字にする」のである（Marx［1967：88＝1972：138］）という論点と同じ論理構成である。この事象化・抽象化された物象化的議論――まさしくそれは、貨幣「制度」の論理的・物象化論的な「構制」を相互行為論的な文脈でも説く理路となっている――には、貨幣の成立のみならず、制度一般の論理的・物象化論的な生成様態をも読み込むことができる。制度論の考察において、第三項の抱える論理的・物象化論的な特性は、シンボル形成（後述）においても注目に値するからだ。その特性をここでは、あえて制度の「物象化的性格」と呼んでおくことにしたい（マルクスに関しては、終章も参照）。

加えて、この抽象化された論理構造は、ジンメルにおいても――もちろん別の側面からの抽象ではあるが――マルクスと同様な興味深い論点としてわれわれに呈示される。すなわち、ジンメルの議論は、三者関係における第三者の排除が、排除されたこの第三者からみた（内部でありつつ、もはや外部からの視点というべき）社会関係の「客観性」の成立機序を説くものとなっているのである（杉本［1999：215, 219］）。ジンメルの集団論は、三者関係に大いに関連する。つまり、二人集団は一人欠ければ消滅してしまうが、三人の関係であれば一人が抜けても集団は存続する。しかも、その集団外に排除された者からは、その集団を客観的に外部から「集団」として（象徴化的に）表象可能である。この議論は、支配論においても同様である。他者を一人が支配する形式（一人支配）から、民主主義のような多数者が支配する（多数支配）論理への転換において、民主的には多くの場合「多数決の原理」が用いられるが、多数決は、少数者も「多数者のひとつの意思」の存在という物象化的な存在を認めることによって客観化的に成立する。客観視する物象化の機制のうえで国家表象、社会表象の存立も語られなければならないのである（杉本［2001］参照）。ジンメルの三者関係論はもちろんこの表象における「不在の第三者」の諸問題、さらには闘争における第三者（たとえば仲介者）や支配における第三者（たとえば分割支配）の意味など、論点をさらに展開する可能性をもった議論である。その点で、ときに誤って「無内容」と了解されることのある形式社会学の「形式」に関して、社会関係の形式（必ずしも質的内容ではない関係の布置状況）のもつ重要性の指摘が少なくともジンメルによってなされたのは間違いない（Simmel［1908］）。

しかも、本章においてわれわれが単なる「形式」以上にとくに着目したいのは、ジンメルが、二者関係、三者関係などの相互行為的な関係行為のなかに、「日々刻々あらわれる発端」による「生まれたばかりの状態」からの「現実的な生起」（wirklich Geschehen）をみて、〈発生〉の視点から社会学理論を構想しようとしていた点である（Simmel［1909＝1994：29］）。われわれは、ジンメルのこの出発点の議論をもふまえたうえで、彼によって示された制度生成に関する議論を、「関係形成的性格」の議論と呼ぶことができるであろう。

［3］制度発生論への視座をめぐって——他者・身体・時間

以上示してきた、制度の外在拘束的、集合生成的、行為論的、組織論的、歴史形成的、物象化的、関係形成的といった特徴づけは、もちろん制度の議論に関して網羅的なものではない。それらは、制度のもつある側面を描く視点に過ぎない。しかし、それらはいずれも、制度の存立を考えようとするとき有益な視角をわれわれに提供するものであり、少なくともその考察のさいには以上のような知的系譜をわれわれは念頭におく必要がある。だがさらに、この論点の総括に立ち入る前に、さらに問われるべきいくつかの重要な論点もあるように思われるので、以下ではその点に立ち入っておこう。

それは、①制度と系統発生的問題、②制度と個体発生的問題、③制度と関係発生的問題、である。本章ではもちろんこれらすべてを扱うことはできないので、制度の「発生」を存立構造論的に論じようとする本章では、②と③の発生論的問題を中心にみていき、他者・身体・時間に言及する。①に関しては、本章および次章で必要に応じて言及するにとどめたいと思う。少なくとも本章では、制度をすでに存在している既存のものという立場をとらずに、その発生/生成を問題にするものである。そのためには、制度に関する存在論的、認識論的な議論を避けて通るわけにはいかない。さらに付け加えれば、社会学で論じられる既存の「役割」論に関しては、あるいは役割を社会体系の一要素とみなすパーソンズ流の発想（Parsons［1951］）に関しては、それらがすでに社会的な役割の存在を前提にしているので、ここでは割愛せざるをえない。(7)

さて、本書の立場は、社会現象の発生やその把握それ自体をも基底的な相互行為を出発点にして再検討するという立場であり、それを筆者は「発生論的相互行為論」と呼んできたわけであるが、要するにその立場は、社会現象の生成だけでなく、それを把握するわれわれの主観性の生成自体も、つまりは自己意識の生成自体も、(日常的な相互行為を可能にするものとしての)より基底の発生論的相互行為の視点からみていくという視座であった。ちなみに、筆者はこの視座をすでに本書第Ⅱ部でみてきたようにシュッツから学んだわけだが、同時にそれは本書の8章においてみた有意味シンボルの形成を発生論的に説くミード(Mead［1934］)にもみられる視座であったことも付け加えておきたい。

そこで当座、以下のような確認をおこなっておきたい。すなわち、われわれの出発点は生身の人が〈生〉を営む現場、つまり人びとが生きかつ相互に実践し合う関係の場である。それは情動の場でもある協働連関をなす間身体的な場である。そして、そこには(原初的な形にせよ)一定の差異を生み出す類型化的な分節がみられ、リズムやエロスの交錯、そして身体的な力(暴力)など(の「間生体的」諸力)が飛び交う〈原社会空間〉である。ひとはそこで、行為のヤリ—トリを行う。そのヤリ—トリにおいては、すでに原初的な役割の分化(および原初的な時間意識の生成)がみられ、しかも何よりもこのヤリ—トリにおいては、互いにとっての相手の存在が前提にされている。ということは、そこにすでに他者の他者性が(無意識的にせよ)想定されている。ただし同時に、そこでは明確な自己意識(したがって明確な自他区分)はまだ成立する以前なので、当事者意識(フュアエス)に即していえば、自他未分の様相が呈されているというべきであろう。

この未分状態がうち破られるのは——次章でも繰り返すことになるので、ここではその典型的契機を簡潔に三つだけあげるとすれば——、

①まず、現前の自他の占める空間の差異、自他の場所的パースペクティヴの相違であり、

②次に、現前の自他間の身体物理力による能動感—受動感の感受であり、

③最後に、そうしたヤリ—トリにみられる時間の問題である。

こうした差異が、〈自己〉ならぬ〈他者〉の覚識に通じ、そして〈ここ〉ならぬ〈そこ〉の〈他者〉の行為に

対して、一定の情動をともないながら、先に、あるいは同時に、あるいは後に、〈自己〉の行為を接続する。それがヤリ―トリの原基である。[8]

ここで簡潔に、時間の問題にも言及しておこう。本章の出発点は、存在論的な〈生〉であった。〈生〉は宇宙的な時間のなかで生成し、星辰の周期的な運動のなかにあり、地球的には年周期にかかわる。本書6章でみたように、シュッツが、自然のリズム性のみならず、心臓の鼓動をはじめとする身体のリズム性をも強調したのも、〈生〉のもつリズム性の一側面であった。[9] 加えて、これもシュッツが指摘しているように、生と死という有限なサイクルも〈生〉にとって重要な要因である。ひとは、死に向かう〈生〉において食物摂取や排泄行為などの反復的な行為を余儀なくされる。[10] おそらくそうした時間的な反復が習慣性の前提を形づくり、相互行為が習慣性をもつことがある。

またこの〈生〉の営みという行為は、多くの場合、自然や他者に痕跡を残すのであるから、この習慣性はある種の〈物質性〉を自然や他者に付与しつづけることになる。ブルデューが一種の身体化・慣習化された技法というハビトゥスを指摘したのは――議論のレベルが異なるにせよ――たいへん興味深いし（Bourdieu［1988］, Crossley［2001］)、またギデンズが行為の定義において、行為を「世界内事象の持続的過程への身体的存在の活動的な、あるいは熟慮された因果的介入の動き」である（Giddens［1979：55＝1989：60］）としたのは、その意味で正しい。さらに、われわれが、〈制度化〉という言葉で表現したい事態は、この反復的な行為の習慣化が基礎となっており、その意味でバーガーらの主張するように、制度化を「習慣化」と結び付ける点も示唆的ではある（Berger & Luckmann［1966＝1974：54］)。

さらに付け加えるとすれば、木田元が指摘するように（木田［2000：141］)、自己を構造化しつつ同時に世界を構造化する〈身体〉を強調したメルロ＝ポンティが、前人称的な「ひと」としての〈身体〉によっておこなわれる知覚行為こそすべてに先立つ始原的制度化だとして、すべての他のシンボル的制度化もまた「身体のこの始原的な制度化」（Merleau-Ponty［1969＝1979：69］）に基礎をおくとした視点も――後述するように――たいへん示唆的である。しかし、以上の議論だけではまだ話の半面である。われわれの出発点は、行為の相互性（相互行為）であった。自己は他者の行為に反応する。逆にいえば、他者とは自己の行為に鋭敏に反応する可能性をもった存在者である。その反応のヤリ―トリが、相互行為を形づくる。もちろん、両者の関係性を断つこと自体も関係性のひとつのあり方ではある。極端なケースにおいて（この「極端な」という表現は、けっして「珍しい」という意味ではない。否、それ以上にこれは「日常的」なケースですらある）、暴力を発動する・暴力で威嚇するなどといった反復的行為の強制とそれへの対応行為も相互行為である（前章参照）。一定の（ときに法文化された）規則のもとでなされる制裁の発動よりも基底にある間身体的な相互行為と身体物理力（暴力）の位層は、制度を考えるさいのかなり根底的な問題圏である。その点をわれわれは、前章におけるヴェーバーの検討のなかでみておいた。間身体的な相互行為の連鎖に基づく反復的なこうした関係性こそが、制度の母胎であることまでとりあえずはここで確認しておきたい。

以上、述べてきた相互実践の議論は、たしかに制度の必要条件とはいえても、それでもいまだ十分条件ではない。十分条件たりうるには、制度を「制度」として認識する場面がさらに考察のなかに組み込まれなければならないからだ。そして、制度が〈制度〉として認識される対象となるものを――次章でも述べるように――筆者は〈制象〉（symbolic institution）と呼ぶ。それは、制度が象徴的に、したがって記憶や予期に裏付けられたシンボル的な存在としての地位を獲得することである。逆の言い方をすれば、制度を包括的に定義づけようとするさいに理念的な存在という論点は不可欠ではあるが、それだけではかえって逆に不十分なのである。制度の関係発生的な相互行為論的生成の面を忘却すると、制度の理念的な側面が一人歩きを始めるだけでなく、そもそも制度は人びとの行為実践がなければ成り立たないことが見落とされやすいものとなるからである。[11]〈制度〉は、それを継続的に・かつ結果的に実現させている〈制度化〉という時間のなかでの相互行為連鎖による相互実践がなければ存立しない。〈制度〉が理念的なものとして存立しうるのは、相互行為状況での〈生〉にかかわる反復的行為にもとづくヤリ―トリという〈物質的〉なもののなかにしかない。その物質性を貶めて、理念性のみを強調することは、いわば身体物理的な力である暴力の問題を隠蔽することにもなり、ひいては権力の暴力性の忘却にもつながる恐れがある（前章参照）。

このように、〈理念的〉なものとして制度を把握するさいに記憶や予期に影響を与える言語的な象徴性の問題を避けて通ることはできない。加えて、その言語的シンボルの生成それ自体が、実は一種の〈制度化〉、つまり相互行為とその関係性の問題としてあること、このことも見落としてはならない。そのさい、すでにマルクス・ジンメルの議論でふれておいたように、第三項・第三者の問題も等閑視することもできない。つまり、三者関係の問題を無視しえない。とりわけ、かつて現前し、いまは不在の第三者に関しては、過去の現前時のその「記憶」と、未来の現前時へのその「予期」がポイントになる。また、「我々」を語りうる権利は、現前のわれわれの外部に、（より上位の概念といいうる）われわれが属する包括的な第三者を物象的・表象的に予期・想定し、それを象徴的に記憶・想起しつつ把握する機制の作用力にも影響される。したがって、理念的なものとして切り詰めて語られる制度論は、ある種の二元論を背景にした物象化された地平においてのみ成立する議論であって、生成への問いを等閑視する役目さえ果たしかねない。言い換えれば、発生論的問いを欠落させた地点で制度論を語ることは、制度の物象化を昂進させるのみならず、変革への回路を閉ざす場合すらある（西原［1996］）ということだ。

その点、二十世紀初頭の現代社会学第一世代がなそうとしてきたことは、そうした思考の欠落とは正反対のことであった。デュルケムは、一方で宗教の単純・原初的な形態のなかで「社会」の発生をみようとしたし、他方で制度のあらたな変革と創造の可能性を「集合的沸騰」のなかにみたのであった。後期デュルケムの仕事として結晶化していったのは、こうした彼の――残念ながら、相互行為論という視点は希薄であるにせよ――「発生論」

であった。[12]「一つの制度を理解するためには、何によってその制度がつくられているのかを知らなければならない」(Durkheim［1909＝1988：121］)とデュルケムは述べている。現代社会学において、いや今日の社会学においてこそ、外在性や拘束性といった制度の性質・機能を説くだけではないこのデュルケムの視座があらためて問われているように思われる。

ヴェーバーに関しては、ここでさらに多くを語る必要はないだろう。彼の行為論および相互行為論に基づく社会関係論の展開、およびその冷徹なまでの現実直視的な組織論的分析による官僚制研究などは、その射程が、制度化をめぐる文脈上での相互行為と権力や支配との関係の所在を示すものとしてもあり、しかもその制度的枠組みが「合理的」組織の一形態としてあることをも示している。そのさい、この合理性の進展(「合理化」)過程の発生論的追究が彼の社会学を貫くひとつの赤い糸でもあったといってよいだろう。彼の宗教社会学、とりわけ『プロテスタンティズムの倫理と資本主義の精神』は、歴史的な発生論のひとつの成果でもあったわけである。

そして、きわめて論理的・形式的な側面から貨幣の生成や社会関係の生成を問うたのが、マルクスとジンメルであった。われわれはさらに、本節でふれてきた人びとに、現象学的社会学の祖、シュッツによってリズムの側面[13]から、言い方をかえれば彼なりに了解された社会学の側面から、シンボルの生成や社会の生成が語られていたのをみることができる。ミードにも自他において間主観的に共有可能な有声身振りのヤリ―トリから、有意味シンボルの形成を説くミードなりの、より基底からの発生論的思考がみられることも繰り返しておいてよいだろう(Cf., Vaitkus［1991＝1996］)。

［4］制度の発生解明に向けて——メルロ＝ポンティの制度化論にふれて

以上から明らかなように、「発生論的」思考は、現代社会学の知的系譜のひとつなのであった。こうした系譜を受け継ぎながら、筆者なりの現象学的社会学からする制度論の基本構図の提示が次なる課題となる。が、その前にもうひとつの系譜、つまり現象学の系譜からなされた制度への言及に関して補足を加えておきたい。次章でもふれることになるが、〈制度〉は必ずしも理念的な存在という点だけで語りうるものではないと繰り返してきた。むしろ、〈制度〉は、発生論的にいえば相互実践的な関係的存在である。そうした実践（相互行為）において理念も生まれるとすれば、如実には、〈制度〉は発生・生成のプロセスにおける実践的・相互行為的・理念的な存在であるというべきであろう。実は、メルロ＝ポンティの制度論がそのことを示唆していた。「父子関係の情のような、人体の中にすでに刻み込まれてしまっているようにみえる感情でさえも、本当は制度なのだ」（Merleau-Ponty［1945＝1967：310］）。〈意味〉としての〈制度〉。だがいうまでもなく、その〈意味〉とは身体的な意味を捨象したところには存在しない。身体と意味の絡み合った相互行為の現場、とりわけ発生論的な間身体的相互行為の現場にこそ、そうした〈意味〉は存在している。このことの駄目を押すつもりで、さらに以下で、メルロ＝ポンティの「制度化」（institution の訳語として、メルロ＝ポンティの場合これが定着していると思われるので、以下の節ではこの訳語を用いておく）について論及しておこう。

メルロ＝ポンティは、一九五四—五五年度の講義で「個人の歴史および公共の歴史における『制度化』」という題で「制度化」について語る（Merleau-Ponty［1968＝1979］）。彼がこの概念を語るのは、「意識哲学のもろもろの難点に対する治療薬」を求めるためであり（Merleau-Ponty［1968＝1979：43］）、メトロの紹介（『言語と自然』

の邦訳の訳注参照＝Merleau-Ponty［1968＝1979：196］）によれば、「構成的意識の概念に代えて制度化的意識の概念を提出する」のは、「自己と他者と世界をともに考慮に入れることを可能にしてくれる」からである。さらにメルロ＝ポンティが「制度化ということで考えている」のは、「ある後続への呼びかけ、ある未来への希求としてのひとつの意味を沈殿させるような出来事」のことであり（Merleau-Ponty［1968＝1979：44］）、ふたたびメトロの資料に従えば「時間こそもろもろの制度化のモデルであり、制度化の制度化」であり、「それは受動性と能動性の交点にある」とメルロ＝ポンティはいう（Merleau-Ponty［1968＝1979：197］）。ここに制度化論における、〈自己―他者〉そして〈世界〉の関係性と、その関係性のなかでの呼びかけを中心とする時間性とに対するメルロ＝ポンティの視線がある。

このようなメルロ＝ポンティの制度化概念は、木田元がいうように「結局のところその含意を十分に展開されることなく萌芽のまま」（木田［2000：121］）にとどまっているが、しかし、その「呼びかけ」の芽を育て開花させて実を結ばせるのは、後続者の仕事であろう。メルロ＝ポンティは上記の講義で、制度化の「四つのレベルの現象」を語る（Merlaue-Ponty［1968＝1979：44-46］）。かなり圧縮された内容であるので、メルロ＝ポンティからの引用を多くして言及してみたい。

その第一は、「制度化といったようなものは、動物のうちにさえ存する」ものとして捉えられ、「人間の諸機能のうちにも見られる」ものとともに、それらは刷り込み現象や思春期におけるエディプス的葛藤と重なることが示唆される。第二は、愛の分析に基づきつつ、そこに過去と未来、主体と客体、肯定と否定とがみられるという、その愛のもつ同時性のなかでの、それぞれの一方が他方に対してなす「結晶作用」があげられる。第三は、「絵画史において或る様式がおこなう制度化」という現象であり、絵画にみられるのは「絵画のあらゆる試みに或る共通の意味を与え、それらを一つの歴史たらしめるような一つの『問いかけ』なのである」と述べられる。以上の三つは、「個人の歴史ないし間主観的歴史にかかわりをもつもの」であるが、最後の第四のものは「公共の歴

「知の発展」における制度化」（木田［2000：129］）であり、「知の歴史にかかわりをもつもの」である。

すなわちそれは、木田の言葉を借用すれば「『知の発展』における制度化」（木田［2000：129］）であり、「知の運動」もまた「他のもろもろの制度化において認められる過去と未来とのあの内的循環を示している」とされる（Merleau-Ponty［1968＝1979：46］）。だが、たとえば思考が他の歴史的地平に開かれるのは「おのれ自身のカテゴリーの自己批判によって」であり、そこでは「われわれ自身の生活の諸要素の脱中心化と再中心化とが同時におこなわれるのであり、われわれから過去への運動と、再活性化された過去からわれわれへの運動とが同時に起こる」のであり、しかもこうした動きは、「閉じられた普遍史」でも「完全な体系」でもなく、「つねに局地的な状況に結びつけられ、ある事実性の係数を負わされた多様な複合的諸可能性」において生じるのである、とメルロ＝ポンティは述べる（Merleau-Ponty［1968＝1979：47］）。

すでに何人かによって指摘されてきていることだが、メルロ＝ポンティの制度化の概念には二重の意味があり、一方では institution の創設や構成の側面、つまり何ものかをつくり上げるといった意味での用法があり、他方では「政治的・国家的・法的な institution を指すために、あるいはもっと一般的に、文化の多少なりとも緊密なまとまりをもった多様な領域を指すために使っている」といわれるが（木田［2000：122f.］）、いずれにせよわれわれは、広い意味で「緊密なまとまりをもった多様な領域」の生成を検討するためにも、創設および創設されたものが物象化的に固定化される局地的な状況やその複合的な諸可能性に着目する必要があろう。そのためにも、本書の立場からいえば、局地的で発生論的な相互行為を、しかもメルロ＝ポンティがおこなってきたように、主観的・意識的な構成的主観だけに目を向けるのではなく、身体的な間主観性へと視野を広げていくような視線と概念が求められる。筆者が制度ないし制度化という概念に着目する理由も、ここにある。要するに、メルロ＝ポンティがなそうとしたことを筆者なりにまとめると、その試みは現象学のそれまでの〝主観主義的〟側面を越えようとすること、つまりエゴロジカルにみえるかつての現象学の立論を、メルロ＝ポンティは〈身体〉および〈他者〉を時間・歴史とともに議論に導き入れることで、一種の弁証法を核に、あるいは筆者のターミノロギーでいえば自己―他者関係の相互行為論的な場面を核に、関係論的な〈間〉の視座を導入しようとしたことだといえるであろう。

以上のことを確認したうえで、本書における問い、つまり〈制度とは何か〉への一応の答を示しておくことにする（ただし、この暫定的な語りには、次章で制度の発生論の基本構図を語った後でもう一度立ち返るつもりである）。すなわち、〈制度〉とは、間生体的諸力の交錯する原社会空間において、とくに身体物理力（暴力）を伴う反復的な発生論的相互行為における二者関係を内包する三者関係において発生・生成し、かつ身体物理力（暴力）をも伴う発生論的相互行為に基づく言語的に物象化・制象化された土台のうえでの制象世界内の出来事として存立・進捗しながら間主観的に表象的な把握がなされ、そしてその表象・幻影とともに暴力的な相互行為の実践のなかで反復的に導かれる定型的な行為群に基づく出来事である。

［5］小　括――現代社会学の今日的課題

いま存立する制度を問い直すことは、制度の外在拘束的、集団生成的、行為論的、組織論的、歴史形成的、物象化的、関係形成的な「生成の現場」（クロスリー）へ立ち戻ることを意味する。現代社会学の出発点にある社会学の理論とその系譜はそう〈読む〉ことができる。そうした試みなくして単なる記述に専心するだけの作業に安住するならば、もはやズブズブの現状維持的言説に埋没しかねないであろう。制度論が抱えている今日的課題とは、いかにしてそのような制度論の困難を突破して、あらたな議論のための理論的土台を築いていくのか、という点にあるように筆者には思われる。

現代の制度的世界は、メディア技術の飛躍的進展も絡み合いながら、身体的かつ言語象徴的な意味の世界の複雑な錯綜体としてある。あるいはそれを、後にみるように、物象化された錯綜的な事態と表現してもよい。その物象化された錯綜性を解く糸口のひとつが、制度の発生・生成への問い、つまり発生社会学的な制度論である。だが、物象化的事態を物象化された準位で説くとすれば、それは制度の物象化的自存化をうながすだけで、その変動や変革の機制を十分に説きえない。またそこに、意味付与をおこなう行為「主体」という視座を導入したとしても、それだけではその「主体」と制度という物象的な行為「客体」との二元論的な主客図式に立脚した思考法を免れえない。社会を既存の自存的な地位―役割関係として物象的に捉える発想も同様である。〈社会生成〉を問う発生論的な社会学は、こうした物象化された道具立てをも問い直す。場合によってそれは、社会学の基礎概念の再検討を余儀なくされる。そのさいのより基底の視座は、相互行為とその可能性の条件から問おうとする点にある。この検討が、われわれの「負わされた条件づけ」(メルロ＝ポンティ)を意識化し、さらに進んだ検討のための基底的な視座になるものと思われる。

社会学はデュルケム以来、〈制度の学〉であるともいわれてきた。事実、制度を何らかの秩序をもった構造を指す用語であるとすれば、コント以来の社会学の歴史は、制度をめぐる議論の歴史だといってよい。社会の解剖学として社会静学を説いたコントの社会有機体論(Comte［1830-43＝1970］)はいうに及ばず、闘争状態を想定される人間がいかにして社会秩序を構成・維持しているのかというホッブス問題をめぐるパーソンズの秩序問題の提起、およびその問題に対する価値・規範の内面化を議論の核とする彼の解答(Parsons［1937＝1974-86］)も、制度の諸問題を解く理路であった。さらに、昨今の統合的な社会学理論、たとえばギデンズの「構造化」理論(Giddens［1979＝1989］)や、あるいはアレグザンダーらを例とする社会学におけるいわゆる「ミクロ・マクロ問題」(Alexander［1987］)も、この意味では確実に制度をめぐる問題に論及していることになろう。

制度についての議論は今日の社会学にも少なからず存在する。しかしながら今日の社会学の言説の多くは、制度の存在や制度のもつ力（たとえばその拘束性など）を自明視しつつ強調するものではあれ、その制度の生成の機制を説く理路としては必ずしも十分なものではない。制度の拘束力それ自体も問われなければならないし、しかもそれは相互行為の場面で問われなければならない。さらにいえば、地位―役割体系の内面化を制度形成の軸におくことは、その物象化された地位―役割関係の生成が適切に論じられていないかぎり、何も説明したことにはならない。ここで語られる地位関係それ自体がすでに制度であって、一種のトートロジーであるからだ。しかも、制度（規範、規則、あるいは地位―役割体系などを含む）が存在し、その制度を内在化した人間が制度を生成、維持、ないし改変するという理路は、時間という論点を無視すれば、一種の循環論法に陥る。そして、時間を無視しないとしても、そこに社会進化論のようなある種の歴史観が密輸入されるか、安易に弁証法的な止揚がみられるなどとする外挿的な論理が絡みつく。つまりそこには、制度形成におけるより基底の場面である具体的な相互行為場面での、その制度の発生・生成に内在する精緻な分析が欠けている。例をあげるとすれば、パーソンズにおけるネオ・ダーヴィニズム（Parsons［1966＝1971］）、あるいは現代社会学におけるロッシの「弁証法的構造社会学」（Rossi［1983＝1989］）などにこうした思考をみることができるように思われる。

そのようないわば外挿的な諸概念は、たとえ自然科学の近年の知見に学ぶ新たな概念をもち込んできたとしても、それがメタファーとしては知的な刺激を与えるものではあれ、所詮メタファーの域を越えるものではない。熱力学の第二法則（エントロピー）を社会理論に適応するもの、自己組織性を社会の自己組織性と読み替えて社会理論に応用するもの、さらには神経科学を中心とする生命科学の知見であるオートポイエーシスを社会理論に生かそうとするものなどは、社会理論に新しい切り口を提供する興味深い視角ではある。だがそれは、やはり切り口以上のものでない。なぜなら、物質界ならぬ社会それ自体がもともとそうした性格をもっているかどうかは不分明だからだ。むしろいまなしえることは、〈社会生成〉の現場に向かい合い、その生成過程を解明するための着実な歩みを進めていくことではないだろうか。

社会研究にとって一見遠回りにみえるこうしたアプローチも、その生成の現場においてきちんとした分析の眼が注がれれば、足腰のしっかりした社会理論の組立が可能になるように思われる。そしてそのための道具立てとして有用だと思われるのが、今日の時点においては相互行為をめぐる社会学の知見であり、さらに意味生成の学や意識経験の学としての現象学的哲学の知見であるように思われる。繰り返しておけば――その議論がいかに興味深いものではあれ――外挿的なメタファーで社会構造のモデル作りをおこなうことは、人間行為の準位を超えたところで得られた知見・概念の手助けによって社会を再構成することによって、〈生身〉の人間社会の生成と存立の基層に迫りえないアプローチであるように思われる。そして、そうしたモデルによって人間社会の生成・存立の機制が論じられるとき、そのモデルの欠落を埋め合わせるかのように、無前提に超越的な神の視点のような歴史観（進化論）や、無前提的に人間の反省的理性や自省作用（主体性）がもち出される傾向のあることをわれわれは問題視せざるをえない。

逆に、自己言及のパラドクス性や「言語ゲーム」性の論点、ないしは認識の無根拠性の論理をもちだすことによって社会研究の道を狭めることも一考を要する。そうした一連の論点をもちだすことで、結果的に、社会学はひたすら現状の記述に専念する記述学になる。「外部」は存在せず、根拠を問うことは自己言及的に言語ゲームを遂行することと同値であって、そうした問いは問いえないゆえに記述のみが学の中心公準となるとされるが――もちろんその記述の学が学としてのひとつのあり方であることまで否定するつもりは毛頭ないが――そのような表層の記述学が時代とともにある〈生身〉の人間社会のより基底の事態にどこまで迫れるかは別であろう。現時点のこうした情況のなかで、生身の人間社会の複雑な生成過程に一歩でも近づく分析視角を模索する努力をするのか、逆にその努力は一種の「基礎づけ主義」であって論理的に無限後退に陥る徒労であるとしてはじめからそれを拒否するのか、そこに志向の違いがあることは確かである。そして、本書でいう発生社会学が志向する立場は、いうまでもなく後者ではない。

いずれにせよ、外挿的・上空飛翔的な思考をやめるとすれば、問わなければならないのは、いわば〈生身〉の人間内部からの問題、本書に即してより正確にいえば、制度論における身体の問題であり、その準位での制度の発生・生成の問題ではないだろうか。次章では、そうした視座から制度論の基本構図を描きつつ、われわれが再構築すべき社会理論研究の方向性を考察したいと思う。

12章　制度発生論の行動発達論的構図——ひとつの基層からの問い

[1] 制度論への現象学的社会学の接近——意味と生活世界の諸相

本章は、前章にひきつづいて制度をめぐる問題に論及するものであるが、とくにここでは存立構造論的・関係発生的な発生論を中心に、筆者自身の視点を積極的に前面に出したいと思う。そしてその作業と同時に、最終章として現象学的社会学のスタンスに関する必要な補足もおこなうことにしよう。それゆえここでは、〈意味社会学〉の一翼として、現象学の「意味生成の文脈」に示唆を受けた発生社会学の側面がとくに強調され、制度論の発生論的基底の構図が示されることになる。それが発生論的相互行為の問題圏であるが、とりあえず既存の制度論の文脈を考慮すれば、その問題圏には、①制度の生成の問題、②制度の認知の問題、および③制度拘束的な行為の機制の問題が含まれる、と述べておくことができる。だがそれにしても、そもそも制度とはいかなるものであり、しかもそれがいかにして生成するのかという問題圏は——前章でみたように、現代社会学の古典においては別であるが——、今日の社会学においては十分に問われていないのではないか。問われない問題圏としての制度の発生・生成を、筆者なりの意味や相互行為の問題系において、発生論的相互行為論に身を寄せる形で問い直しつつ社会理論の方向性提示にまで展開していくのが本章の作業である。

現象学的社会学の祖シュッツその人自身は、いま問題の制度論を真正面から議論しているわけではない。われわれがシュッツから学びうるのは、まず第一に彼の社会分析に対するスタンスである。それをいま一言で表現するならば、社会現象を意味生成現象として取り扱う〈意味社会学〉の発生社会学的視点であった。ただしここで「意味」とは、すでに繰り返し指摘してきたように、行為主体の単に対自的・自覚的な主観的意味だけを指示しているわけではない。すなわち、いわば即自的、前反省的な情動的意味のレベルも考察の射程に含まれると同時に、相互行為における行為主体の相手にとっての意味や、第三者的な観察者や研究者にとっての意味も含まれること、これらの点が見落とされてはならない。それらの留意点を勘案して、まず社会関係の原基的な機制を描いておこう。

話をみえやすくするために、行為者A・B・Cを想定してみよう。ここでは、対面的に相互行為をなすA・B(=対向的他者)を、その相互行為には直接には参加しないがそれを間近にみることのできる観察者Cがいるという(三者関係的)状況を想定する。行為をなしているA自身が経験する行為の意味は、主観的意味の(ひとつの)核と一応いうことができるが、より正確な言い方をすれば、まさしくシュッツが述べたように、Aは自らの体験(Erlebnis)を、原理的には事後的な反省において経験(Erfahrung)としてしか捉えられない(Schütz [1932=1982] 第2章)。ただし「意味」には、行為の動機や目的などの反省的な知的・概念的なものだけではなく、情動的な意味も含まれうると右でふれた。もちろん、情動の認知も、一定の神経興奮という体験や表出を、Aは事後的にラベリングすることで、たとえば怒りであると意味化し表現する(Schacter [1964])。情動的意味それ自体も、それとして把捉するさいには、A本人にとってはやはり意味づけのプロセスを経るが、意味それ自体は広義なものとして提示されなければならない。

他方、対向的他者Bからみればどうであろうか。その場合の意味付与は、事後的・反省的な経験の準位ではない、シュッツのいう「同時性の理路」(本書4章参照)が問われる。つまり、ある行為者Aに対するその対向的他者Bの意味把握体験は、同時的現在においてなされる。このプロセスも広義の意味づけ＝意味化（実践）に含まれうる。もちろん、Bが同時的にAの主観的意味を間近に体験可能で、ほぼ同時にAの行為を意味化（実践）することができるとしても、BがB自らの体験を語るような表現においては事後的な反省による意味化（実践）によるほかない。しかし、体験上では、AとBとは相互的かつ同時的に他者の体験・表出を共に生きる状況での意味化（実践）が可能である。つまりAとBとは、別の表現を用いれば、互いに同時的に「共に時を経る」（Zusammenaltern）過程で対向的他者に影響を及ぼしうる。

さて、そうしたA、Bの相互行為を観察するCからみれば、事態はどうであろうか。観察者としてCは、A—Bを、共在しながら行為のヤリトリをしている者たちと捉えうる。ある相互行為、たとえば殴り合いをしているA—Bを、C（＝観察者）は、ケンカというAとBの相互行為として捉えうる。もちろんCにおいて、C自身の把捉の体験をあらためて捉え直そうとすれば、それも事後的な経験にならざるをえないとしても、こうした観察においては同時的にAとBの相互行為の関係それ自体の意味化が可能であることは付け加えるまでもないであろう（この点は、本書1章および前章でもふれたように、ジンメルによって第三者の「客観的」視点として強調されてきた点である）。

このような、意味が織りなす共在的な相互行為の世界は、間主観的な日常生活の世界でもある。シュッツはそれをしばしば次のように強調していた。「日常生活の世界ははじめから間主観的な世界である」と。だが、この言明を平板に理解してはならない。多種多様で多層的な意味の織りなす日常生活世界は、その日常生活世界のための相互行為の条件ないし前提でもあり、かつその帰結でもある。この厚みのある「生活世界」概念も切り詰められてはならない。そこで以下、この概念に論及しておこう。

生活世界概念は、フッサールによって提唱されシュッツによって社会学にもたらされて以降、急速に「社会学化」された。そもそも社会学自体が日常生活の世界を主たる対象領域にしてきた経緯があるが、社会学化されたこの「生活世界」概念はその結果、批判の棘を抜かれてしまったように思われる。すでに本書2章でも若干ふれてあるが、フッサールの生活世界概念はそもそも近代の「意味忘却」状態の「科学」との対比において、「意味基底」としての「生活世界」という文脈で論じられていた（cf., Claesges［1972］, Landgrebe［1977］, Srubar［1997］）。しかも生活世界は「あらゆる実践的形成体を含む」（シュッツ）ものであると同時に、（メルロ＝ポンティが示唆したような）われわれの相互実践的・間身体的な「生」の世界（生世界）でもある。そこで、この生の世界を「生の生産と再生産」という視点からみていくことも重要な問いとなるし、そこから生成される日常表象が交錯する場の探究も重要な問いとなる。だが社会学においては、残念ながら科学批判や生成の場としての生活世界の意義は——日常意識、常識の復権などとして科学的言説に対する批判的視点はみられたにせよ——比較的軽視されてきたように思われる。そこでは、生活世界概念が、人びとの現存の日常生活の世界という水準でのみ捉えられて「社会学化」された。

ちなみに「生活世界」を核とする視座は、社会理論の水準で、たとえばマルクス主義の社会理論との関係で論じようとする現象学の系譜、つまりいわゆる現象学的マルクス主義という系譜とも関係していた。そこにも、生活世界論の議論の多義的解釈があるので一瞥しておく。もっとも、「現象学的マルクス主義」といっても——マルクス主義同様——その特徴を一色で描けるような明確な色彩があるわけではない。しかし何らかの点で現象学とマルクス主義の結合を図ろうとする点では共通している。たとえば、マルクス主義は意識理論を要請するといった言明（Merleau-Ponty［1955＝1972］）や、前述語的経験の発生論と行動や運動の物質性とを関係づけて弁証法的唯物論を展開するといった試み（Thao［1951＝1971］）がなされた。また、現象学の生活世界概念を、マルクス主義の社会構成体論でいう「土台」（「下部構造」）に対応するものとして〝唯物論〟化することによって、マルクス主義を現象学的に再構成するという主張もある（Piccone［1981］）。あるいは、現象学が描こうとした（日常的な）生活世界での意識のありようは疎外された意識＝虚偽意識であり、その思想は物神化された思想であるブルジョワ思想ではあるが、それはそれとして明示化することで一定の社会的意義をもつという主張（cf., Lukacs［1948＝1953］）もあれば、そこまでいわなくともハイデガー現象学の議論とかかわらせて「本来的」な可能性全体を生きる個人をもとめて、「にせの具体性」の破壊をめざす考え方（Kosik［1967＝1977］）もみられた。さらには、社会を「生活（体験の）世界」（die Welt des（Er-）Lebens［いわばEr-Lebenswelt］）として了解しようとするものもいる（Srubar［1978＝1982］）。ちなみに――詳細は割愛するが――日本においても戦後の主体性論争以降、とくに一九五〇―六〇年代にマルクス疎外論にみられる「主体性の回復」の論調とサルトル的実存主義の「主体性の復権」とを重ねて論じる（実存主義的マルクス主義という）論調も少なからずみられたことも付け加えておこう（マルクスの方法的視点に関しては、終章も参照されたい）。

だが、シュッツが描き、そしてわれわれがそれを継承的に発展させるべき日常生活世界という審級の核心は、間主観的な世界における共在者の世界を原基とする社会的世界の相互行為論という関係主義である。もっとも、シュッツの相互行為論は、行為者の主観的視座から日常生活世界に焦点化して論じられたとしばしば語られ、しかもその意義も限界もおしなべてここにあるかのように論じられてきた。筆者としては、シュッツの学が、「自然的態度の構成的現象学」として、日常生活世界を描こうとしたことを否定するつもりは少しもない。しかしながら、すでに繰り返し示唆してきたように、その日常生活世界論を、主観性を有する十分目覚めた正常な一人の成人の、自明とされる、狭い意味での主観的な日常生活だけを描いたと捉えるならば、シュッツの学の射程を捉え損なうことになるであろう。

シュッツの射程はもっと広い。つまり、シュッツが描いた生活世界の位層においては、それをきわめて図式的に表現するならば、

①いわば「二次的生活世界論」とでもいうべき、第三者的な観察者、とりわけ研究者によって観察・記述さ

れ学知的に分析・解釈された日常的な社会生活の世界

②いわば「一次的生活世界態」とでもいうべき、日常生活者によって生きられ先行的に解釈され、かつその当事者が登記する、学の意味基底ともなる日常知的な経験の世界

③いわば「基層的生活世界論」とでもいうべき、上記二つの生活世界をも可能にするより基底の、もはや「生世界」と呼ぶべき、生の体験からなると観察・分析される生世界

が少なくとも区別されなければならない。[1]なお、この③は10章でみたクロスリーの根源的間主観性と対応し、②は自我論的間主観性を核とするといえよう。さらに、①は研究者が位置づけた生活世界論あるいは理想化された生活世界論という意味では、ハーバーマスの生活世界論と重なる部面もある（もちろんこれらの層を論じること自体、第三者的な観察者からなされるメタレベルの作業であることは否定しようもない。しかし、①〜③のいずれのレベルにおいても、シュッツが論じたように、必要な場合はいつでも行為当事者たちとメタレベルの観察者との視点の重ね合わせの要請、つまり「適合性の公準」が努力目標として要請されるべきであろうということは付け加えておきたい[2]）。

たしかに、現象学的社会学は日常生活世界の学ではあるが、すでにみてきたようにその学が目指そうとするのは、日常的な生活世界を可能にする、より基底の層をも射程に入れていこうとする方向である。シュッツの言葉を用いれば、その方向は、「コミュニケーションを可能にする」前提・基盤・条件を問うことであった（Schutz [1964=1991]）。すでにみてきたシュッツのいわば「相互同調関係」（mutual tuning-in relationship）や「同期化」（synchronization）というコミュニケーションの基盤の議論がその証左であった。以上を換言すれば、その学の方向は、そもそもの人間の行為、相互行為、主観性、間主観性の世界の成り立ちをも問おうとする方向であった。しかもそれは、現象学が解明しようとしてきたいくつかの主題にうながされた、現象学本来の問いの方向とも重なるものであった。すなわち、その方向は、①自然的態度の批判をもとに、現象学的還元という態度をとりなが

らなされた、意識構造や主観的経験の解明に向かう「意識経験の文脈」をベースにしながらも、②意味基底を忘れてなされた自然の数学化にみられるような近代の学問・科学の陥った危機的状況への批判を主眼に、自然主義的態度を批判する「危機認識の文脈」と、③そもそもそうした主観的、間主観的態度自体の発生・生成をも可能にする、より基層の間主観的な生世界を問う「意味生成の文脈」に沿う形で展開されるものであった。以上を再度、確認しておきたい。

なお繰り返しを厭わずに付言しておけば、筆者自身はこれまでに、意味生成の文脈に向かう現象学的社会学のいわば発生社会学的方向を、「発生論的相互行為論」における「間生体的諸力論」として、相互行為を可能にするより基底の相互行為の位層の検討と、その位層の相互行為において間生体的に働く〝力〟の問題を示してきている。相互行為を可能にする前提となる間生体力の例示としては、「リズム・共振」およびそれと密接にかかわる「エロス・共感」という人と人の結合面に注目した力の例示がなされ、また人と人との分離面では、「類型化的分節」(差異化)を核とする離反する力をベースに、「身体物理力」(「暴力」)に着目されてきたのだった[3]。

ただし、本章ではこうした議論の詳細な繰り返しには立ち入らない。以下では、これまで筆者自身が指摘・示唆するにとどめていたこの方向でのいくつかの発生論的な論点に積極的に言及することで、現象学的社会学の社会理論のいっそうの展開へむけた土台作りをおこなっておきたい。そのためには、メルロ＝ポンティも試みたように、積極的かつ批判的に発達心理学の知見を参照することにしようと思う。つまり次節では、制度論にかかわる相互行為(制度的行為と略す)の議論展開のために、発生論的相互行為の一側面としての個体発生的な場面、つまりいわゆる発達論の場面における相互行為に言及しておきたい。

［2］制度的行為の基底——行動発達論的な視点と発生社会学の視点

そこで本節では、乳幼児の対人関係の展開、つまり行動発達論的な発生論的相互行為の側面を、発生・生成を問う社会学の一断面の例示として一瞥しておきたい。たとえば、最近の研究では、胎児ですらすでにその胎内において、母親の心音のリズムや外部の音にも馴染んでいるといわれている。だから、誕生前からそこでは一種の相互行為が開始されているとすらいえるかもしれない。もちろんここでは議論を誕生以降に限定するが、少なくとも語りうることは、ヒトはけっして真っ白な白紙の状態で生まれてくるわけではないということだ。ヒトを含めた生体は、遺伝子の情報プログラムをベースに（吉田［1995］）、生きるために一定の分節化活動を行う類型化（類型化的分節）能力を備えている。もちろんヒトの場合、そうした能力が本格的に解発されるのは、その多くがここでいう相互行為という「社会過程」においてである。

具体例を一瞥しよう。新生児は口唇にふれた乳首を吸うというほとんど無条件反射といってよい吸乳活動をおこなうし、プリミティヴな段階とはいえ、接触するモノを掴むこともできる。また、モノを眺める力もある。これらは、一種の図地分化をおこなう分節能力に基づく類型化活動の一端である。さらに、新生児は〝不満げに〟泣いたり、〝満足げ〟に微笑みに似た表情を呈示することができる。そうした類型化する活動は、ヒトという「種のゲシュタルト」化（丸山［1984］）の土台をなしている。とりわけ、クロスリーも着目していたように、こうした能力に関してはトレヴァーセン（Trevathen［1979］）をはじめとして発達心理学の知見が刺激的である。対人的文脈では、他の新生児の「泣き」に同調する新生児の泣きの感染や、実験者の舌出し行動に対して新生児が「舌出し」を模倣するという同調行動（原始模倣）の報告もある。(4) 新生児・乳幼児においては、すでに馴染んだ共振的リズムのもとでいっそうの安心感を増進するかのような情動的な側面をもち、母親の表情の読み取りをはじめとする表情的な世界認識をおこないながら、情動に彩られた自他未分状態、あるいは「生理的共生」（ワロン［1983］）や「癒合的社会性」（Merleau-Ponty［1953＝1966］）、「共鳴的同調」（廣松渉［1996a］）、「状況内存在」（浜田［1995］）、「情動の場」（増山［1991］）などと語られる相互行為における一種の共振・共鳴関係も「他者」との間に取り結ばれている。ただし、ここでいう情動とは、知性と感情の（二元論的）分化以前の情動状態のことである点には留意が必要だが、要するに新生児は他者と共振・共感しながら発生論的な相互行為を取り結ぶ。

しかし、ワロンに基づきながらすでにメルロ＝ポンティも示唆していたように（Merleau-Ponty［1953＝1966］）、六ヵ月前後からは、こうした乳幼児の活動に一定の変化が見えはじめる。原始模倣や微笑反応はいったん消失ないしは減少する。さらに、対人的な文脈では人見知りをはじめるし、他者による「イナイイナイバー」にも強く反応しはじめる。単なるBoo音を超えて、いわゆる喃語が出現しはじめるのもこの頃である。モノに対しても、ただ掴むだけでなく、握ったり離したりして、手を用いて対象を操作することもできるようになる。手による対象の操作（ミード！）とともに、手の届かないところの対象を注視する活動をおこなうのもこの頃からである。さらに、泣きに関しては、いわゆる予期の泣きや拒否の泣き、欲求の泣きといった泣きの分化と道具化の端緒もみえはじめる（やまだ［1986］）。泣くことが要求実現の手段であるという、乳幼児にとっての「意図」の出現が語られはじめる。

もちろん、こうした「意図」の出現は、すでにエスノメソドロジーの箇所でもみたように意識内在的とはいえず、またそれは単独で自然に生じるわけではない。それも養育者（多くは母親）との密接な相互行為のなかではじめて可能になるものである。しかもそれは、喃語の出現自体が、乳幼児の表情等の状態変化に対する母親の、誇張をともなうリズミカルで、高低、強弱のある声による応答によって下地がつくられる（正高［1993］）というだけではなく、新生児の泣きや微笑からして母親が子供の行動を「表現」として解釈し、そこに「意図」を読み取り、それに意味づけ＝意味化（高次の類型化活動）をおこなって相互行為を営むからである（増山［1991］、村田［1995］、そして本書7章を参照）。

だが、このこと以上にいま注目したいのは、やまだがかつて指摘したような、九ヵ月あたりからみられる「指さし」を媒介とする「三項関係」の成立の問題である（やまだ［1987］4章参照）。離れたところにある対象を指さし、その対象を共に見ること（同時共観関係）。そうした物を媒介にした人と人との関係（三項関係）の成立。おそらくこれは発生論的相互行為における対話的な「ヤリ―トリ」がベースとなり（それは同型性と相補性、あるいは対抗性の原初的理解につながる）、さらに進んでモノ（たとえばボール）の手渡しによるヤリ―トリなどといった対話的なヤリ―トリと同時的に、能動感―受動感も昂進させながらなされる相互行為の展開である。

ただし、かつてピアジェが指摘したように、隠れたボールを追うことができたり、不在の者（たとえば母親の不在）を認知しうる「知能」の発達を待って、非対面的な相互行為も進捗するともいいうる。しかしそのさいに問題になるのは、ピアジェなど一部の発達心理学者が強調するような認知能力の発達そのこと自体ではなく、こうした認知能力の解発と発達それ自体が相互行為過程のなかでなされるという点である。[5] ここでは、このような相互行為において母子が喜びを共有すること（共歓的共感）、言い方を換えれば、自他が情動的な一体化をも感受しうる相互行為のヤリ―トリがみられる点にこそ着目点があった。いまここにある指先ではなく、その指先が指し示すそこにあるモノを共観的に媒介しつつ、情動的な一体化を〈共観＝共感〉することでもある（本書4章［5］の廣松の項参照）。

加えて、さらに注目に値するのは、こうした〈共観＝共感〉の側面と同時に、指さしという行為のもつ象徴性の端緒に関してである。いまここにはないモノという第三項、つまり指さしの個定的な指示対象を〈共観＝共感〉的に媒介とする共振的な間身体的連鎖という事態が肝要である。そしてここまで語っておけば、この第三項の位置に、仮に第三者を代入してみることで、三者関係という間身体的な社会関係を論じることがいっそう容易になるし、象徴性・表象性を媒介にする不在の第三項や不在の第三者の問題をも語りやすくなる。[6] そこではまた、さらに共在性＝共時性とクロスする通時性という時間性も絡まり合う。いずれにせよ、こうした共感を伴う「間接的」な間身体性の成立が、やがて言葉（とその指示対象）というモノのヤリ―トリによる（送り手―メッセージ―受け手といった）本格的な言語的ヤリ―トリを準備するひとつの契機たりうる。もちろん、この言語的コミュニケーションが可能になるためには、時間性を伴う記憶や延滞模倣（ミード）などがなされることは当然のこととして、ぜひともさらにもう三点ほど――前章でふれてはあるが――ここで再確認しておかなければならない点がある。

まず第一点は、自他の空間的・場所的・身体的パースペクティヴの相違である。この点はシュッツがフッサールから学びうることとしてしばしば強調したことだが（たとえば、Schutz［1962：142＝1982：233］参照）、一般的にいって、自己の「ここ」と他者の「そこ」は、認知的側面は別として原理的には乗り越え不可能であった。しかし、その乗り越え不可能性への気づきははじめから自覚的であるわけではない。先にみたオルテガの他者論や匿名性（非人称）の議論（本書5章）はこの点で示唆的であった。

そのうえで、第二に語っておかなければならないのは、相互行為のもとでのサンクションを一契機とする自他の分化の進捗である。相互行為的なヤリ―トリに加えて、他者からの賞罰というサンクションも場合によっては加わることがある身体的な〈能動感―受動感の感受〉がここでの要諦となろう。主として手や口唇や皮膚に代表される自他の接触や、「押す―押される」とか極端な場合は「ぶつ―ぶたれる」といった身体物理力（暴力）による〈能動感―受動感の感受〉に基づく相互行為におけるサンクションは、自他分化のいっそうの進展をうながすわかりやすい例である。われわれがヴェーバーのところでみたように、原基的な場面で「暴力」に着目するのは権力との関係でもあったが、このような原基的場面でも再度着目する必要があろうし、ミードの態度取得の議論も対象の反応という点で関連してくる場面であろう。

しかも第三に、ヤリ―トリは、相互行為における〈役割〉の分化をうながす（ヤリ手＝送り手、トリ手＝受け手という原初的役割分化）という点である。ちなみに何回かすでに指摘してきたように、ここでいう〈役割〉は、社会学が既存の地位―役割という文脈で展開する物象化された準位の役割概念というよりも、より基層の相互行為においてみられるものであり、かつ第三者によっても認定されるものであった。(7) この意味でのいわば原初的な役割分化に対する当事関係者による意味化は、自他分化（＝自己という人称性の基盤の成立、あるいは他者の「他者性」の成立）にとってきわめて肝要であった。そしてそこで、不在の第三項（たとえば神や規則）や不在の第三者（たとえば父）を引照しつつ、対向的他者にサンクションを与えるような相互行為過程の進捗をみる土壌が醸成されるのである。なお、この第三点目に関しては、役割論的な立論としてさらに後述においても立ち返る論点であるので、ここでは以上の点を明示しておくにとどめよう。

さて、二歳児前後までに、こうして子供は幾多の対他関係を取り結ぶ相互行為を原基とする社会関係のなかで、象徴性と人称性をもちはじめ、言語によるコミュニケーションの仕方を獲得していく。もちろんこの過程を本格的に論及するには、さらにここで構音の問題からピアジェのいうような抽象的な形式的操作の力を獲得する発達のまだまだ長い道に至るまでの多くを語る必要があるにせよ、言葉を獲得する道筋の議論を以上のように基本的構図として押さえておくことができるであろう。(8) そこで次に、以上の視座をふまえたうえで、制度のより高次の生成過程の問題に立ち入りたいと思う。

［3］制度発生論の基本構図――〈原的制度化〉と〈制象〉の問題

より高次の制度の生成過程を考えるとき、少なくともそこには絡み合ってはいるが分析的には区別されうる三つの相を考えておくことが記述のためには便利だと述べておいた。まず第一に、制度が相互行為から生成するという相、第二に、制度を制度として認知する相、そして第三に、そうした制度というものが相互行為に与える影響という相、である。以下では記述の方便として、こうした相を順番に考えていこう。ただし、ここでは制度ないし制度化のそもそもの発生過程の原理面を問題とするのであって、たとえば独裁的支配者によるものであれ、民主的合意によるものであれ、あらたな制度を意識的に創設するといった場面の問題（制度の創設問題）には立ち入らない。問いはもっと原基的な場面にある。

さて、制度が相互行為から生成するというさいにまず問われなければならないのは、いかにして相互行為が可能になるのかという点であった。実は、それが間生体的な相互行為から言語的な相互行為にいたるいわゆる行動発達論的な道筋によって前節で示されたことであった。たしかに、自他未分の母子関係などの相互行為における社会的・時間的な過程のなかで、自他分化も進行する。自他未分状態といえども、すでにそこには吸乳からボールのヤリ―トリといった遊びにいたるまで、行為のヤリ―トリをする原初的役割分化がみられる。その過程で、自他分化と役割分化は同時生成的に進行する。こうしてより基底的な制度化はすでに始まっているのであるが、もう少しこの過程について考えてみたい。

そこで、Aが一定の役割を演じるさいの反照規定的な自己類型化という面に焦点を合わせてみよう。すでにふれたように、ボールのヤリ―トリのさいにはボールのトリ手は「受け手」として行為する。それを第三者的にみれば、個人は「受け手」という役割を演じるといえる。この間の消息を、すでにふれたことではあるが、もう少し一般的なレベルで表現し直そう。ある対向的他者との関係のなかで自己を類型化しつつ行為するということは、自らが一種の仮面を被って行為するということである（なお、この仮面を被らないと拒否することでさえ、それを拒否する仮面を被ることである）。そしてここでの要諦は、複数の異なる対向的他者との関係性においては異なる仮面を被ることである（たとえば、母に対する子、兄に対する弟）。この場合、二者関係を超えた三者関係（A・B・

C）のモデルでも、行為当事者Aにとっては少なくとも二つの異なる役割を対関係（Aにとっては、A—B、A—C）のなかで演じることになる。こうした仮面＝ペルソナ（personaは、パーソナリティpersonalityの語源である）を被る行為者が、種々の文脈で相互に行為をヤリ—トリする。もちろん前節の母子関係を例とする発達論的なレベルでいえば、片方が社会的な（廣松用語を使えば）〝役柄〟を担い、もう片方が原初的な〝役割〟をもつのであるが、正確にいえば役割そのものは相互行為のなかで原初的に成立すると第三者（当事者による反省を含む）が認定するものであった。つまりここで役割とは、いかなる行為のヤリ—トリにおいてもみられる原初的で基底的な制度化的相互行為を記述・分析する道具立てであった。

そして、ここで何よりも着目しなければならないのは、このような相互行為が共振的・持続的に反復するという面である。前章でも言及しておいたが、かつてバーガーらは、本書とは異なる視角からではあるが、制度化と制度を次のように定義づけていた。「制度化は習慣化された行為が行為者のタイプによって相互に類型化されるとき、つねに発生する。言い換えれば、そうして類型化されたものこそが制度に他ならないのである」（Berger & Luckmann［1966：54＝1974：93］）。だが、このバーガーの定義のなかには、習慣化と言語的／非言語的な類型化とが混在している。われわれの発生論の立場からは、言語的な類型化を別の相であらためて論じるべきだと考えている（後述）ので、とりあえず制度の発生・生成の在り処とは、当事者の視座からみれば、——バーガーらが定義づけたのとは位相を異にし——、相互行為が（実用的・実践的・用在的な生の関心に導かれた間生体的諸力のもとで）持続・反復され、それゆえ言語以前的な類型化にも基づいて習慣化されて、ときには行為者たちに一種の慣れ親しみをもともなうハビトゥスが形成されている相互行為の連鎖にある、といっておくことができる。(9) この当事者視座からの規定は、バーガーらのものよりはむしろ、文脈は異なるにせよワロンが情動関係は制度であり（ワロン［1983］）、メルロ＝ポンティが父子関係の情ですらすでに制度である（Merleau-Ponty［1945＝1974］）という指摘ともつながりをもつ。

そこで再び、制度の発生・生成を考えるにあたって、三者関係論的な視点を導入して考えてみよう。行為者ABCの三者関係において、AとBの結び付きのみが習慣化するとすれば、A—C、B—Cの結び付きは排除される。ここでこの結合—排除の社会関係のあり方を背後に指示しながら、とくにこのA—Bの相互行為の持続の事実性を、第三者的・観察者的な学知的（für uns）な次元で、〈原的制度化〉（proto-institutionalization）と呼ぼうと思う。

この〈原的制度化〉のプロセスは、排除行為を伴いつつ（廣松用語を用いれば）「協働連関的な役割編成態」を形成するといってよい。だから、より適切には、時間的に持続的な役割編成態の生成過程を〈原的制度化〉と呼ぶ。ただし、その事態は、当事者の日常知的な反省的意識においても、第三者の観察知的、学知的な意識においても把握されるのであって、後者の第三者視点のみならず当事者がそれを自覚的に制度と呼ぶときには、すでに言語類型化的な、観察知的・学知的レベルにあるというべきであろう。このような相互行為の連鎖（という役割編成）を、当事者自身も、あるいは排除されたCも、そしてさらなる別の第三者もそれとして言語類型化的なものとして認知し合うならば、そこで制度的な間主観化がなされ、共通な制度的世界が「集合表象」される。この制度的世界、つまり間主観的に類型化—物象化されて認知される象徴的に認知・把捉された制度は、それゆえ、先ほどの〈原的制度化〉における「制度」という用語と区別して、前章でも示したように〈制象〉と呼ぶことにしたい。[10]

ここで〈制象〉なる語は、〈象徴化され物象化されて表象される制度〉を指示する用語（なお、その表象が象徴＝代理表象［たとえば国旗］を含むことが日常的であることは、ここではまだ指摘だけにとどめておく）であるが、何よりもそれは、単なる事実的習慣を超えて制度が制度として存立するためには、当事者たち自身による言語的象徴を中心とする物象化された象徴的・類型的な把握が不可欠であり、かつ制度はそうした象徴を間主観的に媒介にすることによって強化されるのである。[11] それゆえ制象は、新生児や乳幼児の生世界にみられるような言語以前的なより基底的な制度のあり方と言語以後的な制度との区別と連関を示唆する。

言い換えれば、それは第一に、制度がより明確にされるレベルは言語的な意味の世界であるということを指摘することであり、しかも第二に、言語は神から与えられたものではないとすれば、発生論的な相互行為からしか生成しないので、言語的象徴それ自身も発生論的な相互行為における〈原的制度化〉の過程のなかにしか生成の場はない。こうした点をあらためて強調しておきたい。要するに、この制象自体、当事者たちによる一種の間主観的な物象化の所産である。つまり制度の認知は、それを「〜として」類型的に把握する認識における物象化の所産であるが、そうした物象化それ自体も発生論的には相互行為的に達成される言語的類型化によっていっそう進展するのである。その点を押さえたうえで、先を急ごう。

類型化され物象化された制象は、言語に内在する（過去や不在のものの表象喚起といった）意味の力とともに、間主観的に物象化された行為の慣習（慣行ないしは伝統）のなかで、道徳的拘束力をもつといえる。ただし、すでに明らかなように、こうした力の発動も具体的には相互行為の文脈においてなされる。こうした力が、制度（制象）が行為に与える影響（制象拘束的行為）であるので、次にその相を検討してみよう。

一般に、制度は人びとの行為に対して指令機能をもつと指摘されるが、それは他者を媒介にしたその制度のもつ象徴的な機能がひとつの背景となる。だが人は、他者の身体物理力（暴力）によっても影響を受ける。それは、象徴的に捉えられる制度的世界（＝制象世界）が他者の（身体物理力＝暴力に代表される）強制力をもってして行為者の行為を方向づける（＝拘束する）事態であるといえる（もちろん、食べ物などのご褒美をもらえる「正」のサンクションであっても、そこには直接即時の獲得を拒んでいた力が介在していると考えられる）。そうだとするならば、実はそこに如実に存在するのは、制象化と暴力の基底にある相互行為だけであるというべきであろう。しかも、単なる習慣的行為を超えたある種の習慣化の強制も（またそもそもの習慣化の把握それ自体も）、相互行為における他者を媒介にする。[12] さらに、言語的な制象のイメージが過去の相互行為の記憶や表象を媒介に、第三者的な回想のなかで自らの行為を方向づける点や、過去の相互行為関係をいまここに引き合いに出し、過去のA—B関係をいま現在の自分A′が回想するさいには、自己は第三者として三者関係に巻き込まれるということができるという点も、付け加えておこう。

なお、ここでは最後の論点のために必要な補足として、さらに次の点を指摘しておく。ここでは、分かりやすさを優先してもう少し高次の制象レベルが（相互）行為に与える影響を考えてみたい。たとえば、行為者が自分が望んでいない行為を規則で決まっているからと強要される場合、その制象行為をおこなわないならば身体的暴力（刑罰や身体的拘束など）をふくむ一定の暴力＝権力的サンクションが加わるといったケースがある。[13] もちろんそのさい、他者たちの身体的な暴力を中心とするサンクションを恐れて制象に従うという点がまれでないケースではあれ、フーコーが巧みに描いたように、近代の管理技術は、見えない権力を作動させながら、巧みな管理技術を用いたディシプリーヌ（規律／訓練）を通して、象徴媒介的な力の〝正当化〟と〝内在化〟をおこなう場合（＝制象拘束的行為）が、とりわけ近代社会において顕著である。この点を——くだくだと述べる必要はないだろうが——明示的に意識化する点でも、ここではあえて「制象」という語を用いていたのである。

話を本線に戻そう。人は相互行為を、身体物理力＝暴力を中心とするサンクションを背景に、正当なものとして制象拘束的に行為する。制度的世界＝制象世界の成立には言語的象徴の成立が不可欠であるが、言語の獲得も、確実にこうした相互行為の積み重ねである。もっともそれは、個体発生的には、たとえば母子関係においては、制象世界を〝内面化〟している母親という成人との相互行為ではあるが、子供の誤った行動や言葉は、周りの者によって訂正される。手本の模倣を強いられ、〝正しい〟振る舞いと言い回しが強要される。このように、より基底にある暴力的強制による相互行為の強要という原的制度化を超えた、制象とその制象が相互行為において実現されるさいの暴力発動は、制象がより明確に型どられ、行為者が制度的・定型的な相互行為の連鎖をなすさいの促進要因や阻害要因となる。しかしながらここでも再び、相互行為が大きな役目を果たすことは、いくら強調しても強調しすぎということはないであろう。

では最後に、こうした発生論的な相互行為の議論や、以上みてきた暴力／権力および象徴／制象の議論と関連づけながら、今度は法や政治における制度、あるいは国家といったさらに高次の制度に論及してみよう。本書の目指す社会理論の方向性をより明確にするためである。

［4］国家論への現象学的社会学のまなざし——社会生成への視線

すでに本書6章でみたように、シュッツの象徴論とは「超越の経験」を身近な（日常生活の現実の）事象と関係づけて対処するためのシンボルという「記号」の問題であった。そして、宗教、科学、さらには（我々関係を含む）社会関係の把握もまた、シンボルの問題としてシュッツによって語られたが、本節での要諦のひとつは、それらが人びとによって間主観的に「表象」的に捉えられる点の強調であろう。それは——社会の超越という場面でいえば——社会的世界の表象的（representative）な把握の議論であるといってよい。（ただしここでは、国家を人びとがどう捉えているのかという国家への社会意識論的接近（これも重要な意味社会学的問いだが）をおこなうというより、もっと原理的で社会生成的な「制度」への問いが問われる）。

こうした「表象」的な世界把握が、法や政治、そして法的制度の問題を考えるときにも不可欠な論点となる。制度は、それを〈制度〉として類型化的に把握する表象的まなざし抜きには存立しがたいからだ。事実的な社会的相互行為過程の産物として外化され物象化されると同時に、そこでは一種の〈〜として〉把握という第三者的・反省的・客観化的な物象化的認識という光のもとで一定の行為規範が暴力装置を伴いつつ「法」として類型化されるとき、法的制度という「制象」も成立する。しかもこの制象が、一定の感情を伴いつつ、さらに簡便なシンボルに置き換えられうるということ、このことはシュッツが指摘するもうひとつの要諦であった。そこにおいては、いわば擬人化されて表象される国家の例⑭のような表象システム、言い換えれば国家のシンボル的な表象的把握へのシュッツの言及に着目できる。そして、そうした表象を主要な点で育て支えるのは何よりも「政治社会」の存在である。シュッツがフェーゲリンの著作から引用しているように、「政治社会が存立するようになるのは、それが自らを節合し、代表（representative）を生み出すときである」（Schutz［1962：355＝1985：196］）。現代社会においては、まさに一定の社会集団の代表がネットワークにおけるひとつのアクセスポイントとして行為連鎖的に機能しつつ、国家が政治社会において制象として表象的・象徴的に把握される。

しかし、以上はまだ話の半分である。シュッツが描き出そうとした「協調と反目」（Schutz［1964：199＝1991：269］）の日常世界は相互行為の社会的世界であった。そこは、「自己の意思を他者の行動に対して押しつける」力（Weber［1972：541＝1960：5］）の交錯する世界でもあった。この力の問題をみなくては、法や政治の制度的問題は不十分にしか語れないであろう。そこで最後に、前節からの展開として、シュッツ理論のもうひとつの系譜・ヴェーバーにも再び焦点を当てて、さらにいっそう「他者」と「力」（Macht）の問題圏に言及してみたい。

シュッツが強く影響を受けたヴェーバーは、政治とは広義には「あらゆる種類の自主的指導活動（selbstandlich leitende Tätigkeit）を包含する」と述べるが、日常の用語法に合致するものとしては、むしろ「政治とは、……要するに力の分け前にあずかり、力の配分関係に影響を及ぼそうとする努力である」という（Weber［1958：493f.＝1980：8ff.］）。そしていうまでもなく、今日においてこの問題は国家と密接な関係があるとされ、「国家とは、ある一定の領域内で……正当な物理的暴力の行使を（実効的に）要求する人間共同体である」（Weber［1958：494＝1980：9］）と定義される。国家は、「正当的な（つまり正当なものとみなされている）暴力行使という手段に支えられた、人間の人間に対する支配関係である」（Weber［1958：495＝1980：10］）。しかも、どんな支配関係もその存続のためには、そこでの人びと（被支配者）の行為が、おのれの力の正当性を主張する支配者の正当性を承認することに加えて、いざというときには物理的暴力を行使するに必要な物財、つまり人的行政スタッフと物的行政手段の二つが必要であると述べる（Weber［1958：497＝1980：14］）。この後者の論点との関係で、ヴェーバーは「法」にも言及する。ヴェーバーにとって、その違反が非難を招く可能性がある慣習などとは異なって、『法』の概念にとっては、強制をおこなうスタッフの存在が決定的」であり、法的制度とは「遵守の強制や違反の処罰に定位したスタッフの行為をもってする（身体的あるいは精神的な）強制の可能性によって外的に保証されている」秩序のことである（Weber［1972：17f.＝1953：57f.］）。

こうしたヴェーバーの規定は、社会的行為の解明的理解と因果的説明をおこなう学としての理解社会学の視座からなされる、彼の社会的行為の四類型や支配の三類型と密接に関係していることはいうまでもないであろうし、われわれも本書10章ですでにこの点の検討をおこなってきたので繰り返す必要はなかろう。少なくともここでは、ヴェーバーが国家といった「形象」（Gebilde）それ自体も社会的行為に「還元」して議論すると明言し（Weber［1972：6f.＝1953：23］）、それを実行している点のみ確認しておけばよい。そのうえで、筆者としては、ヴェーバーが実際におこなったような、行為から論じ起こして国家まで論じる社会生成論的な「社会学の基礎概念」化のさいの論理構成の手前に位置する、ヴェーバーの「発生論」についてだけはここで繰り返し強調しておかなければなるまい。それは、ヴェーバーにおいて、情動的→伝統的→価値合理的→目的合理的といった社会的行為の系列の発生論的議論がみられる点と、カリスマ的→伝統的→合法的な支配の系列の発生論的議論であった。それらは、主体の相互行為論的構成を含めた発生論的な社会生成を問う理論系譜のさらなる展開のためにも重要な位置を占めるものでもあったからだ。

さて、このヴェーバー理解社会学を批判的に継承するシュッツは、ヴェーバーのように政治に言及することは比較的少なかったが、三〇年代と五〇年代に二度ほど本格的に政治関連の論考を著している。それは、尾高朝雄の著作への長い書評と、サンタヤーナに関する論文[15]である。まず、本書5章でふれておいた後者からみてみよう。

シュッツは、サンタヤーナが三つのレベルにおいて、すなわち新生児に対する親の支配にみられるような最初の権力と支配が生起する「発生的秩序」、相争う指導者や党派の間にみられる軍事性に着目する「軍事的秩序」、さらに理性という「調和」の能力を用いる民主主義にみられる「合理的秩序」という三つのレベルにおいて、社会と統治の問題を展開した道筋を丁寧に追う。そして結論としては、サンタヤーナの「世界内における人間状況の実存的経験」や「哲学的人間学の諸問題を系統立ててまとめる彼の真に哲学的な力量」などに賛辞を送りながらも、「人間的秩序を物理的秩序に基づけようともくろむ」彼の「形而上学的想定」には強い批判を行って稿を閉じる（Schutz［1964：224f.＝1991：301f.］）。それゆえ、この論文はサンタヤーナ批判の論文だと受け取られよう。

しかしながら、シュッツはなぜこの時期にこの論文を書いたのだろうか。それは、あくまでも推測の域を出ないが、シュッツ自身が『関連性草稿』断筆・フッサール批判の開始といった状況のなかで、より基底の社会関係の問題をより社会理論的問題として捉え直しつつ模索しはじめたからではなかっただろうか（本書5章注（5）参照）。つまり、フッサールの分析のなかで「もっとも満足のいかない部分」である「社会と社会集団に関する分析」が、発生論的に模索されたからではないか。この議論はやがて五〇年代半ばの二つの社会理論的著作、つまりシンボル論文（「シンボル・現実・社会」）と平等論文（「平等と社会的世界の意味構造」）に結実していく（Schutz［1964］）。そして、そこではすでにみてきたようなシンボル論と類型化論が提起されていた。こうした流れのなかで、この時期のシュッツによって法や政治の問題群が問われたのである。

ところで、法と政治の現象学的社会学に関してシュッツの系譜で注目すべき業績が三〇年代にもみられていた。それは、日本の法学者・尾高朝雄とのシュッツの交流にかかわる。ともにヴェーバー・フッサール・ケルゼンから大いに学び、ともに三二年に最初の著書を刊行し、ともに賛辞を送り合う関係であった二人の関心の重なり合いは興味をひく。(16) 少しく尾高に目を転じてみよう。尾高は、欧州留学後の一九三六年に『国家構造論』を刊行する。明らかに三二年の著書と深いかかわりをもつこの書で、社会・法・政治の三側面において国家を把握しようとする尾高にとって、議論のキータームのひとつは、「底礎」(Fundierung) ないしは「底礎の連関」(Fundierungszusammenhang) である。「底礎」とは、ほぼ同時期に書かれた論文においては、尾高によって次のように語られる。「現実的対象の実在は感性的知覚により直接所与によって端的に確証されたのであるが、範疇的直観による観念的対象の実在の確証は、それに対応する現実的対象の知覚の底礎を俟って初めて可能になる」(尾高［1957：287］、傍点は引用者による)。[17]

こうした尾高の現象学理解に関して、シュッツは三二年の尾高の著作を書評するなかで批判をするが(Schutz［1996：203-220］)、紙幅上その点にはふれないでおく。それ以上にここで着目しておきたいのは、尾高の法に対するアプローチの問題である。『国家構造論』において尾高は、「社会科学——より狭くは社会学——に云う国家の研究とは、国家を超個人的な客観精神として明らかにすることではなく、多数個人の事実上の行為をば、それ等の行為者が国家に就いて懐く主観的意味……に結びつけて理解し、かかる行為の経過や作用を記述闡明にすることに、他ならぬ」(尾高［1936：115］)とし、「法律の実在性を底礎するものは、その法律の規範的意味に応じて行動する多数人の事実行為である」(尾高［1936：336-7］、傍点は引用者)と明言する。もちろん尾高は、ここでいう「規範的意味」が間主観的なものであることも適切に指摘している(尾高［1957：302］)が、ここでのポイントは、尾高が「国家」や「法」を「事実行為」によって「底礎」されるとしている点であろう。われわれはこの尾高の現象学的社会学的な思惟のなかに、ヴェーバーおよびシュッツによる相互行為への着目と同じ視線を読み取ることができるように思われる。本章においては、法学や政治学と異なるこの視座にこそ、現象学に影響を受けた社会学における社会理論の構築へ向けたひとつの足掛かりがあるとして、大いに着目しておきたいと思う。

要するに、本章が示したいのは国家をまなざす現象学的社会学の視座を、シンボリックな制度表象(＝制象)論をも絡めながら、より基底の間身体的な相互行為論からの社会理論化の方向である。換言すれば、それは間身体性からの問いとしての自己・他者・〈間〉に準拠した意味社会学的な社会理論の可能性の追究と、そのさいの現象学的社会学の想像力の核心としての発生論的相互行為論を核とする発生社会学の展開方向を問うこと、であった。

さらに筆者自身の見解を付言しておこう。昨今の「暴力なき権力論」が暴力の問題を隠蔽する可能性があること（本書10章参照）、別言すれば、権力がその背後にある大文字の暴力とかかわることを軽視すること、この点はけっして看過できない問題ではないのか。ヴェーバーは力の概念とは別に、「支配」という概念を駆使した。その支配論の要諦は、被支配者（服従者）からの同意の調達である。だが、そのために必要なのは、表象装置による巧みな操作であるとともに、それを担保する暴力であった。そして、暴力はいうまでもなく間身体的な相互行為論的文脈で作動する。しかもそうした暴力発動の決定には、現時点では国家（軍事大国やEUのようなより大きな機関、ないし場合によっては「国連」）という最終審級が存在する。

かくしてここに、暴力の占有と、国家の法と政治（正統性表象・合意調達など）からなる「暴力装置＝表象装置」としての国家の問題が焦点になることはみやすいことであろう。身体的暴力論なき観念論的権力論は、棘を抜かれた平板な権力論に転じやすい。さらに、昨今、国民国家の動揺が語られ、グローバリゼーションという「ずらし」の話法（脱国家論はより大きな〝国家〟への包摂に横滑りする場合があることを無視する論法）もみられる。他方、情報社会化の進展とともに、日常表象に乗る形で情報社会と民主制への期待も語られるなか、上述の暴力＝権力観は古い発想と揶揄されるかもしれない。しかしながら、それは「古い」がゆえにいま見失われがちな重要な論点の所在を指摘し直すことになるのではないだろうか。

かくして筆者がとくにここで提起したかったのは、国家をめぐる議論のさいに問われなければならない論点が、暴力を含む間身体的な相互行為の現場と、日常表象の成り立ちと、その国家的な暴力装置＝表象装置の存立とを繋ぐ発生論的な視線上にあるということだ。あるいは、話の筋をみやすくするために次のように表現してもよい。

すなわち、いま問われているのは、「自立」した諸主観が織りなす社会的世界の理論的・規範的な社会学的探究（たとえば民主主義論や公共性論）のみならず、そうした諸主観自体の発生論的な「間主観的」生成の理路の探究である、と。それゆえ、いわば両睨みの中間領域的な日常という審級にこそ今日の意味社会学の探究の場があるし、そこでこそ発生社会学の社会理論の展開への方向性も開示されるであろう。国家および法と政治を語りだそうとするとき、現象学的社会学の道具立てが活きる場がここにあるように思われる。要するに、法学や政治学とは異なる、国家論へのこうした意味／発生の社会学的視線がいまこそ必要とされていると筆者は考えているのである。

シュッツは、専門家と市井の人との中間に、見識ある市民（well-informed citizen）という類型を対置した（Schutz［1964：120–134＝1991：171–189］）。しかし、この「見識」は、情報社会化と国際社会化の狭間で語られる素朴な「理想」とは位相を異にするところの、上述の（暴力論を含む発生論の）位相での、「相互行為と表象の社会学」といった間身体的な連関の議論において考察されるべきものであろう。その論点を引き継ぐ今日の現象学的社会学は、ネット・コミュニケーションと身体的コミュニケーションという両端の問題圏、あるいは「グローバリゼーション」といまここの「局地的」な間身体性という両端の問題圏の所在を指摘する。そうした両睨みを可能にする〈日常〉という〈中間領域〉からの想像力が、いま問われているのではないだろうか。

本章の最後に、このような国家論を含む制度論の基底の構図を簡潔にまとめ直しておこう。制度は一般に、発生論的な相互行為における三者関係において発生・生成し、相互行為に基づく言語的に物象化・制象化する土台のうえで存立しつつ進捗しかつ表象的に把握され、その幻影とともに暴力的な相互行為の実践のなかで導びかれる類型的行為から成る。制度とは、このようなより基底の事態に基づきつつ原的制度化と制象世界が絡み合った相互行為的な事態であった。国家もこの意味で制度のひとつである。本章は、現象学的社会学の社会理論からする制度論の概要を素描するものであるとはいえ、現象学的社会学の発生論的相互行為論をベースに、それが意識経験と意味生成とに着目する現象学と切り結ぶ接点において、制度の発生社会学という新たな視点の方向性を一瞥しえたのではないかと思う。(本章ではとくに強調しなかった課題である)国家への一種の社会意識論的アプローチを含めた意味社会学の課題呈示とともに、ここでは発生社会学のひとつの方向性と制度論のより基底からの生成過程に関する構図を示しえたことで、本章の本論部分に関する筆はおいておくことにしたい。

終章　発生社会学の社会理論へ——現象学的社会学の新たな挑戦

現象学的社会学は、「個人」に着目する「ミクロ社会学」だと語られてきた。しかしそれは誤解である。あるいは正確な言い方ではない。現象学的「社会学」が社会学である以上、それはむしろ人びとの〈相互行為〉に着目してきた社会学だというべきである。しかも、現象学が「始原に立ち返る」発想であるならば、現象学的社会学は発生論的相互行為論を学問の基軸とすると言い換えることが可能だと筆者は考えている。よく言われているような、現象学的社会学は単なる「主観主義」や「意識主義」でもない。もちろん、現象学的社会学が主観や意識に着目してきたことは間違いないし、そこにも大きな意義があると筆者はもちろん考えているが、その視線の矢印の先には明確に〈社会〉理論がある。それゆえ、より適切に表現するならば、現象学的社会学は主観に着目すると同時に、発生論的相互行為論を視軸にした〈社会の間主観性構成〉にも眼を向けてきた社会学である。だからこそ、権力や支配という社会関係や社会的な制度にも視線が向かうのである。以上の点との関連で、本書の最後のこの箇所で、筆者なりの現象学的社会学の視座や方法に関してもう一言付け加えておきたいことがある。

こうした発生論的相互行為論を視軸とする現象学的社会学の視線は、実のところマルクスの視線とも重なってくる。やや唐突な感があるかもしれないが、現象学的社会学の視線は、視座や方法に関していえば、マルクスの視線との間に一定の共通性があると筆者は認識している。そこで、マルクスの視座や方法に関する議論を取り上げ、その基本的スタンスに言及することで、これまでの本書のスタンスを再度浮き彫りにしてみたい。もちろん、ここで取り上げるのは、原始共産制を仮構し歴史を段階論的に発展してきたと普遍化する「マルクス主義」的な社会変動の考え方（史的唯物論）などの議論ではない。むしろ、ロシア革命以降に「発見」され論じられてきたマルクス研究の知見を含む、二、三の論点に論及してみたいのである。

まずは、疎外論である。若きマルクスは『経哲草稿』第一草稿で知られた「四重の疎外論」を、つまり人間の、①生産物からの疎外、②生産活動からの疎外、③類的存在からの疎外、そして人間の、④人間からの疎外、を展開していた（Marx［1944］）。この、一九三〇年代に〝発見〟された草稿に関しては、すでに否定的・肯定的に多様な議論がなされてきた。しかし、ここで筆者は、具体的・歴史的で日常表象的な物的現象面の「生産物からの疎外」から、歴史的な活動形式をとる「生産活動の疎外」を経て、さらに一段抽象度を増した自然的・精神的な「類的存在からの疎外」、そしてきわめて抽象的な人間の「人間からの疎外」にいたる、マルクスの議論の水準に着目してみたいのである。もちろん、この草稿の執筆後に、若きマルクスは「人間とは、その現実性においては、……社会的諸関係のアンサンブルである」とした有名な「テーゼ」を書き残しており、人間なる〝実体〟を単純に想定しているわけではない点は注記しておきたい。焦点は〈社会性〉にある。その点を念頭に置いてみると、先の四重の疎外論は、〈具体的なものから抽象的なものへ〉の水準を踏まえた記述になっており、しかもその第四規定は上述の三つの規定の「帰結」で、その焦点が人と人との関係に着目する水準になっている（加藤［1999］参照）。そこでマルクスが試みようとしたのは、「〜として」日常意識に見えている表象可能な具体的・歴史的な現在を、いったんより抽象的・基底的な形式の相互行為次元までたどり直し、それが背負う歴史社会的な「形式」を追い直すことで、現在の社会の成り立ちとその仕組みの存立を問うことであったのではないだろうか。

そのうえで、今度はその相互行為次元に着目しよう。この原基的次元で中心となるのは、マルクスの場合、何よりも「交換」という相互行為であった。そこで人びとは、等価という表象をもって交換という（経済）行為を取り交わすのではない。交換という相互行為が成立することで、それは等価の交換だという事実性とその表象が結果として生じるのである（高橋［1981］）。つまり、マルクスのこの視線において最初にあるのは、人々相互のVerhalten（関係行動）である。そこにマルクスは「関係」論のひとつの出発点を求めた。だから、最終的に『資本論』も「商品」から始められ、交換の場面での「価値」論が実質上の出発点になっていたのである（本書11章参照）。すでにふれたことだが、人と人との関係が物と物との関係として立ち現れる物象化過程がそこでも問われていたのである。

こうしたマルクスの「方法」を的確に示したのが、『経済学批判要綱』「序説」の「経済学の方法」（Marx［1857-8］）である。そこでマルクスは〈具体的なものから抽象的なものへ〉とたどり直す「下向法」を示し、そして得られた抽象的次元での原基的なものからさまざまに歴史的規定を受ける具体的な水準にたどり直す「上向法」を示す。『資本論』の構成にみられるように、交換過程から、生産過程・流通過程などをへて、最終的に（未完とはいえ）階級という具体的・構造的な側面にまで議論を上向法的に展開するのである。それは、本書の用語法を使えば、まさに発生論的相互行為のレベルまでいったん下向して歴史的・具体的に錯綜する事態を解きほぐしつつ、そこから具体的（関係的・日常的・現代的・現実的）なものへと論じ直す「批判的」方法である。いまある現状を学理知的に追認して論じるのではなく、まさにそうした（当時の）経済学における学理知的カテゴリーをも発生論的に批判・検討する視点、それがマルクスが一貫してとった「経済学批判」の道であったといえよう。

もちろん、アルケー（始原・端緒）をどこにとるかは難問である。マルクス自身も「生命活動」（Lebenstatigkeit）をしばしば語る（細谷［1985］）。われわれとしても、生命・生体という「生」は当然ひとつの出発点として考えざるをえない。現象学の生（活）世界論は、この点でもマルクスとふれあうのではあるが、しかし社会学としてこの問題を考えようとするかぎりは、むしろ生体「間」の関係、間生体性にも重きをおくべきであろう。現象学の用語法を再度採用するならば、「生（活）世界」における「間主観性」や「間身体性」こそ出発点であったといってよい。その間生体的・間身体的な生世界の現場からもう一度問いを立て直すこと、これが本書全体を貫く発生論的相互行為論の視点であった。

本書は、現在さまざまな領域で問われている自己・他者に関わる問題を、現象学的社会学を核とする社会学基礎論の視点から三者関係にも配視した関係論、つまり〈間〉の議論として原基的な場面を中心に考察してきたわけだが、その考察作業は発生論的相互行為論の視座からする社会および社会理論の基層の再検討という試みであった。もちろん、これまでの現象学的社会学の社会理論がもつ問題性を「意味学派」は問い直しはじめていたが、その意味学派の問いやスタンス自体がもつ不十分さもまた克服されなければならない。本書が試みてきたのは、シュッツやヴェーバーの解釈替えや、ミード研究やエスノメソドロジーの今日の知見などをも参照しながら、社会学の伝統をふまえた足腰のしっかりした社会学基礎理論に基づく「発生社会学」をふまえた「意味社会学」の社会理論の構築へむけた作業であった。権力・暴力・制度などといった問題は、言語の問題とともに、人間社会を構成する相互行為の基本的な論点である。にもかかわらず、今日の社会学は、こうした論点に必ずしも正面から挑んでいないように思われる。現象の表層論理やその整合性を求めるだけでなく、〈生〉の現場に立ち会いながら、相互行為の発生／生成と向き合っていく作業は、今後も続行されなければならないだろう。

本書の序章でも示しておいたように、「意味学派」とは異なる筆者の「意味社会学」は、「発生社会学」の「発生論的相互行為論」という理論的立場に立つ。その「発生論的相互行為」は、①歴史社会論的・系統発生的な発生論的相互行為論、②行動発達論的・個体発生的な発生論的相互行為論、③存立構造論的・関係発生的な発生論的相互行為論からなるが、各々の相互行為はもちろん重なっている。①の相互行為は、③の相互行為のもとで②を繰り返すわけであるし、①自体が③のもとで②によって形成されるなど、そこに重なりがあることはいうまでもない。本書では、①を地平として、②と③とを主題とした「発生社会学」を論じてきた次第である。社会学という学問系譜において、意味社会学の中核となるべき現象学的社会学が「発生社会学」の視点から社会理論研究を展開するための土台作りが、本書で目指されたわけである。

筆者としてはさらに、一方で、①言語・性・差別・法・政治、そして共同性と公共性といった問題圏から、国家論や脱国家論（そのなかには、既存国家内部からの脱国家への傾動も含まれる）への現象学的社会学における社会理論の展開をめざす課題と、他方で、②「戦後日本の社会と思想」という系譜学的関心からする現代日本の国家社会の知識社会学的・社会意識論的な検討の作業を継続していくつもりである。だが、これらの作業はともに、基本となる視座の再検討を同時に遂行していかなければ、作業自体が単なる現象記述の域を超えないことになろう。それは、筆者がとるスタンスではない。筆者は、社会学の学説の歴史から学びながら、その知見をさらに豊穣なものにすべく、現象学的社会学の立場から社会理論の再検討に挑戦してみたいと思っている。それが、社会学研究者の視点からなしうる、社会理論への理論実践的な寄与だと考えているからである。こうした作業は、一見して地味な作業ではあるが、現代の社会学にとっても必要不可欠な作業であると確信しているのである。今後も筆者はこうした作業を継続すると末尾で語っておいて、ひとまず本書を閉じておきたいと思う。

各章の注

【1章】

（1）たとえば、代表的な文献として、上野［1987］、井上ほか編［1995a, b, c］、豊泉［1998］、さらに関連する文献として、浅野［2001］などをあげておくことができる。なお、自己の「語り」に着目して「自我を枠づけるものとしての他者の縮小」を描いた片桐［2000］も興味深い。

（2）土居健郎の『甘えの構造』（1971）や小此木啓吾の『モラトリアム人間』（1979）、さらには三田誠広の小説『僕って何？』（1978）といった文献が七〇年代の象徴的なものとしてあげられる。

（3）なお、具体例は杉本・マオア［1982］にあげられているので割愛するが、日本人論の常識を批判するものとしてもこの文献をあげることができる。また、それとの関連で、集団主義というよりも他者への気遣いという、いわば相互行為論的文脈で日本人を特徴づける文献としては、木村［1972］、浜口［1982］、荻野［1998］らをあげておくことができる。

（4）これに関連する文献としては、小谷編［1993］、小谷［1998］を代表的なものとしてあげておく。

（5）ここでは、こうした一般的用法に従って、シンボリックに「デカルト」を語っているにすぎないことを注記しておく。

（6）こうした論点が、フーコーのいう規律（ディシプリーヌ）と関係していることはいうまでもないだろう。フーコーに関しては、本書10章などでも言及している。

（7）上下関係に関しても、本書10章の権力と支配の箇所で実質的にふれることになる。

（8）ここでは、いわゆる超越論的還元と形相的還元との相違には立ち入らないこととする。この点については、最近の著作として斉藤［2002］や谷［2002］を参照されたい。

（9）レヴィナスに対するシュッツの高い評価（の証言）については、西原［1997］を参照願いたい。また、レヴィナスについては熊野［1999a］［1999b］が参考になる。

【2章】

（1）この点に関しては、とりあえず、シュッツの音楽論に着目した拙著『意味の社会学』（西原［1998a］）のV章を参照願いたい。もちろん、本書の第II部でさらに詳細に論及するつもりである。
（2）類型化に関しては、西原［1985a］［1985b］のほか、拙著『意味の社会学』（西原［1998a］）の第VI章を参照されたい。すでにそこで基本的なことは論じておいたので、本書ではこの概念に関して立ち入って論及することはしない。
（3）さらにはここに濃淡の差はあれ、「近代」以前の人びとにおいても、と筆者は付け加えたい。
（4）こうした論点をめぐっては、拙著『意味の社会学』に関する、西阪仰によるコメントと西原によるリプライ（『現代社会理論研究』第8号、1998）があり、また浜日出夫と西原の間でもコメント・リプライのやりとりがある（『ソシオロジ』44—2、1999）。参照願えれば幸いである。

【3章】

（1）ただし、「現象学的社会学」（phenomenological sociology）の名を冠した著作は、Psathus［1973］が最初であろう。現象学的社会学という呼び名に関しては、ルックマン自身は否定的であるが（本書6章参照）、ここではとりあえず、学説史上で通用している名前として用いておく。
（2）パーソンズの個人史的研究は高城和義（たとえば高城［1992］）によって進められた。なお、二〇〇二年がパーソンズ生誕百年で、日本でも記念シンポジウムが開催された。パーソンズ研究の最近の成果は、油井［2002］を参照されたい。
（3）本書とは視点を異にするが、社会学において、構造や機能の文明と対比させてポストモダンの「意味の文明」を説く今田［2001］の議論があることも付け加えておく。
（4）「間生体的」という表現は、「間身体的」よりも基層の事態を指す語として用いているが、その境界は流動的である。この言葉は、むしろ〈生〉ないし〈生世界〉における Leben の生と深いかかわりをあるものとして、今後も使っていくつもりである。なお、こうした発生論的視点との関係で筆者が着目してきた（本文では取り上げていない）日本社会学の九〇年代の文献として田中［1990］、大澤［1990］、真木［1993］、作田［1993］、高橋［1996］［1999］などがあることを付記しておく。
（5）なお、この文は、メルロ＝ポンティの「哲学者と社会学」（Merleau-Ponty［1951＝1969：158］）からの引用であるが、訳文はギデンスの訳書に従った。
（6）ギデンズの興味深さは、彼の構造化理論にあるというよりも、彼が繰り返し社会学（や哲学）の古典に立ち返ろうとしたかつての姿勢と、たとえばアダムのような『時間と社会理論』（Adam［1990＝1997］）という社会学における野心的な業績を産出する新しいタイプの社会学者を生んだことにあるといえば、ギデンズには酷な言い方だろうか。

【4章】

(1) ウィーン時代のシュッツの生活史に関しては、森元孝の優れた研究がある。森［1995］を参照されたい。

(2) その後、一九九六年になって、サーサスらの努力によって『著作集』の原著第4巻（Schutz［1996］）が編集、出版された。

(3) 五章からなるこの書物の章タイトルは、順に「序論的考察」「自己自身の持続における有意味的体験の構成」「他者理解理論の大要」「社会的世界の構造分析」「理解社会学の根本問題」であり、各章を貫通して五十の節からなる。なお、この章構成にもかかわる中村［2000］の興味深い議論がある。

(4) この論文は、拙編者『現象学的社会学の展開』（西原編［1991］）の跋文として書かれたものである。

(5) なお、廣松の『存在と意味』第二巻に関しては、筆者自身が「図書新聞」で長い書評を記したことがある。西原［1994］に採録されているので、参照願えれば幸いである。

【5章】

(1) 佐藤［2000］は、シュッツの生涯における包括的な理論構築の企図（「建築への意志」）を四つほどあげて興味深いものだが、残念ながらこの新しい著作の企図にふれていない。

(2) この「中間領域」論の意義のひとつが、ニヒリズム批判に由来している点を指摘しておきたい（本書8章注（6）参照）。詳しくは、Grathoff（1985：134＝1996：161］を参照されたい。

(3) 実験と数学が中心の科学的方法、シンボルや言語が問われないこと、用語の不明瞭さ、個人や経験が軽視されていることへの批判である。なお、プラグマティズムに関しては、本書8章も参照されたい。

(4) なお、ミードと関連の深かったC・H・クーリーに関しては、第一次集団、鏡に映った自我、などが好意的に言及されている点を指摘しておく。

(5) シュッツは、五二年にサンタヤーナ論を公刊した。サンタヤーナの発生的秩序、軍事的秩序、合理的秩序の三秩序からなる「社会と統治」論をていねいに追った後、結論としてシュッツは「何かが基本的に間違っていると感じる」（Schutz［1964：224＝1985：302］）として、サンタヤーナを全否定するかのようにみえる。しかしながら、われわれは次のように問うことができる。なぜシュッツは、このように全否定するような論文を書かざるをえなかったのか、と。それはその時期のシュッツの関心の所在を示すもので、そのスタンスは、後述する『イデーンII』のさいのそれと同型であろうと述べておきたい。

(6) 『シュッツ著作集I』の編者ネイタンソンは、この「かつて」という点を無視して、五二年の論文を編注で指示しているが、時間的な順序はおかしい。相互同調関係について四四年に中断された音楽論では内容的に重なる記述は多いが、用語としては管見の限り見いだせない。さらに検討は必要だが、しかし確実に四六年の「見識ある市民」でシュッツはこの語を用いている。「相互に自生的に対向し合い、相互に自分自身が自生的に『波長を合わせる』ことをしながら、われわれは少なくともある程度まで固有内在的な関連性をともに共有しているのである」(Schutz [1966 : 128 = 1985 : 181])。この「かつて」が、このことを指す可能性がある点を指摘しておく。

(7) 四六年の書簡 (Grathoff [1985 : 152 = 1996 : 179])。シュッツもまた、五二年に「えげつない」(salaud) (Grathoff [1985 : 295 = 1996 : 317]) と批判的に彼に言及していることは確かだ。

(8) この手紙は、一九五六年二月二十日付。メルロ＝ポンティのシュッツに対する寄稿依頼に関するやりとりのなかで示されている。なお、一連のシュッツとメルロ＝ポンティとの手紙は、イェール大学バイニキー図書館に所蔵されている。

(9) この英訳は、フロリダの現象学高等研究所に残されている。参照する機会を与えて下さったL・エンブリー教授に謝意を表したい。

(10) 以上の論点は、『生活世界の諸構造』(没後、ルックマンとの共著の形で出版) を執筆するためのシュッツ自身の晩年近くの「ノート」の内容と重なっていることも付け加えておきたい (Schutz [1984])。

(11) ルックマンとのこの共著に関して、ネイタンソンは、それ (本章の注 (10) の「ノート」以外) がルックマンの研究であると示唆する。西原 [1996] 参照。

【6章】

(1) この点に関しては、拙著『意味の社会学』のVI章ですでにふれているので、参照願いたい。

(2) すでにたびたび用いてきているが、ここであらためてこの語について補足しておく。かつてルックマンは、「現象学的社会学といったものは存在しないし、存在しえない」と述べた (Luckmann [1979 : 196])。しかしながら、筆者としては、後に述べるような筆者なりの観点から、この現象学的社会学という語をむしろ積極的に用いたいと思う。

(3) 前章でも一部ふれたように、その視点はシュッツの文献のうえでは四六年あたりまでたどり直すことができる。また、後期シュッツには「モーツアルトと哲学者たち」という優れた音楽論がある。なお、こうしたシュッツの音楽論への着目に関しては、早い段階ではゼイナー（Zaner［1961］）の論考があり、ウィンターニッツの証言（Winternitz［1970］）もあり、また最近では西原［1994］、Kazashi［1993］［1995］、さらにはMacDuffie［1998］、李［2000］が音楽と間主観性との関係に言及している。

(4) 類型化のさまざまな含意に関しては、Barber［1988］をみよ。さらにワーグナーは、「シュッツは類型化の現象学と社会学に多大な貢献をした」と述べる（Wagner［1983：293］）。しかしここでは、より基底にある類型化の認識論的諸相に筆者の言及を限定しておく。

(5) 厳密にいえば、シンボルの定義は、シュッツ自身によって同一論文の後半で次のように再述される。すなわち、「シンボル関係は少なくとも二つの限定的な意味領域に属するモノ（entities）の間での間接呈示的な関係性であって、間接呈示するシンボルは日常生活の至高の現実の一要素である」（Schutz［1962：343］）。ちなみに、シュッツが論じた目印や指標といった他の間接呈示的指示関係は、シンボルの生成を問題にする本書では取り扱わない（西原［1998a］付章参照）。

(6) なお、この論文は「シンボル・現実・社会」論文の後に書かれたものである。

(7) リズムに関しては、森元孝が初期シュッツ段階でのベルクソンとの関係のなかで的確に指摘しているので、あわせて参照されたい（森［2000：49］）。

(8) なお、geneticとつながりのあるgenealogyという用語も、シュッツによってパーソンズ宛の書簡の中で用いられていた（Schutz & Parsons［1978：10］）。しかしながら、すでに何度もふれているように、本書ではこの用語をシュッツ現象学的社会学の位相、とりわけ社会の発生／生成（genesis）に対するシュッツの関心の位相を指示するのもとして選定されている。筆者の着目点は、現象学の発生論的位相と社会学によって陶冶されてきた相互行為論的位相とを結び付けて考察を深め、その視点から社会理論の考察へと押し進めることにある。

【7章】

(1) 日本の先駆的な社会科学者や哲学者などが留学で現象学の地に直接赴き、戦前にシュッツのこの著作にもふれていたのである。なかでも、日本の法学者、尾高朝雄は留学先でシュッツと親交を深め、シュッツもこの著作の中で尾高への謝辞を記している（尾高も自著Otaka［1932］で言及）。イェール大学図書館にあるシュッツの草稿群に混じって、尾高家の家族写真が私信のなかに見いだせるように、両者は家族ぐるみで付き合いをするほど親しかったようだ。だが、その尾高は、五六年、東大法学部長時にペニシリン禍にあって命を落とすことになり、シュッツもまた程なくして亡命先のニューヨークで五九年に世を去る。そして時代は六〇年代にいたる。

（2）一九五四年一月十九日付のシュッツからガーフィンケル宛の返信で、ガーフィンケルがシュッツとパーソンズを鋭く対比したのに対して、シュッツは一定の留保を記している。

（3）ガーフィンケルがその著『エスノメソドロジー研究』であげているシュッツの文献は、四三年の「社会的世界における合理性の問題」、四五年の「多元的現実について」、そしてせいぜい、四〇年代のシュッツ方法論の決算報告ともいえる「人間行為の常識的解釈と科学的解釈」（一九五三年）どまりである。

（4）この論文の著者のうち、山崎は十年後に書かれた著作において回顧し、この論文のデータが「男女差を説明すると解釈するかぎりにおいて、不十分であると考える」という。山崎［1994：49］を参照。

（5）「修復主義」という言い方は西阪仰のことばである。西阪［1996］、参照。

（6）もちろんリンチ（Lynch［2000］）のように、科学の現場を取り扱うエスノメソドロジーも確かに存在し、興味深い知見を提供してくれるが、発生論という視点を共有しているわけではない。クルターやリンチといった今日活躍しているエスノメソドロジストは、明らかにヴィトゲンシュタインから強い影響を受けている。Cf., Coulter［1992］, Lynch［1993］.

（7）シュッツは、この『危機書』の基になった講演に立ち合っているし、いちいちここではあげないが、この書からしばしば引用している。また、グルヴィッチとの書簡においても、彼がこの書を熱心に読んでいた様子がわかる。Cf., Grathoff［1985＝1989：230f.］

（8）こうしたフッサール批判の明示化と同時に、すでにふれたように、シュッツは五〇年代後半シェーラーの読みに沈潜していく。その時期のシュッツにとっては、いろいろとシェーラーに共感するところがあったのだろうが、とくにここでは、シェーラーのカント批判が着目できる（Schutz［1966：155–163］）。シュッツは、シェーラーがカントの理性主義的偏向を問題にし、情動を復権させようとしていたと考えていたように思われる。シュッツが共感するひとつの論点がここにある。

【8章】

（1）なお、後にもふれる「時間性」との関係でミードの「社会性」を論じたものとして、近藤［1990］がある。

(2)　こうした社会的な関係性を問う視点が、ミードにおいては第一次世界大戦の不幸を契機として、国際関係レベルまで及んでいたことは、忘れられてはならないだろう。この点は、『精神・自我・社会』の第4部を一瞥しただけでも理解されるはずである。さらに、ミードの系統発生的な議論に関しては、後藤［1987］も参照。

(3)　一例として、Watson［1930］の訳者解説を参照されたい。そこでは、プラグマティズムがアメリカのブルジョワ思想だと記されている。

(4)　ミードは、『現在の哲学』において、現在（present）におけるpassage（筆者は「通行」という訳語を考えている）という「動き」を強調している。そして筆者は、そのなかでもとくに、becoming（生成）が基底的なものだと読んでいる（Mead［1932：19］）。生成とはまさに「生」の時間的問題でもあるというのが筆者の読みである。

(5)　この論考（ノート）は、一九四三年のニュースクールにおける「社会的行為の理論」という講義の準備のために書かれたものから、ワーグナーによって編まれたものである。なお、すでにふれたことだが、シュッツはほぼ同時期の論文「多元的現実について」では、一九五四年の論文では「ミードの「刺激―反応図式の無批判な使用法」（Schutz［1962：223＝1985：30］）を批判しているが、一九五四年の論文では「ミードがすでに指摘しているように、行動主義は……観察する行動主義者の行動を説明できない」（Schutz［1962：54＝1982：116］）と好意的に論及していたのだった。

(6)　なお、この「中間領域」については、Grathoff［1985：133］、およびSchutz［1996：147-151］を参照されたい。シュッツのニヒリズム批判から発すると思われるこの議論は、諸学問領域の中間（たとえば、哲学と社会学）、抽象と具体、理論と実証、研究者と日常生活者、専門家と市井人、などが射程にある。

(7)　このパースペクティヴ論を、「行為の観点」および「関係性」として切り出した徳川［1993］を参照されたい。

(8)　なお、本節は、小川［2000］に教えられるところが多々あったことを記しておく。

(9)　この問題は、さらに制度を考えるときに問題にされる論点である。本書、11章、12章、参照。

(10)　ミードとボールドウィンとの関係については、加藤［1995］などの諸論考に示唆的な記述があるので、参照されたい。

(11)　このように「一端」と述べたのは、ここでは述べる余裕はないが、さらに規範と暴力の関係を論じる必要があるからである（本書、10章、12章、参照）。

(12)　ミード解釈におけるこうした二つの流れに関しては、船津［1987］に詳しいので参照願いたい。

【9章】

(1) その他は『主観性の政治学』と『社会運動の理解』である。文献欄を参照されたい。彼の論文の邦訳もある(Crossley [2001＝2002])

(2) なおここでクロスリーも指摘するのだが(Crossley [1996：14])、また筆者も後にふれるように、(後期)フッサールに関しては「生活世界」という興味深い道具立てもあることを、フッサールの名誉にために急いで付け加えておきたい。

(3) ここで筆者は、公共性を、公的(official)で共通(common)の開かれた(open)あり方の市民的共同性を示す一般的指示語として用いている。齋藤 [2000] 参照。

(4) フクヤマへの着目と評価は、彼が欲望の問題をきちんと論じつつ間主観主義的な議論を呈示しているという点にもあるが、この点はここでは指摘だけにとどめておく。

(5) ハーバーマスを論じたこの段階のクロスリーは、その後、一方でより基底的なブルデューの「ハビトゥス」論に検討の比重を移しており(Crossley [2001＝2002])、また他方では具体的な社会変動を見据えた社会運動論を検討の射程に入れている(Crossley [2002])。

(6) そのほかにも、著作として前半と後半の繋がりの形式的構成の問題や、EUの現状をふまえた民主主義論が、後発国の民主主義の現状とどう絡み合うのかという問題などもあるが、ここでは指摘だけにとどめておく。

【10章】

(1) 念のため、これらの類型の定義のポイントを掲げておく。情動的行為は「アクチュエールな情動や気分によって、情動的であり」、伝統的行為は「なじんだ習慣による行為」である。なお、価値合理的行為にもふれておけば、それは「ある行動の絶対的に固有な価値を、(中略)まったく純粋に、結果を顧慮せずに、意識的に信じることによる行為」である(Weber [1972：12])。さらに、目的合理的行為に関していえば、たびたび指摘されてきたことだが、この類型は目的―手段連鎖のうちの手段の合理性がポイントである。目的それ自体はよりいっそう、価値関係的であるといわざるをえないだろう。なお、本章の後述[3]節以下、参照。

(2) こうした点に関しては、物象化を考えるときには重要となる。そうした物象化概念との関係でヴェーバー行為論を論じたものとして鈴木 [1995] を参照されたい。ただし、ここではこれ以上立ち入らず、筆者の関心の所在を示すにとどめる。

(3) なお、ここで(暴)力一般と表現したが、力は、たとえば多数による少数の他者への圧力のような数の問題(数の力)

ともかかわる。この点はジンメル（Simmel［1908］）が着目した点であるが、本書では立ち入らない。

（4）この図を、第一象限から第四象限へとたどれば、ヴェーバーの行為の四類型の配列順になる。なお、この軸の立て方は、厚東［1977］と一致するが、ただし日常性―非日常性の軸の取り方は逆になっている。厚東は、価値と欲求の系列に注目し、闘争軸と秩序軸を導き出して示唆的であるが、本書の視座とは異なっている。さらにこうした行為類型の分類の議論に関しては、中野［1983］も参照されたい。

（5）そして、それらが物象化の機制の一側面としての制度化（後述）の議論につながることも指摘しておくことができる。

（6）木村敏に関しては、『あいだ』以降の彼の著作を、小川侃に関しては、とりあえず小川［1995］を参照されたい。

（7）次章以下でみるように、身体的暴力の問題は、「自他分立」の端緒的契機として筆者が重視している論点であることを付け加えておきたい。

【11章】

（1）社会学において、制度を理念的存在、意味的存在と位置づけた比較的最近の業績は盛山［1994］を参照されたい。ただし盛山のこの文献においては、理念性、意味性への立ち入った考究はみられない。

（2）なお、この「二十世紀」に関していえば、おそらくそれは、狭くとればロシア革命をもってはじまり、主要な社会主義国の崩壊が幕引きとなる世紀であったといっておくことができるが、ここではもう少し広くロシア革命を導くまでの世界史的事態などを視野に入れて規定し、本格的な帝国主義段階の到来をみた一八九〇年代を二十世紀の開始とみることができよう（そもそも十九世紀も、一七八九年のフランス革命がその分水嶺だとすれば、一八〇一年からだとは単純に言えないのと同じである）。そして、その終わりに関しては、主要な社会主義国の崩壊といった事態が「二十世紀の終焉」を象徴する出来事になる可能性も高いであろう思われるので、現時点では一九九〇年前後までとしておきたい。

（3）この論者たちの見解に関しては、『情況』一九九九年四月号別冊「現代社会学の最前線［1］20世紀社会学の知を問う」の関連諸論文を参照されたい。本書とは議論の視角が異なるにせよ、そこではこれらの各論者の社会学的見解が簡潔に示されている。

（4）バーガーとルックマンは、『現実の社会的構成』において、シュッツの知識社会学を基盤としながら、主観的現実の世界と客観的現実の世界の統合を説いたが、両世界の生成を十分に論じることはなく、両者を足し合わせた感があるという意味である。Cf., Berger & Luckmann［1966＝1974］.

（5）たとえば、この構築主義アプローチの最近の日本のすぐれた業績である中河［1999］においては、こうした方向性が明示されている。とくに同書第七章などを参照されたい。また、この方向性の源流は、ヴィトゲンシュタイン派エスノメソドロジーの流れを汲んでいるといってよいであろう。この点に関しては、西阪［1997］を参照されたい。もちろん構築主義が、現代社会において自明視されがちな事態（たとえばジェンダー問題）が社会的構築物にすぎない点を鋭く指摘する側面はたいへん刺激的である。この点については、上野編［2001］を参照されたい。なお、構築主義のもつ問題点については、天田［2001］を参照のこと。

（6）一九七五年の古野訳では「激昂」と訳されているが、人を忘我状態や変身へと導き、さらにデュルケムにおいて宗教観念の生成を説明するものとなっているのが、この集合的「沸騰」概念である（Durkheim［1912＝1975：393］）。この概念でもって、デュルケム社会理論を「〈制度論〉として読み解く」作業のキーワードとしたのが中島［1997］の労作である。中［1979］や大野［1993］とともに、教えられることが多い書物である。

（7）「社会システムの概念上の単位は役割である」とするパーソンズの役割論に関する議論を含む「役割と制度」に関しては、西原［1998a］のⅨ章を参照されたい。

（8）以上の議論を、次章では発達心理学の知見を参照しながらもう少し詳しく論じている。さらに、生と死の問題圏、とりわけ無意識ともいえるような個体の死の恐怖、あるいは身代わりできない自己の死の問題、こうしたことも自己他者関係において興味深いが、ここでは指摘するだけにとどめておく。

（9）なお、時間論一般に関する社会学的接近に関しては、Adam［1990］が刺激的であり、そこでもリズム性が強調されていることを付言しておく。

（10）この論点に関するものとして、さらに〈生〉における恐怖や不安への対処、〈生〉におけるエコノミーの視点、などをあげることができるが、当座の問題には響かないのでここでは議論を割愛する（この点に関連して、西原［1998a］のⅨ章の図を参照されたい）。

（11）言語的（会話的）場面に限定されがちだとはいえ、エスノメソドロジーの会話分析は制度の相互行為的達成の場面を記述している。たとえば、岡田［1996］参照。

（12）なお、デュルケムの発生論に関しては、呉［1995］が文献的な考証をおこなっているので、参照されたい。

（13）ここでは立ち入らないが、リズムの問題圏という点では、中村雄二郎の制度論におけるリズム性と重なることも指摘しておきたい。中村［1998］、参照。

【12章】

(1) 以上の①~③の区分に関しては、三者関係ということが明確には示されてなかったが、すでに西原［1994］で示しておいた。

(2) シュッツのいう適合性の公準とは「個々の行為者が［研究者による］類型的な概念構成によって指示されたように生活世界のなかで行為を遂行するならば、そうした人間行為は、その行為者の相手にとってと同じく行為者自身にとってもまた、日常生活の常識的な解釈という観点から理解可能であろう、というように［研究者によって］構成されていなければならない」(Schutz［1962：44＝1983：98］、なお［ ］内の補足は引用者）ということであるが、これは広義における科学の方法論の基本的「要請」(postulate) である。むしろこの要請を軽視し、観察対象者に内在すると方法的に無自覚に言明することこそが、知らず知らずに観察者を特権的な位置に置くことになるように筆者には思われる。大事なことは、科学それ自体も相互行為的な事象であるという関係性をおさえることである。

(3) なお、以上の例はあくまでも例示であって、それらの例が同列・同レベルにおかれるわけではない。生の関心に導かれた間生体的諸力の、類型化的分節を核に、リズムとエロスの例にみられる結合面と身体物理力＝暴力発動を核とする分離面が例示されたにすぎず、加えてたとえば暴力が形式的にせよ人と人とを結び付けるといった事態もより高次なレベルでは考えられていることは追記しておきたい。西原［1998a］を参照されたい。

(4) この点に関する入手しやすい文献としては、たとえば野村［1980］、岡本［1982］以降、多くの概説がある。

(5) 能力論を中心とするピアジェの議論はこの過程に関する透徹した議論を欠いているように思われる。浜田［1994］参照。

(6) もちろん、このようなまわりくどい言い方をしたのは、はじめから第三者を例にとって三者関係を語ることができるからである。ただし、原初的役割という概念的道具立てをまだ述べていないので、ここではこのような言い方で甘んじておかなければならない。なお、自他関係に加えて、第三者への覚識と不在・非在の象徴的理解も、間主観的な生活世界ないしは相互行為における原初的な役割協働連関の生成が要諦となる。したがって、つぎのパラグラフで役割論的立論を語りはじめることとなる。

(7) こうした役割概念に関しては、廣松［1996a］、および西原［1998a］のⅨ章、参照。

(8) この点に関しては、発達心理学のこの方面での新しい知見をわかりやすく論じている無藤編［1991］参照。

(9) バーガーおよび伝統的な社会学用語を用いれば、人びとはいわゆる〝社会化〟の過程で、そうした制度的な指令機能ないし規則を個人のうちに〝内在化〟するといってもよい。しかし、こうした言明は社会と個人を二分法的に物象化された局面でなされた論点先取りの議論である。前章でふれたように、人口に膾炙されるデュルケムの集合意識を中心とする制度論の側面——それだけではないことをすでにわれわれはみてきたが——は興味深い知見を残してくれたが、そうした側面だけでデュルケムを理解するならば、それは物象化された準位の理解であることをここで確認しておきたい。

(10) 制象なる造語は筆者自身の用語であるが、山本哲士も異なった意味ではあるがすでに用いていたことを記しておく。山本［1983］参照。

(11) ここでは象徴的言語による物事の間主観的な象徴的把握を念頭において語っている。

(12) 広義には、先にみたように、三者関係において、A—Bのある種の結合の持続がCにおいては〈排除〉を伴うような形で影響を与えるケースも含めることができる。

(13) この点に関し、フーコーのいう見えない形で作動される身体的な「従属化＝主体化」の形成それ自体も、こうした関係性を欠いてはありえない。なお、サンクションはもちろん否定的な制裁だけではなく、肯定的なサンクションをもって、たとえば褒めることで、行為を方向づけることがあるが、この点に関してはもう少し立ち入った議論が必要であろう。ここではフーコーの「従属化＝主体化」の議論（本書10章）をもって言語的・制度的な拘束性の側面を問題として指摘するにとどめておきたい。

(14) シュッツは、たとえばジョン・ブル（イギリスのこと）やマリアンネ（フランスのこと）やアンクル・サム（アメリカのこと）の政治風刺漫画などを例示している（Schutz［1964：353＝1991：193］）。

(15) シュッツが問題にしたサンタヤーナの論考は、Dominations and Powersである。Schutz［1964＝1983］を参照のこと。

(16) Schutz［1932］とOtaka［1932］であり、ともに序においてシュッツは尾高への謝辞を記し、尾高もカウフマンらへの謝辞とともにシュッツへの謝辞を記していた。

(17)「国家は法によって組織された社会であり、且つ、法を越えての政治活動をも営む団体であるから、国家の全貌は、社会・法・政治、の三側面から総合的に把握されることを要する」（尾高［1936：5］、傍点は原著者。なお旧字体は現代風に改めた＝以下同様）。

あとがき

本書は、筆者がおもにここ五、六年の間に執筆して各種のメディアにすでに発表してきた論考を中心にし、それらに全面的に手を加えて出来あがったものである（そして後述のように、本書の大部分は、もともと筆者の学位請求副論文としてまとめられたものであった）。筆者は一九九八年に単著『意味の社会学―現象学的社会学の冒険』（弘文堂）を上梓しているが、主としてテーマ上からその書には収録しなかった論考と、その書で課題とされてきた問題群をさらに考え続けるうえで出来あがってきた論考とをまとめて一書に書き改めるつもりでいた。本書はこのような経緯のなかでなされた大幅な書き換えを含めて誕生したものである。それゆえ、初出の論考とはかなり形の変わっているものもある。そこでまず、初出時の書誌的データとその変更点とを以下に記しておきたい（なお、序章と終章は書き下ろしである）。

1章：原題「自己から社会へ―現象学的社会学の社会理論」『現代社会学研究』VOL. 14（北海道社会学会、二〇〇一年）。ただし、大幅な加筆変更が施されている。

2章：原題「他者と関係の社会学」『岩波講座 現代社会学3 他者・関係・コミュニケーション』（井上俊ほか編、岩波書店、一九九五年）。ただし、大幅な加筆と変更が施されている。

3章：原題「「意味の社会学」の視圏―「忘れられた意味」から「語られない意味」へ」『岩波講座 現代社会学別巻 現代社会学の理論と方法』（井上俊ほか編、岩波書店、一九九七年）。ただし、若干の加筆変更が施されている。

4章：原題「アルフレッド・シュッツ」『現代思想ピープル一〇一』（今村仁司編、新書館、一九九四年）、および「解説」『廣松渉著作集』第六巻（岩波書店、一九九七年）。ただし、いずれも大幅な加筆が施されている。

5章：原題 On Genealogical Thinking in Schutz: Toward a deeper level of intersubjectivity. 一九九九年五月ドイツのコンスタンツ大学で行われた「シュッツ生誕百年記念・国際シンポジウム」での英文の発表原稿。その後、『現代社会理論研究』第九号（人間の科学社、一九九九年）に翻訳して収録。ただし、若干の加筆と変更が施されている。

6章：原題「ニューヨークのシュッツと現象学―五〇年代シュッツ現象学的社会学の新地平」『アメリカ社会学の潮流』（船津衛編、恒星社厚生閣、二〇〇一年）。ただし、若干の加筆を施した。

7章：原題「シュッツとエスノメソドロジーの視座」『20世紀社会学理論の検証』（北川隆吉・宮島喬編、有信堂、一九九六年）。ただし、大幅な加筆変更を施した。

8章：原題「ミード理論からの示唆―社会行動主義と発生論」『現代社会理論研究』第一〇号（人間の科学社、二〇〇〇年）。若干の字句に変更を施したが、ほぼ原文通り再録。

9章：原題「間主観性への問いと公共性論への回路―ニック・クロスレイの冒険」『年報社会科学基礎論研究』第一号（ハーベスト社、二〇〇二年）。ただし、若干の増補を施した。加えて、人名クロスレイの表記を原音に近いクロスリーに変更した。

10章：原題「ヴェーバーからシュッツへ、そして……」『現象学的社会学の展開』（西原和久編、青土社、一九九一年）、および「行為・権力・支配―ヴェーバーと現象学的社会学」『理性と暴力』（現象学・解釈学研究会編、世界書院、一九九七年)。ただし、とくに前者を大幅に圧縮して変更も加えた。

11章:原題「制度論:序説―社会学における〈制度の発生論〉のために」『情況別冊　現代社会学の最前線[2]現代社会学のトポス』(情況出版、一九九九年)、および「法と政治の現象学的社会学」『現象学年報』第一七号(日本現象学会、二〇〇一年)の一部。ただし、大幅な増補と変更を施した。

12章:原題「制度の発生―制度論への現象学的社会学の視圏」『現象学的社会学は何を問うのか』(西原和久・張江洋直・井出裕久・佐野正彦編、勁草書房、一九九八年)。および「法と政治の現象学的社会学」『現象学年報』第一七号(日本現象学会、二〇〇一年)の一部。ただし、大幅な増補と変更を施した。

こうした論考を執筆する間に、筆者の職場の異動もあって多忙を極めたが、幸い新旧の職場の同僚や研究仲間、そして学生・院生に恵まれ、仕事にも集中することができた。すべての人の名を挙げて御礼を述べることは割愛させていただくが、ほんとうに感謝に堪えない思いである。とくにここでは、筆者が現在所属する名古屋大学の社会学講座の同僚、および筆者の「生まれたばかりの状態」の着想に根気よく付き合ってくれた研究仲間と院生諸君にまず謝意を表しておきたい。

新しい職場の研究室に夕方ひょいと顔を出して、やや興奮気味に手にしていたゲーテ関連の本の一節を差し出し、「これ、先生の考えと重なるのではないですか」という示唆を与えてくれた名古屋大学の院生には驚かされた。彼が差し出した本の一節には、次のようなゲーテ『ファースト』(高橋健二訳)の一節が記されていた(『ファウスト』第一部一二二四-三七行、ファウストが聖書のヨハネ伝福音書の一を訳すところ。ただし、以下の訳文は改行しないで書き記しておく)。

こう書いてある。「初めにことばありき!」ここでわしはもうつかえる!だれかわしを助けて先へ進ませてくれないか。わしはことばというものをそう高く値ぶみすることはできない。わしは霊の光に正しく照らせているなら、別に訳さなくてはならない。こう書いてある。「初めに意味ありき！」ペンが先走りせぬように第一行をよく考えよ！　一切を作り出すものは意味だろうか。こう書いてあるべきだ。「初めに力ありき！」しかしこう書きつけているうちに、もうこれでは済まされないと警告するものがある。霊の助けだ！　不意に思いついて安んじてこう書く。「初めにおこないありき！」

筆者自身、「意味理解」を説くヴェーバー理解社会学に関心をもって、学部時代の思想史専攻を離れて大学院は社会学に進んだが、記号論の流行のなかで「意味」について行き詰まりを感じ、シュッツや現象学を囓るなどして模索を繰り返していた。そんな折り、丸山圭三郎の『ソシュールの思想』（岩波書店、一九八一年）はたいへん刺激的であった。「初めにことばありき！」という彼のその当時の思想は、みずから「丸山ショック」と名づけるほどたいへん衝撃的であった。そのとき、言葉がすべての出発点であると考えた。

しかし、その種の「言語至上主義」は長続きはしなかった。よくある話ではあるが、あるショッキングな出来事をきっかけに、言葉では表し得ない体験をあらためて思い知らされた。そこで、当然のように「身体」や「情動」が問題となった。あるいはもっと適切に、言語以前の意味が問われた、といってよい。そして、その身体的な「意味」について大きな刺激を与えてくれていたのが、メルロ＝ポンティの現象学であった。メルロ＝ポンティの思考から学んでシュッツを読み直すこと、それが筆者の課題となった（なお、本書の6章などにもあるように、シュッツとメルロ＝ポンティの関係はたいへん微妙であるが、シュッツのアンビバレンツを直視しながら、この二人の関係は今後も問われるに値するように思われる）。

するとどうだろう、それまでのシュッツ論では必ずしも浮き出てこなかった側面が見えてきた。それが「相互同調関係」という視点であった。相互行為を可能にするものへの問いがその時点から筆者の問いの中心となった。

暴力/権力という問題も含めて、それを「間生体的諸力」というこなれない言葉で表現してみたが、必ずしもその趣旨は読み手には十分に伝わらなかったかもしれない。むしろ、それが「霊の助けだ!」とはまったく思っていないが、表現としては間主観的・間身体的な生活世界における相互実践や社会的行為、より正確には「発生論的相互行為」こそ、適切ではないかと考えるようになった。本書の序論でも示したように、意味社会学の中心に位置すべき現象学的社会学の発生社会学的視点から展開される「発生論的相互行為論」は、それぞれ重なりはあるが、①歴史社会論的・系統発生的な発生論、②行動発達論的・個体発生的な発生論、③存立構造論的・関係発生的な発生論、という三研究領域からなり、本書は、(②の)ミードや発達心理学の知見、(③の)ヴェーバーやジンメルやシュッツなどの知見を参照しながら、その②と③を中心に論じてきた。①は、さらにこれらの先行研究に加えて、マルクスやT・D・タオ、そしてフーコーやエリアスなどの先行業績をふまえて、別著で考察するつもりである。

実は、こうした思索を支え続けてくれたのは故廣松渉である。廣松と見解を異にする箇所もあるが、氏への謝意をここに記すことをご容赦いただきたい。別の機会に記したことがあるが(西原[1997]、なおこの論考は後日『新・廣松渉を読む』情況出版、二〇〇〇年、に再録されている)、廣松との十数年の交流は比較的短い期間ではあったが、その時期はほぼ彼の『存在と意味』第一巻の刊行(一九八二年)から晩年の『存在と意味』第二巻の刊行(一九九三年)までの間であった。その間に筆者が廣松の社会哲学、実践哲学から学んだことが本書のベースになっていることは、慧眼な読み手は気づかれていることであろう。しかし、筆者としてはむしろ廣松がその早すぎる死によってなしえなかった地点への踏査を試みているつもりである。権力論や制度論は廣松が『存在と意味』の第二巻第三篇、そしてその第三巻などで手がけるはずの論題であった。理論的な意味では、国家論を含めこうした社会理論領域への今後のアプローチの道筋をつけるのが本書の密かな狙いのひとつである。

さらにもう一点。社会学基礎理論研究者の一人として、国際化時代と称される今日、ポスト・コロニアリズムやカルチュラル・スタディーズの議論とは異なった視角から、もっと直截にいえば、われわれの日々の〈生身の経験〉に根ざした相互行為的世界の現場から思索し理論化をおこなうことで、社会的世界を語る方途を模索してみたいと筆者は考えてきた。それが——自分の生き様に叶うことだからという個人的な理由は別として——社会学の豊かな知的遺産を現代に活かしていく道であろうし、しかもそれは、社会学徒が他の諸学に何らかの寄与をおこなうための道であろうと考えてきた。その試みがうまくいっているかどうかは心許ないが、筆者としては本書を土台にして、「現代国家論」を柱とする社会理論の基礎理論的研究と「戦後日本の社会と思想」の知識社会学的研究という次なる課題にさらに突き進んでいきたいと考えている。現象学と現象学的社会学は、筆者のこうした歩みにいまもって知的な刺激を与えてくれるひとつの源泉である。

＊　＊　＊

なお、本書は「社会理論の展開に向けたシュッツ現象学的社会学の発生論的アプローチに関する基礎理論的研究」という副題をもつ筆者の学位請求副論文『他者と関係の社会学』が基になっている。一書を成すに当たって、あらたな章を増補したり不必要な章を削除したりして全編にわたって手を加え、一貫した論述となるよう心がけた。分冊にして出版を勧めて下さる出版社もあったが、ひとまとまりのものとして刊行したいという筆者の希望を快く受け入れて下さり、出版に関して種々のアドバイスもいただき、また原稿にも細かく目を通していろいろとご指摘下さった新泉社の竹内将彦氏に、心からの謝意を表したい。氏とは三度目の共同作業であるが、回を増すごとに自分自身の責任の重さを感じる次第である。どうもありがとうございました。

二〇〇二年十一月十七日

西原和久

引用・指示文献リスト

＊なお、本文中の引用文は、本書全体の訳語の統一などの理由で、訳文を変更している場合がある。

[A]

Adam, B.［1990］*Time and Social Theory*, Basil Blackwell.＝［1997］伊藤誓・磯山甚一訳『時間と社会理論』法政大学出版局.

Alexander, J. C., et al.（eds）［1987］*The Micro-Macro Link*. Univ.of California Press.

天田城介［2001］「構築主義の困難―自己と他者の〈語る〉場所」『現代社会理論研究』第11号、人間の科学社.

Arendt, H.［1958］*The Human Condition*, University of Chicago Press.＝［1994］志水速雄訳『人間の条件』筑摩書房.

浅田彰［1984］『逃走論』筑摩書房.

浅野智彦［2001］『自己への物語論的接近』勁草書房.

Austin, J. L.［1960］*How to do Thing with Word*, J. O. Urmson（ed.）, Oxford University Press.＝［1978］坂本百大訳『言語と行為』大修館書店.

[B]

Baldwin, J.M.［1897］*Social and Ethical Interpretation in Mental Development*, MacMillan.

Barber, M. C.［1988］*Social Typifications and the Elusive Other*：*The Place of Sociology of Knowledge in Alfred Schutz's Phenomenology*, Bucknell Univ. Press.

Becker, H. S.［1963］*Outsiders*：*Studies in the Sociology of Deviance*, Free Press.＝［1978］村上直之訳『アウトサイダーズ』新泉社.

――――――［1967］Whose side are we on？, *Social Problem*, 14.

Berger, P. L.,［1963］*Invitation to Sociology*, Doubleday.＝［1979］水野節夫・村山研一訳『社会学への招待』思索社.

Berger, P. L., Kellner, H.［1981］*Sociology Reinterpreted: An Essay Method and Vocation*, Anchor Press.＝［1987］森下伸也訳『社会学再考』新曜社.

Berger, P. L., Luckmann, Th.［1966］*The Socil Construction of Reality*, Anchor［1967］＝［1974］山口節郎訳『日常世界の構成』新曜社.

Bergson, H.［1888］*Essai sur les données immédiates de la conscience.*＝［1965］平井啓之訳『意識と自由』『ベルグソン全集 1』白水社.

Blumer, H.［1969］*Symbolic Interactionism*, Prentice-Hall.＝［1991］後藤将之訳『シンボリック相互作用論』勁草書房.

Bourdieu, P.［1987］*Choses dites*, Mimuit.＝［1988］石崎晴己訳『構造と実践』新評論.

――――――［1988］*Le sens pratique,* Mimuit.＝［1988］今村仁司・港道隆訳『実践感覚

(1, 2)』みすず書房.
Buber, M.［1923］*Ich und Du*, Insel Verlag. ＝［1979］植田重雄訳『我と汝／対話』岩波書店.

[C]

Cicourel, A. V.［1964］*Method and Measurement in Sociology*, Free Press.＝［1981］下田直春監訳『社会学の方法と測定』新泉社.
――――――［1973］*Cognitive Sociology*, Penguin.
Claesges, U.［1972］Zweideutigkeiten in Husserls Lebenswelt-Begriff. Nijhoff.＝［1978］新田義弘・小川侃編「フッサールの〈生活世界〉概念に含まれる二義性」『現象学の根本概念』晃洋書房.
Comte, A.［1830-42］*Cours de philosophie positive*, oeuvres,1～6.＝［1970］(第４巻の部分訳) 霧生和夫訳「社会動学と社会静学」『世界の名著36コント・スペンサー』中央公論社.
Cooley, C. H.［1902］*Human Nature and the Social Order*, Scribner.
――――――［1909］*Social Organizations*, Chales Scribner's Sons.＝［1970］大橋幸・菊地美代志訳『社会組織論』青木書店.
Coulter, J.［1979］*The Social Construction of Mind*, Macmillan.＝［1998］西阪仰訳『心の社会的構成－ヴィトゲンシュタイン派エスノメソドロジーの視点－』新曜社.
Crossley, N.［1994］*The Politics of Subjectivity: Between Foucault and Merleau-Ponty*. Avebury.
――――――［1996］*Intersubjectivity*：*The Fabric of Social Becoming*, Sage.
――――――［2001］*The Social Body*：*Habit, Identity and Desire*, Sage.
――――――［2001］Habitus, Agency and Change： Engaging with Bourdieu. ＝［2002］西原和久訳「ハビトゥス・行為・変動－ブルデューの批判的検討－」『現代社会理論研究』第12号.
――――――［2002］*Making Sense of Social Movements*, Open University Press.
Crowel, S. G. (ed.)［1995］*The Prism of The Self*：*Philosophical Essays in Honor of Maurice Natanson*, Kluwer Academic Publisher.

[D]

Davis, K.［1959］The Myth of Functional Analysis as a Special Method in Sociology and Anthropology, *American Sociological Review*, 24.
Derrida, J.［1967］*La voix et le phénomène*. P. U. F.＝［1979］高橋允昭訳『声と現象』理想社.
Descartes, R.［1637］*Discours de la méthode*.＝［1967］野田又夫訳「方法序説」『世界の名著22　デカルト』中央公論社.

——— [1649] *Passions de l'âme.* = [1973] 花田圭介訳「情念論」『デカルト著作集 6』白水社.

Dewey, J. [1922] *Human Nature and Conduct.* = [1950] 東宮隆訳『人間性と行為』春秋社. = [1995] 河村望訳『人間性と行為』人間の科学社.

Duncan, H. D. [1968] *Symbol in Society*, Oxford University Press.

Durkheim, E. [1893] *De la division du travail social.*, P.U.F. = [1971] 田原音和訳『社会分業論』青木書店.

——— [1895] *Les règles de la méthode sociologique.* = [1978] 宮島喬訳『社会学的方法の規準』岩波書店.

——— [1897] *Le suicide*, Alcan. = [1968] 宮島喬訳『自殺論』『世界の名著47 デュルケーム・ジンメル』中央公論社.

——— [1909] Sociologie et science sociales, in *La science sociale et l' action.* = [1988] 佐々木交賢・中嶋明勲訳『社会科学と行動』恒星社厚生閣.

——— [1912] *Les formes élémentaires de la vie religieuse*, Alcan. = [1975] 古野清人訳『宗教生活の原初形態（上・下)』岩波書店.

[E]

江原由美子・山岸健編 [1985]『現象学的社会学・意味へのまなざし』三和書房.

江原由美子・好井裕明・山崎敬一 [1984]「性差別のエスノメソドロジー－対面的コミュニケーション状況における権力装置」『現代社会学』18.

Elias, N. [1939] *Über den Prozess der Zivilisation*：*Soziogenetishe und Psychogenetische Untersuchungen*, 1/2. Haus zum Falken.〔→Suhrkamp. 1/2. 1997〕=［1977］赤井彗爾ほか訳『文明化の過程（上)』. =［1978］波田節夫ほか訳『文明化の過程（下)』法政大学出版局.

——— [1969] *Die höfische Gesellschaft*, Herrman Luchterhand Verlag.〔→Suhrkamp. 1983〕= [1981] 波田節夫ほか訳『宮廷社会』法政大学出版局.

Embree, L. (ed.) [1998] *Alfred Schutz's "Sociological Aspect of Literature"*：*Construction and Complementary Essays*, Kluwer Academic Publisher.

[F]

Farias, V., [1987] *Heidegger et le Nazisme*, Editions Verdier. = [1990] 山本尤『ハイデガーとナチズム』名古屋大学出版会.

Fink, E. [1976] Operative Begriffe zu Husserles Phänomenologie, *Naehe und Distanz.* = [1978] 新田義弘・小川侃編「フッサールの現象学における操作的概念」『現象学の根本問題』晃洋書房.

Foucault, M. [1966] *Les mots et les choses*, Gallimard. = [1974] 渡辺一民・佐々木明訳『言葉と物』新潮社.

――――― [1975] *Surveiller et punir : naissance de la prison*, Gallimard. = [1977] 田村俶訳『監獄の誕生』新潮社.
――――― [1982] The Subject and Power, in Dreyfus, H. and Rabinow, P. (eds), *Michel Foucault : Beyond Structuralism and Hermeneutics*, Univ. of Chicago Press. = [2001] 渥海和久訳「主体と権力」『ミシェル・フーコー思考集成Ⅸ』筑摩書房.
Friedrichs, R. W. [1970] *A Sociology of Sociology*, Free Press.
藤田弘夫・西原和久編 [1996]『権力から読みとく現代人の社会学・入門』有斐閣.
Fukuyama, F. [1992] *The End of History and the Last Man*, Penguin.
船津衛 [1976]『シンボリック相互作用論』恒星社厚生閣.
――― [1987]『ミード自我論の研究』恒星社厚生閣.
――― [2000]『ジョージ・H・ミード』東信堂.
船津衛編 [1997]『G.H.ミードの世界－ミード研究の最前線』恒星社厚生閣.
―――編 [2001]『アメリカ社会学の潮流』恒星社厚生閣.
船津衛・宝月誠編 [1995]『シンボリック相互作用論の世界』恒星社厚生閣.

[G]

Garfinkel, H. [1940] Color Trouble, E.J O'Brien (ed.), *The Best Short Stories 1941*, Houghton Mifflin. = [1998] 秋吉美都訳「カラートラブル」, 山田富秋・好井裕明編『エスノメソドロジーの想像力』せりか書房.
――――― [1952] *The Perception of the Other : A Study in Social Order* (unpublished).
――――― [1967] *Studies in Ethnomethodology*, Prentice－Hall. = [1987] (部分訳) 山田富秋・好井裕明・山崎敬一編訳『エスノメソドロジー』せりか書房 = [1989] (部分訳) 北澤裕・西阪仰編訳『日常性の解剖学』マルジュ社.
――――― [1968] The origins of the term 'Ethnomethodology,' in Turner R. (ed.), *Ethomethodology*, [1974].
Gehlen, A. [1961] *Anthropologische Forschung*, Rowelt. = [1970] 亀井裕・滝浦静雄訳『人間学の探究』紀伊國屋書店.
現象学・解釈学研究会編 [1997]『理性と暴力』世界書院.
Giddens, A. [1976] *New Rules of Sociological Method*, Hutchinson. = [1987] 松尾精文・藤井達也・小幡正敏訳『社会学の新しい方法規準』而立書房.
――――― [1979] *Central Problems in Social Theory*, Univ. of California Press. = [1989] 友枝敏雄・今田高俊・森重雄訳『社会理論の最前線』ハーベスト社.
Gibson, J. J. [1979] *The Ecological Approach to Visual Perception*. = [1985] 古崎敬ほか訳『生態学的視覚論』サイエンス社.
Goffman, E. [1959] *The Presentation of Self in Everyday Life*, Doubleday Anchor. = [1974] 石黒毅訳『行為と演技』誠信書房.

――――― [1961] *Encounter*, Bobbs－Merril.＝［1985］佐藤毅・折橋徹彦訳『出会い』誠信書房.

――――― [1963] *Behavior in Public*, Fress Press.＝［1980］丸木恵祐・本名信行訳『集まりの構造』誠信書房.

呉賢淑［1995］「デュルケーム社会学における分析・説明原理－発生論的方法を中心にして－」『社会学雑誌』12.

Gorman, R. A. [1977] *The Dual Vision*：*Alfred Shutz and the Myth of Phenomenological Social Science*, RKP.

後藤将之［1987］『ジョージ・ハーバート・ミード』弘文堂.

Gouldner, A. [1970] *The Coming Crisis of Western Sociology*, Basic Books.＝［1978］岡田直之・田中義久・矢沢修次郎ほか訳『社会学の再生を求めて（1，2，3)』新曜社.

Grathoff, R. [1970] *The Structure of the Social Inconsistencies*, Nijihoff.

――――― [1986] Musik als Ausdruck und Rahmen des alltäglichen Lebenswelt in die Soziologie von Alfred Schütz, *Zeitschrift für Musikpädagogik*, Heft 34.＝［1987］佐藤嘉一・中村正訳「アルフレッド・シュッツの音楽社会学」『立命館産業社会論集』23-3.

Grathoff, R.（ed.）[1985] *Alfred Schütz-Aron Gurwitsch・Briefwechsel 1939-1959*, Wilhelm Fink.＝[1989] Grathoff, R. (ed.) *Philosophers in Exile : The Correspondence of Alfred Schutz and Aron Gurwitsch,1939-1959*, Indiana Univ. Press.＝［1996］佐藤嘉一訳『亡命の哲学者たち』木鐸社.

Gurvitch, G. [1950] *La vocation actuelle de la sociologie*, P.U.F.＝［1970］寿里茂訳『社会学の現代的課題』青木書店.

Gurwitsch, A. [1974] *Phenomenology and the Theory of Science*, Northwestern Univ. Press.

[H]

Habermas, J. [1981] *Theorie des kommunikativen Handelns*, Bd.1, 2, Suhrkamp.＝［1986］河上倫逸ほか訳『コミュニケイション的行為の理論（上)』未来社＝［1987］岩倉正博ほか訳『コミュニケイション的行為の理論（中)』未来社＝［1985］丸山高司ほか訳『コミュニケイション的行為の理論（下)』未来社.

――――― [1981b] Die moderne―ein unvollendete Project, in *Kleine politische Schriften*, Suhrkampf.＝三島憲一訳『近代――未完のプロジェクト』岩波書店.

Halbwacks,M. [1939] *La memoire collective chez les musiciens*, Revue Philosophique, 3-4.

浜口恵俊［1982］「間人主義の社会日本」東洋経済新報社.

張江洋直［1998］「社会理論と世界の超越」西原ほか編［1998b].

――― [2002]「『二次構成論』と『多元的現実』」『社会学史研究』24.

浜日出夫［1992］「現象学的社会学からエスノメソドロジーへ」（好井編［1992］所収）.
浜田寿美男［1994］『ピアジェとワロン』ミネルヴァ書房.
――――――［1995］『意味から言葉へ』ミネルヴァ書房.
橋爪大三郎［1985］『言語ゲームと社会理論』勁草書房.
Heeren,J.［1973］Alfred Schutz and the Sociology of Commonsense Knowledge, *Understanding Everyday Life*, ed.,by Douglas,J.,RKP.
Hegel, G. W. F.（1807）*Phänomenologie des Geistes*, hrsg. von E. Moldenhauer und K.M. Michel, Suhrkamp.＝［1966］樫山欽四郎訳『精神現象学』（『世界の第思想12　ヘーゲル』）河出書房新社.
Heidegger, M.［1927］*Sein und Zeit*［Max Niemeyer［1967］＝［1971］原佑・渡辺二郎訳『存在と時間』（『世界の名著62　ハイデッガー』）中央公論社.
Hindes, B.［1977］The 'Phenomenological' Sociology of Alfred Schutz, in *Philosophy and Methodology in the Social Science*, Harvester Press.
廣松渉［1972］『世界の共同主観的存在構造』勁草書房.
―――［1980］『＜近代の超克＞論』朝日出版社.
―――［1982］『存在と意味』第一巻、岩波書店.
―――［1988］『表情』弘文堂.
―――［1991］『現象学的社会学の祖型－A.シュッツ研究ノート－』青土社→廣松［1997a］.
―――［1992］『哲学の越境』勁草書房.
―――［1993］『存在と意味』第二巻、岩波書店.
―――［1994］『現象学の視角』青土社.
―――［1996a］「役割理論の再構築のために」『廣松渉著作集』第四巻、岩波書店.
―――［1996b］『廣松渉著作集』第五巻、岩波書店.
―――［1997a］『廣松渉著作集』第六巻、岩波書店.
―――［1997b］『廣松渉著作集』第七巻、岩波書店.
廣松渉・増山眞緒子［1986］『共同主観性の現象学』世界書院→廣松［1997a］.
Holzner, B.［1966］*Reality Construction in Society*, Schenkman.
Horkheimer, M.［1937］Traditionelle und kritische Theorie.＝［1974］久野収訳「伝統的理論と批判的理論」『哲学の社会的機能』晶文社.
――――――［1947］*Eclipse of Reason*, Oxford Univ. Press.＝［1987］山口祐弘訳『理性の腐食』せりか書房.
Horkheimer, M., Adorno, Th.［1947］*Dialektik der Aufklärung*, Querido.［Band 3 der Gesammelten Schriften Adornos, Suhrkamp, 1981］＝［1990］徳永恂訳『啓蒙の弁証法』岩波書店.
細谷昂［1985］「行為と関係―見失われたマルクスの一視座」『社会学年報』14，東北社会学会.
Husserl, E.［1939］（1929）*Erfahrung und Urteil*, hrsg. von L. Landgrebe, Academia.＝

［1975］長谷川宏訳『経験と判断』河出書房新社.

────［1950］(1913)］*Ideen zur einer reinen Phänomenologie und phänomenologischen Philosophie*, Erstes Buch, *Husserliana*, Bd.III, Nijhoff.＝［1979/84］渡辺二郎訳『イデーンⅠ（I, II)』みすず書房.

────［1954］*Die Krisis der europäischen Wissenschaften und die transzendentale Phänomenologie, Husserliana,* Bd.VI.＝［1974］細谷恒夫・木田元訳『ヨーロッパ諸学の危機と超越論的現象学』中央公論社.

────［1954b］*Die Krisis des europäischen Menschentums und die Philosophie, Husserliana*, Bd.Ⅵ.＝［1983］谷征紀訳「西洋的人間性の危機と哲学」『現象学と人間性の危機』御茶の水書房.

────［1963］(1926)］*Cartesianische Meditationen und Pariser Vorträge, Husseliana*, Bd.I.＝［1970］舟橋弘訳『デカルト的省察』(『世界の名著51　ブレンターノ・フッサール』）中央公論社.

────［1968］（1900－01)］*Logische Untersuchung*, Niemeyer.＝［1968－76］立松弘孝ほか訳『論理学研究（1～4)』みすず書房.

────［1973］ *Zur Phänomenologie der Intersubjektivität.* Dritter Teil, *Husserliana* Bd.XV. Kern, I.（hrsg.), M. Nijhoff.

［I］

市川浩［1975］『精神としての身体』勁草書房.

今田高俊［2001］『意味の文明学序説』東京大学出版会.

今村仁司［1985］『排除の構造』青土社.

────［1995］『ベンヤミンの〈問い〉』講談社.

井上俊ほか編［1995a］『岩波講座現代社会学 2　自我・主体・アイデンティティ』岩波書店.

井上俊ほか編［1995b］『岩波講座現代社会学 3 他者・関係・コミュニケーション』岩波書店.

井上俊ほか編［1995c］『岩波講座現代社会学 4 身体と間身体の社会学』岩波書店.

井上俊ほか編［1997］『岩波講座現代社会学別巻 現代社会学の理論と方法』岩波書店.

李晟台［1998］「シュッツはシュッツを超え出るのか－自然的態度の構成的現象学の行方－」.『情況』Ⅱ－9－1.

伊藤勇［1997］「ミードの「社会行動主義」」 船津衛編［1997］.

［J］

James,W.［1890］*The Pricеple of Psychology*, 1, 2, Dover.

Jaspers, K.［1932］*Max Weber. Deutsches Wesen im politischen Denken.* ＝［1965］樺俊雄訳『マックス・ウェーバー』理想社.

[K]

貝沼洵［2000］『批判的な社会理論の復権』アカデミア出版会.

柄谷行人［1986］『探求Ⅰ』講談社.

笠原清志・西原和久・宮内正編［1995］『社会構造の探求』新泉社.

片桐雅隆［1991］『変容する日常世界』世界思想社.

———［2000］『自己と「語り」の社会学』世界思想社.

加藤一巳［1995］「ミード理論の生成－秩序と発生」船津・宝月編［1995］.

加藤眞義［1999］『個と行為と表象の社会学－マルクス社会理論の研究』創風社.

Kazashi, N.［1993］Four Variations on the Phenomenological Theme of "Horizon"：James, Nishida, Merleau-Ponty, and Schutz, in A Dissertation presented to the Faculty of the Graduate School of Yale University（unpublished）.

———［1995］The Musicality of the Other：Schutz, Merleau-Ponty, and Kimura, in Crowell, S. G.（ed.）*The Prism of the Self,* Kluwer Academic Publishers.

木田元［1972］『現象学』岩波書店.

———［1993］『ハイデガーの思想』岩波書店.

———［2000］『現象学の思想』講談社.

木村敏［1972］『人と人との間』弘文堂.

———［1988］『あいだ』弘文堂.

———［1994］『心の病理を考える』岩波書店.

———［1995］「自己と他者」井上ほか編［1995a］.

北川隆吉・宮島喬編［1996］『20世紀社会学理論の検証』有信堂高文社.

北澤裕［1991］「エスノメソドロジー」西原ほか編［1991］.

近藤敏夫［1990］「ミードの社会性概念－時間次元の導入－」『社会学史研究』第12号.

Kosik, K.［1967］*Die Dialektik des Konkreten*, Suhrkamp.＝［1977］『具体的なものの弁証法』花崎皋平訳、せりか書房.

小谷敏［1998］『若者たちの変貌－世代をめぐる社会学的物語』世界思想社.

小谷敏編［1993］『若者論を読む』世界思想社.

厚東洋輔［1977］『ヴェーバー社会理論の研究』東京大学出版会.

Kuhn, T. S.［1962］*The Strucuture of Scientific Revolutions*, Univ.of Chicago Press.＝［1971］中山茂訳『科学革命の構造』みすず書房.

熊野純彦［1987］「《共感》の現象学・序説」『現代思想』15-7.

———［1999a］『レヴィナス入門』筑摩書房.

———［1999b］『レヴィナス－移ろいゆくものへの視線－』岩波書店.

栗原彬編［1996］『講座 差別の社会学１ 差別の社会理論』弘文堂.

[L]

Lacan,J.［1966］*Ecrits*, Seuil.＝［1972］宮本忠雄・竹内迪彦・高橋徹・佐々木孝次訳『エ

クリ（I, II, III)』弘文堂.

Laing, R. D.［1961］*Self and Others*, Tavistock Publications.＝［1975］志貴春彦・笠原嘉訳『自己と他者』みすず書房.

Landgrebe, L.［1977］Lebenswelt und Geschichtlichkeit des menschlichen Daseins, *Phänomenologie und Marxismus*, Suhrkamp.＝［1982］小川侃訳「生活世界と人間的現存在の歴史性」『現象学とマルクス主義（Ｉ)』新田義弘ほか訳，白水社.

Levinas, E.［1948］*La temps et lautre*, P.U.F.［1983］.＝［1986］原田佳彦訳『時間と他者』法政大学出版局.

————［1961］*Totalité et infini*, Kluwer Academic Publishers.＝［1989］合田正人訳『全体性と無限』国文社.

————［1984］*De l'existence a l'existant*, Librairie Philosophique J. VRIN.＝［1996］西谷修訳『実存から実存者へ』講談社.

Lindholm, Ch.［1990］*Charisma*, Basil Blackwell.＝［1992］森下伸也訳『カリスマ』新曜社.

Löwith, K.［1928］*Das Individuum in der Rolle des Mitmenchen*, Drei Masken.＝［1967］佐々木一義訳『人間存在の倫理』理想社.

Luhmann, N.［1973］*Gesellschaftsstruktur und Semantik*, Suhrkamp.＝［1985］佐藤勉訳『社会システム理論の視座』木鐸社（部分訳).

————［1975］*Macht*, Ferdinand Enke.＝［1986］長岡克行訳『権力』勁草書房.

————［1984］*Soziale Systeme*, Suhrkamp.＝［1993］佐藤勉監訳『社会システム理論（上)』恒星社厚生閣＝［1995］佐藤勉監訳『社会システム理論（下)』恒星社厚生閣.

Luckmann, Th.［1979］Phänomenologie and Soziologie, in *Alfred Schütz und die Idee des Alltägs in den Sozialwissenschaften*, Ferdinand Enke Verlag.

Lukacs, G.［1948］*Existentialisme ou Marxism?* Nagel.＝［1953］城塚登・生松敬三訳『実存主義かマルクス主義か』岩波書店.

Lyotard, J-F.［1979］*La condition postmoderne*, Minuit.＝［1986］小林康夫訳『ポスト・モダンの条件』風の薔薇・水声社.

Lynch, M.［1993］*Scientific Practice and Ordinary Action*, Cambridge University Press.

————［1996］Ethnomethodology and the Logic of Practice.＝［2000］椎野信雄訳「エスノメソドロジーと実践の論理」『情況別冊現代社会学の最前線［3］実践－空間の社会学－他者・時間・関係の基層から』情況出版.

[M]

MacDufiee, M.［1998］Literature, Music, and the Mutual Tuning－in Relationship, in Embree［1998］.

真木悠介［1993］『自我の起原——愛とエゴイズムの動物社会学』岩波書店.

Mannheim, K. [1921－2] Beiträge zur Theorie der Weltanschauungs－Interpretation.＝[1975] 森良文訳「世界観解釈の理論への寄与」『マンハイム全集１』潮出版社.
Martindale, D. [1960] *The Nature and Types of Sociological Theory*, R.K.P.＝[1974] 新睦人訳『現代社会学の系譜』未来社.
Marucuse, H. [1932] *Neue Quellen zur Grundlegung des historischen Materialismus. Interpretaion der neuveroffentlichten Manuskripte von Marx.*＝[1968] 良知力・池田優三訳『初期マルクス研究』未来社［改訳版］.
丸山圭三郎 [1981]『ソシュールの思想』岩波書店.
――――― [1984]『文化のフェティシズム』勁草書房.
Marx, K. [1844] *Ökonomisch－Philosophische Manuskript.*＝[1964] 城塚登・田中吉六訳『経済学・哲学草稿』岩波書店.
――――― [1845] *Thesen über Feuerbach.*＝[1963]「フォイエルバッハにかんするテーゼ」『マルクス・エンゲルス全集 3』大月書店.
Marx, K. [1857－58] *Grundrisee der Kritik der politichen Ökonomie.*＝[1958] 高木幸二郎監訳『経済学批判要綱Ｉ』大月書店.
――――― [1867] *Das Kapital*, 1 Bd.＝[1965] 岡崎次郎訳『資本論 (1-3)』大月書店.
正高信男 [1993]『０歳児がことばを獲得するとき』中央公論社.
増山真緒子 [1991]『表情する世界＝共同主観性の心理学』新曜社.
松浪信三郎 [1962]『実存主義』岩波書店.
Mead, G. H. [1932] *The Philosophy of the Present*, ed. by A. Murphy, Univ. of Chicago Press.
――――― [1934] *Mind, Self, and Society*. Univ. of Chicago Press.＝[1974] 稲葉三千男・滝沢正樹・中野収訳『精神・自我・社会』青木書店.
――――― [1938] *The Philosophy of the Act*, eds. by C.W.Morris, et al., Univ. of Chicago Press.
――――― [1964] *G. H. Mead : Selected Writings*, Univ. of Chicago Press.＝[1991] 船津衛・徳川直人訳『社会的自我』恒星社厚生閣（部分訳）.
――――― [1982] *The Individual and the Social Self*, Univ. of Chicago Press.＝[1990] 小川英司・近藤敏夫訳『個人と社会的自我』いなほ書房.
――――― [1956] Cooley's contribution to the American social thought, in *On Social Psychology*. Univ. of Chicago Press. Strauss, A. (ed.), (first published in American Journal of Sociology. 35-5.1930.)
Merleau-Ponty, M. [1942] *La structure du comportment*. P.U.F.＝[1964] 滝浦静雄・木田元訳『行動の構造』みすず書房.
――――― [1945] *Phénoménologie de la perception*, Gallimard.＝[1967] 竹内芳郎・小木貞孝訳『知覚の現象学1』みすず書房＝[1974] 竹内芳郎・木田元・宮本忠雄訳『知覚の現象学2』みすず書房.

―――――― [1951] Le philosophe et la Sociologie, *Signes.* [Gallimard.1960] = [1969] 竹内芳郎監訳「哲学者と社会学」『シーニュ1』みすず書房＝[1970] 竹内芳郎監訳「哲学者とその影」『シーニュ 2』みすず書房.

―――――― [1953] Les relations avec autrui chez l'enfant, *L'oeil et l'esprit.* [Gallimard,1964] = [1966] 滝浦静雄・木田元訳「幼児の対人関係」『眼と精神』みすず書房.

―――――― [1955] *Les aventures de la dialectique*, Gallimard.＝[1972] 滝浦静雄ほか訳『弁証法の冒険』みすず書房.

―――――― [1964] Le visible et *l' invisible*, Gallimard.＝ [1987] 滝浦静雄・木田元訳『見えるものと見えないもの』みすず書房.

―――――― [1968] *Résumés de cours：College de France 1952-1960.*＝[1979] 滝浦静雄・木田元訳『言語と自然』みすず書房.

―――――― [1969] *La prose du monde*, Gallimard.＝ [1979] 滝浦静雄・木田元訳『世界の散文』みすず書房.

―――――― [1988] *Merleau-Ponty à la Sorbonne：résumé de cours 1949－1952*,. Cynara.＝ [1993] 木田元・鯨岡峻訳『意識と言語の獲得』みすず書房.

三上剛史 [1993]『ポスト近代の社会学』世界思想社.

Mills, C. W. [1959] *The Sociological Imagination*, Oxford Univ. Press.＝ [1965] 鈴木博訳『社会学的想像力』紀伊国屋書店.

――――[1963] *Power, Politics and People*, ed.by I. Horowitz, Oxford Univ. Press.＝ [1971] 青井一夫・本間康平訳『権力・政治・民衆』みすず書房.

Minkowski, E. [1933] *Le temps vécu*, Delachaux et Niestle.＝ [1972] 中江育生・清水誠訳『生きられる時間 1』みすず書房.

宮台真司 [1994]『制服少女たちの選択』講談社.

宮原浩二郎・荻野昌弘編 [1997]『変身の社会学』世界思想社.

Mommsen, W. [1974] *Max Weber und Deutsche Politik 1890-1920* J.C.B. Mohr.＝ [1994] 安世舟ほか『マックス・ウェーバーとドイツ政治　1890－192Ⅱ』未来社.

森元孝 [1995]『アルフレート・シュッツのウィーン』新評論.

Morris. Ch. [1938] *Foundations of the Theory of Signs*, Univ. of Chicago Press.

村田純一 [1995]『知覚と生活世界』東京大学出版会.

無藤隆編 [1991]『ことばが誕生するとき』新曜社.

[N]

中久郎 [1979]『デュルケムの社会理論』創文社.

中河伸俊 [1999]『社会問題の社会学』世界思想社.

中村文哉 [2000]「A・シュッツのレリヴァンス概念と間主観性問題」『社会学評論』51-2.

中村雄二郎 [1979]『共通感覚論』岩波書店.

———— [1991]『共振する世界』青土社.
———— [1992]『臨床の知とは何か』岩波書店.
———— [1998]『述語的世界と制度』岩波書店.
中野敏男 [1983]『マックス・ウェーバーと近代』三一書房.
中島道男 [1997]『デュルケムの〈制度〉理論』恒星社厚生閣.
那須壽 [1997]『現象学的社会学への道』恒星社厚生閣.
Natanson, M. [1956] *The Social Dynamics of George H. Mead*, Affairs Press. Reprinted by Martinus Nijhoff, [1973] = [1983] 長田攻一・川越次郎訳『G.H.ミードの動的社会理論』新泉社.
———— [1970] Phenomenology and Typification：A Study in the Philosophy of Alfred Schutz, *Social Research*, Vol.37.
———— [1986] *Anonymity：A Study in the Philosophy of Alfred Schutz*, Indiana Univ. press.
西田幾多郎 [1948]「行為的直観」『西田幾多郎全集』第8巻、岩波書店.
西原和久 [1985a]「シュッツの『類型』論と現象学的社会学」江原・山岸編 [1985].
———— [1985b]「類型化と主観性」『エピステーメー』II-1.
———— [1991]「社会学理論の現在－いま何が問われているのか－」西原ほか編 [1991].
Nishihara, K. [1991] Meaning, Typification, and Reification,『現代社会理論研究』1.
———— [1992] Schutz in Japan, *Human Studies*, 15－1.
西原和久 [1993a]「シュッツと発生論的相互行為論－現象学とミードを手掛かりにして」佐藤・那須編 [1993].
———— [1993b]「生世界における間主観性と相互行為」『社会学年誌』34.
———— [1994]『社会学的思考を読む－社会学理論と「意味の社会学」へのプロレゴメナ』, 人間の科学社.
———— [1995]「現象学的社会学の社会理論：基底篇」笠原・西原・宮内編 [1995].
———— [1996]「権力へのイマージュ」藤田・西原編 [1996].
———— [1997]「モーリス・ナタンソンとの対話」『現代社会理論研究』第7号.
———— [1998a]『意味の社会学－現象学的社会学の冒険』弘文堂.
———— [1998b]「現象学的社会学の現在－シュッツという出来事－」西原ほか編 [1998].
———— [1998c]「相互行為の『可能性の条件』について（書評リプライ）」『現代社会理論研究』第8号.
———— [1999]「書評に応えて」『ソシオロジ』44-2.
———— [2000]「社会学理論と社会情報学－社会情報学への期待－」『社会情報学研究』No. 4, 日本社会情報学会.
———— [2002]「リアリティ」永井均ほか編『事典・哲学の木』講談社.
西原和久編 [1991]『現象学的社会学の展開－A.シュッツ継承へ向けて－』青土社.
西原和久・張江洋直・佐野正彦編 [1991]『社会学理論のリアリティ』八千代出版.

西原和久・張江洋直・佐野正彦・井出裕久編［1998］『現象学的社会学は何を問うのか』勁草書房.
西原和久・杉本学［2000］「日本の社会学－『社会学評論』にみる理論社会学の五〇年」『情況別冊 現代社会学の最前線［3］実践－空間の社会学』情況出版→［2001］『社会学理論の〈可能性〉を読む』情況出版.
西阪仰［1996］「エスノメソドロジーの技法」栗田宣義編『社会学の技法』川島書店.
――［1997］『相互行為分析という視点』金子書房.
――［1998］「相互行為の『可能性の条件』について（書評）」『現代社会理論研究』8号.
新田義弘［1968］『現象学とは何か』紀伊国屋書店.
――［1978］『現象学』岩波書店.
新田義弘・小川侃編［1978］『現象学の根本問題』晃洋書房.
野家啓一［1993］『無根拠からの出発』勁草書房.
野村庄吾［1980］『乳幼児の世界』岩波書店.

[O]

小川英司［2000］「G.H.ミード－プラグマティズム・ヘーゲル・発生論」『情況別冊 現代社会学の最前線［3］実践－空間の社会学』情況出版.
小川侃［1995］「関係・構造の源泉―構造論的現象学からみた自他関係」井上ほか編［1995b],
奥村隆［2001］『エリアス・暴力への問い』勁草書房.
Ogden C.K.& Richards, I.A.［1923］*The Meaning of Meaning*, Harvest.＝［1967］石橋幸太郎訳『意味の意味』新泉社.
荻野昌弘［1998］『資本主義と他者』関西学院大学出版局.
岡田光弘［1996］「『制度』を研究するということ」『現代社会理論研究』第6号.
大野道邦［1993］「集合的沸騰とシンボリズム」『社会学雑誌』12.
大澤真幸［1990］『身体の比較社会学Ⅰ』勁草書房.
――［1994］『意味と他者性』勁草書房.
岡本夏木［1982］『子どもとことば』岩波書店.
岡本夏木編著［1988］『認識とことばの発達心理学』ミネルヴァ書房.
O'Neil, J.［1970］*Perception, Expression and History*：*The Phenomenology of Maurice Merleau-Ponty*, Northwestern Univ. Press.＝［1986］奥田和彦編、宮武昭・久保秀幹訳『メルロ＝ポンティと人間科学』新曜社.
折原浩［1969］『危機における人間と学問』未来社.
Ortega, y. Gasset［1957］*El hombre y la gente.*＝［1969］A・マタイス、佐々木孝訳『オルテガ著作集5 個人と社会』白水社.
Otaka, T.［1932］*Grundlegung der Lehre vom Sozialen Verband*, Springer.
尾高朝雄［1936］『国家構造論』岩波書店.

――― [1957]「現象学と法律学」『法律の社会的構造』勁草書房（初出は1933年）.

Ostrow, J. M. [1990] *Social Sensitivity*：*A Study of Habit and Experience*. State Univ. of New York Press.

Outhwaute, W. [1975] *Understanding Social Life,The Method called Verstehen*, George Allen & Unwin.

[P]

Parsons, T. [1937] *The Structure of Social Action*, Free Press.＝[1974－86] 稲上毅・厚東洋輔・溝部明男訳『社会的行為の構造（1〜5)』木鐸社.

――― [1939] Simmel and the methodological problem of formal sociology.＝[2000] 油井清光・徳田剛訳「ジンメルと形式社会学の方法論的諸問題」『思想』No.910.

――― [1951] *The Social System*, Free Press.＝[1974] 佐藤勉訳『現代社会学大系14 パーソンズ社会体系論』青木書店.

――― [1966] *Societies: Evolutionary and Comparative Perspectives,* Prentice-Hall.＝[1971] 矢沢修次訳『社会類型―進化と比較―』至誠堂.

Peirce, C.S., [1877] How to make our ideas clear.＝[1968] 上山春平訳「概念を明晰にする方法」『世界の名著48 パース・ジェイムズ・デューイ』中央公論社.

Piccone, P. [1981]『資本のパラドックス』粉川哲夫編訳，せりか書房.

Polanyi, M. [1966] *The Tacit Dimention*, R.K.P.＝[1980] 佐藤敬三訳『暗黙知の次元』紀伊國屋書店.

Psathas, G.（ed.）[1973] *Phenomenological Sociology*：*Issues and Applications*, John Wiley and Sons.

[R]

Rickert, H. [1986－1902] Die Grenzen der naturwissenschaftlichen Begriffsbildung.

――― [1899] *Kulturwissenschaft und Naturwissenschaft.*＝[1939] 佐竹哲雄・豊川昇訳『文化科学と自然科学』岩波書店.

Rossi, I. [1983] *From the Sociology of Symbols to the Sociology of Sign*, Columbia Univ. Press.＝[1989] 下田直春・宮内正・安村克己・鈴木孝光訳『弁証法的構造社会学の探求』勁草書房.

[S]

作田啓一 [1981]『個人主義の運命』岩波書店.

――― [1993]『生成の社会学をめざして』有斐閣.

Sartre, J.- P. [1943] *L'être et le néant*, Gallimard.＝[1956-60] 松浪信三郎訳『存在と無（I-III)』人文書院.

――― [1946] *L'existentialisme est un humanisme*, Nagel.＝[1955] 伊吹武彦訳『実

存主義とは何か』人文書院.

佐藤嘉一［2000］「アルフレッド・シュッツにおける「建築の意志」」『情況別冊　現代社会学の最前線［3］実践－空間の社会学：他者・時間・関係の基層から』2-11-7.

佐藤慶幸［1986］『ウェーバーからハバーマスへ』世界書院.

佐藤慶幸・那須壽編［1993］『危機と再生の社会理論』マルジュ社.

齋藤純一［2000］『公共性』岩波書店.

斉藤慶典［2002］『フッサール 起源への哲学』講談社

Saussure, F. de［1916］(1949) *Cours de linguistique generale.* =［1940］小林英夫訳『一般言語学講義』岩波書店.

Schacter, S.［1964］The Interaction of cognitive and physiological determinants of emotional state, Berkowitz, L., (ed.) *Advances in Experimental Social Psychology.* American Press.

Scheler, M.［1923］*Wessen und Formen der Sympathie, Gesammelte Werke,* Bd.7, Francke. =［1977］青木茂・小林茂訳『シェーラー著作集８　同情の本質と形式』白水社.

————［1926］*Die Wessensformen und die Gesellschaft, Gesammelte Werke,* Bd.8, Francke. =［1978］浜井修・佐藤康邦・星野勉・川本隆史訳『シェーラー著作集11　知の社会学の諸問題』白水社.

Schelting, A. von,［1922］*Die logische Theorie der historischen Kulturwissenschaft von Max Weber und im besonderen sein Begriff des Idealtypus.* =［1977］石坂巌訳『ウェーバー社会科学の方法論』れんが書房新社.

Schütz, A.［1932］*Der sinnhafte Aufbau der sozialen Welt.* Springer. =［1982］佐藤嘉一訳『社会的世界の意味構成』木鐸社 =［1967］*The Phenomenology of the Social World,* trans. by walsh G. & Friederick, L. E., Northwestern University Press.

————［1936－37］*Personalität in der sozialen Welt* (unpublished, but original manuscripts in Beinecke Library at Yale University)

Schutz, A.［1962］*Collected Papers, I : The Problems of Social Reality.* Nijhoff. =［1983 渡部光・那須壽・西原和久訳『シュッツ著作集第１巻　社会的現実の問題［I］』=［1985］渡部光・那須壽・西原和久訳『シュッツ著作集第２巻　社会的現実の問題［II］』マルジュ社.

————［1964］*Collected Papers, II : Studies in Social Theory.* Nijhoff. =［1991］渡部光・那須壽・西原和久訳『シュッツ著作集第３巻　社会理論の研究』マルジュ社.

————［1966］*Collected Papers, III : Studies in Phenomenological Philosophy.* Nijhoff. =［1998］渡部光・那須壽・西原和久訳『シュッツ著作集第４巻　現象学的哲学の研究』マルジュ社.

————［1970］*Reflections on the Problem of Relevance,* ed. by Zaner, R. M., Yale University Press. =［1996］那須壽・浜日出夫・今井千恵・入江正勝訳『生活世界の

構成』マルジュ社.
――――[1977] Husserl and his influence on me, *The Annals of Phenomenological Sosiology*, vol.Ⅱ.
Schütz, A. [1981] *Theorie der Lebensformen*, hrsg. von I. Srubar, Suhrkamp.
Schutz, A. [1996] *Collected Papers, IV*, ed. by Wagner, H., Psathas, G. and Kersten F., Kluwer Academic Publishers.
Schütz, A. & Luckmann Th. [1973] *Strukturen der Lebenswelt*, Bd.1, Suhrkamp.= [1974] *The Structures of the Life-World*, trans., by Zaner, R. & Engelhart, H. T., Northwester University Press.
――――――――――[1984] *Strukturen der Lebenswelt*, Bd.2, Suhrkamp.= [1989] *The Structures of the Life-World*, trans., by Zaner, R. & Parent, D. J., Northwestern University Press.
Schutz, A. & Parsons, T. [1978] *The Theory of Social Action*：*The Correspondence of Alfred Schutz and Talcott Parsonz*, ed. by R. Grathoff, Indiana Univ. Press.= [1980] 佐藤嘉一訳『社会理論の構成』木鐸社.
盛山和夫 [1995]『制度論の構図』創文社.
Shallin, D. N. [1986] Pragmatism and Social Interactionism, in *American Sociological Review*, 51-1.
下田直春 [1978]『社会学的思考の基礎－社会学基礎理論の批判的展望－』新泉社、増補改訂版, 1981年.
Simmel, G. [1890] *Über soziale Differenzierung*：*sociologische und psychologische Untersuchungen.* =[1968] 石川晃弘・鈴木春男訳『社会分化論』『世界の名著47　デュルケーム・ジンメル』中央公論社.
――――[1908] *Soziologie*：*Untersuchungen über die Formen der Vergesellshaftung*, Dunker & Humbolt.= [1994] 居安正訳『社会学（上・下)』白水社.
――――[1917] *Grundfragen der Soziologie*, Walter de Gruyter.= [1979] 清水幾太郎訳『社会学の根本問題』岩波書店.
Spiegelberg, H. [1978] *The Phenomenological Movement*, 1,2, Nijhoff.
Srubar, I. [1978] Konstruktion sozialer Lebens-Welten bei Marx, hrsg. von B. Waldenfels et al., *Phänomenologie und Marxismus*, Bd. 3, Suhrkamp.=[1982] 新田義弘ほか訳『現象学とマルクス主義Ⅰ』白水社.
――――[1988] *Kosmion*：*Die Genese der pragmatischen Lebenswelttheorie von Alfred Schütz und ihr anthropologische Hintergrund*, Suhrkamp.
――――[1997] Ist die Lebenswelt ein harmloser Ort?, Wicke, M. hersg.,*Konfiguration lebensweltlicher Strukture Phänomene* , Opladen.= [2000] 森元孝訳「生活世界は、安全な場所か」『情況別冊　現代社会学の最前線［2］現代社会学のトポス　社会空間への問い』Ⅱ-10-12, 情況出版.→ [2001]『社会学理論の〈可能性〉を読む』情況出版.

Suchman, L. A. [1987] *Plans and Situated Action*, Cambrige Univ. Press. = [1999] 佐伯肝監訳『プランと状況的行為』産業図書.
杉本学 [1999]「ジンメル社会学における〈排除〉という主題」『年報社会学論集』12.
杉本学 [2001]「支配と多数決における個人と社会」居安正・副田義也・岩崎信彦編『21世紀への橋と扉－展開するジンメル社会学－』世界思想社.
杉本良夫／ロス・マオア [1982]『日本人は日本的か』東洋経済新報社.
鈴木宗徳 [1995]「ヴェーバー社会理論における物象化概念の位置」『一橋論叢』113-2.

[T]

高城和義 [1992]『パーソンズとアメリカ知識社会』岩波書店.
高橋由典 [1996]『感情と行為――社会学的感情論の試み』新曜社.
―――― [1999]『社会学講義［感情論の視点］』世界思想社.
高橋洋児 [1981]『物神性の解読－資本主義にとって人間とは何か』勁草書房.
竹内良知 [1992]『西田哲学の「行為的直観」』農村漁村文化協会.
田中義久 [1990]『行為・関係の理論――現代社会と意味の胎生』勁草書房.
谷徹 [2002]『これが現象学だ』講談社.
Tennbruck, F. H. [1959] *Die Genesis der Wissenschaftslehre Max Webers*. = [1985：90] 住谷一彦・山田正範訳『マックス・ヴェーバー方法論の生成』未来社.
Thảo, Tran. Dúc [1951] *Phénoménologie et matérialisme dialectigue*, Minh-Tran. =[1971] 竹内良和訳『現象学と弁証法的唯物論』合同出版.
―――――――― [1973] *Recherches sur l'origine du langage et de la conscience*, Editions Sociales. = [1979] 花崎皋平訳『意識と言語の起源』岩波書店.
Thomason, B. [1982] *Making Sense of Reification*. Macmillan.
徳川直人 [1993]「行為・時間・自己－G.H.ミードの「レフレクション」への「行為の観点」からの再接近」『社会学評論』44-1.
豊泉周治 [1997]『アイデンティティの社会理論』青木書店.
Trevarthen, C. [1979] Communication and Cooperation in Infancy：A discription of primary intersubjectivity, In Bullowa, M.M. (ed.), *The Before Speech*： *The beginning of interpersonal communication*, Cambridge Univ. Press. = [1989] 鯨岡峻（編訳）『母と子のあいだ』ミネルヴァ書房.
Trevathen, C. & Hubley, P. [1978] Secondary Intersubjectivity：Confidence, confiding, and act of meaning in the first year, In Lock, A. (ed.), *Action, Gesture, and Symbol*, Academic Press. = [1989] 鯨岡峻（編訳）『母と子のあいだ』ミネルヴァ書房.
辻敬一郎 [1995]「知覚と機能」『第28回知覚コロキウム記録集』.
Turner,V. [1974] *Dramas, Fields, and Metaphors: Symbolic Action in Human Society*. Cornel Univ. Press. =[1981] 梶原景昭訳『象徴と社会』紀伊國屋書店.

[U]

上野千鶴子［1987］『〈私〉探しゲーム』筑摩書房.

――― 編［2001］『構築主義とは何か』勁草書房.

上野直樹・西阪仰［2000］『インタラクション－人工知能と心』大修館書店.

Uexkull, J. von, Kriszat, G.［1934］*Streifzuge durch die Umwelten von Tieren und Menschen Bedeutungslehre.*＝［1973］日高敏隆・野田保之訳『生物から見た世界』思索社.

[V]

Vaitkus, S.［1991］*How Is Society Possible? Intersubjectivity and the Fiduciary Attitude as Problem of the Social Group in Mead, Gurwitsch, and Schutz*, Kluwer Academic Publishers.＝［1996］西原和久・工藤浩・菅原謙・矢田部圭介訳『「間主観性」の社会学－ミード・グルヴィッチ・シュッツの現象学－』新泉社.

[W]

Wagenr, H.［1983］*Alfred Schutz*：*An Intellectual Biography,* Univ. of Chicago Press.

Wagner, H. & Srubar, I.［1984］*A Bergsonian Bridge to Phenomenological Psychology*, Center for Advanced Research in Phenomenology & University Press of America.

Waldenfels, B.［1979］Verstehen und Verständigung. Zur Sozialphilosophie von A.Schütz, *Alfred Schütz und die Idee des Alltags in den Sozialwissenschaften*, hrsg. von Sprondel, W.M. und Grathoff, R. H., Enke.

―――［1980］*Der Spielraum des Verhaltens*, Suhrkamp.＝［1987］新田義弘ほか訳『行動の空間』白水社.

ワロン, H.［1983］(浜田寿美男訳編)『身体・自我・社会』ミネルヴァ書房.

Watson, J. B.［1930］*Behaviorism* (Revised edition), Norton & Company, Inc.,＝［1980］安田一郎訳『行動主義の心理学』河出書房新社.

Weber, Max.［1920］*Gesammelte Aufsätze zur Religionssoziologie,* J.C.B.Mohr. ＝［1989］大塚久雄訳『プロテスタンティズムの倫理と資本主義の精神』岩波書店＝［1972］大塚久雄・生松敬三訳『宗教社会学論選』みすず書房.

―――［1921］*Gesammelt politische Schriften,* J.C.B.Mohr.＝［1965］中村貞二・山田高生訳「新秩序ドイツの議会と政府」『世界の大思想 3　ウェーバー政治・社会論集』河出書房新社＝［1980］脇圭平訳『職業としての政治』岩波書店.

―――［1972］*Wirtschaft und Gesellschaft,* J. C. B. Mohr.＝［1953］阿閉吉男・内藤莞爾訳『社会学の基礎概念』角川書店＝［1970］世良晃志郎訳『支配の諸類型』創文社＝［1960/62］世良晃志郎訳『支配の社会学（Ⅰ・Ⅱ）』創文社.

―――［1973］*Gesammmelte Aufsätze zur Wissenschaftslehre,* J.C.B.Mohr. ＝［1955／56］松井秀親訳『ロッシャーとクニース（1・2）』未来社；＝［1936］富永祐治・

立野保男訳『社会科学方法論』岩波書店＝［1998］富永祐治・立野保男訳・折原浩補訳『社会科学と社会政策にかかわる「客観性」』岩波書店.

Wittgenstein, L.［1953］*Philosophischen Untersuchung.*＝［1976］藤本隆志訳『哲学探究』（ウィトゲンシュタイン全集 8），修館書店.

Wilson, T. P.［1971］Normative and Interpretive Paradigms in Sociology, J.D.Douglas (ed.), *Understanding Everyday Life,* Routledge & Kegan Paul.

Winternitz, E.［1970］The Role of Music in Leonardo's Paragone, *Phenomenology and Social Reality*：*Essay in Memory of Alfred Schutz,* ed. by Maurice Natanson, Nijhoff.

Wrong,D.［1961］The oversocialized conception of man in modern sociology, *American Journal of sociology,* 26.

[Y]

山田富秋［2000］『日常性批判』せりか書房.

山田富秋・好井裕明［1991］『排除と差別のエスノメソドロジー』新曜社.

やまだようこ［1987］『ことばの前のことば』新曜社.

山岸健編［1987］『日常生活と社会理論』慶応通信.

山口一郎［1985］『他者経験の現象学』国文社.

山本哲士［1983］『消費のメタファー』冬樹社.

山崎敬一［1994］『美貌の陥穽』ハーベスト社.

矢田部圭介［1994］「Working World と身体－A・シュッツにおける身体の問題圏－」『現代社会理論研究』4.

吉田民人編［1978］『社会学』日本評論社.

吉田民人［1995］「ポスト分子生物学の社会科学」『社会学評論』46-3.

好井裕明［1999］『批判的エスノメソドロジーの語り』新曜社.

油井清光［2002］『パーソンズと社会学理論の現在』世界思想社.

[Z]

Zaner, R.［1961］Theory of Intersubjectivity：Alfred Schutz, *Social Research,* vol.28.

Zimmerman, D. H., West, C.［1975］Sex roles, interruptions and silences in conversations, Thorne, B.,Henley, N.（eds.）*Language and Sex*：*difference and dominance,* Newbury House.

著者紹介

西原和久（にしはら・かずひさ）

1950年、東京生まれ。群馬大学助教授、武蔵大学教授を経て、1999年に名古屋大学に転じ、現在、名古屋大学大学院教授（環境学研究科および文学部・社会学講座）。2002年マンチェスター大学社会学部客員研究員、2005年中国・南京大学社会学系客員教授。その他、東京大学・一橋大学・北海道大学・早稲田大学・慶應義塾大学・立教大学などの非常勤講師を歴任する。「現代社会理論研究会」代表（1991-2005）。現在NPO法人「東京社会学インスティチュート」（略称：ist：www.ist-net.jp）理事。

専門は、理論社会学、社会学史、現象学的社会学、社会理論。

著　書：『社会学的思考を読む』（人間の科学社、1994年）、『意味の社会学―現象学的社会学の冒険』（弘文堂、1998年）、編著：『現象学的社会学の展開』（青土社、1991年）、共編著：『社会学理論のリアリティ』（八千代出版、1991年）、『社会構造の探求』（新泉社、1995年）、『権力から読みとく現代人の社会学・入門』（有斐閣、1996年）、『現象学的社会学は何を問うのか』（勁草書房、1998年）、『クリティークとしての社会学』（東信堂、2004年）、共著：『理性と暴力』（世界書院、1997年）、『現代社会学の理論と方法』（岩波書店、1997年）、『社会学理論の〈可能性〉を読む』（情況出版、2001年）ほか。訳書に『シュッツ著作集』（マルジュ社、全4巻、共訳、1983-1998年）、『「間主観性」の社会学』（S.ヴァイトクス著、新泉社、共訳、1996年）、および『間主観性と公共性』（N.クロスリー著、新泉社、2003年）などがある。

自己と社会――現象学の社会理論と〈発生社会学〉

2003年6月1日　第1版第1刷発行
2006年5月1日　第1版第2刷発行

著　者＝西 原 和 久

発行所＝株式会社　新 泉 社

東京都文京区本郷2－5－12

振替・00170-4-160936番　電話 03-3815-1662　FAX 03-3815-1422

印刷・モリモト印刷　製本・榎本製本

ISBN4-7877-0301-3　C1036